ARTE AMERICANO EN LA COLECCIÓN THYSSEN

Museo Nacional Thyssen-Bornemisza
Del 14 de diciembre de 2021 al 26 de junio de 2022

THYSSEN-
BORNEMISZA
MUSEO NACIONAL

con el
apoyo de

con la
colaboración de

Comunidad
de Madrid

ARTE AMERICANO EN LA COLECCIÓN THYSSEN

Paloma Alarcó
Alba Campo Rosillo

y textos de
Clara Marcellán
Marta Ruiz del Árbol

Agradecimientos

Este proyecto no hubiera podido llevarse a cabo sin el apoyo de la Terra Foundation for American Art y agradecemos la confianza y generosidad de Katherine Bourguignon, Diego Candil, Sharon Corwin, Carrie Haslett, Francesca Rose y Amy Zinck, así como a Elizabeth Glassman.

Nos gustaría expresar también nuestra gratitud por su colaboración y por la aportación de valiosa documentación a las siguientes personas e instituciones:

Thomas Busciglio-Ritter; Davida Fernandez-Barkan; Cristina Guerra [TBA21 Madrid]; Falk Liedtke [Stiftung zur Industriegeschichte Thyssen-Archiv, Duisburgo]; Susan Moore; Caroline Riley; Denise Morax, Maria de Peverelli y Johanna Schultheiss [Thyssen-Bornemisza Collections, Zúrich]. Soledad Cánovas del Castillo y Maribel Ruiz [Biblioteca, Museo Nacional Thyssen-Bornemisza]; Cristina Artés González, Celia Donoso Clemente y Paula Pérez [Pintura Moderna, Museo Nacional Thyssen-Bornemisza]; Leticia de Cos y Juan Ángel López-Manzanares [Exposiciones, Museo Nacional Thyssen-Bornemisza]; Esther Navarro [Archivo Fotográfico, Museo Nacional Thyssen-Bornemisza]; y a todo el personal del museo sin el cual esta exposición no sería posible.

Y un especial reconocimiento por su incondicional apoyo y por sus préstamos a los hijos del barón Thyssen-Bornemisza, Francesca, Alexander y Lorne Thyssen-Bornemisza, y a la baronesa Carmen Thyssen.

Miquel Iceta i Llorens
Ministro de Cultura y Deporte

La exposición *Arte americano en la colección Thyssen* clausura la celebración del centenario del nacimiento del barón Hans Heinrich Thyssen-Bornemisza (1921-2002), insigne coleccionista cuya curiosidad por el arte dio lugar al Museo Nacional Thyssen-Bornemisza. «Naciones separadas por barreras políticas, en conflicto por motivos ideológicos, pueden encontrar un terreno común y un camino hacia el entendimiento a través del lenguaje universal del arte», manifestó el barón y lo puso en práctica con sus exposiciones itinerantes de arte estadounidense por todo el mundo. Gracias a su visión, el museo acoge desde 1992 una extensa selección de pintura americana, en especial del siglo XIX, y se ha convertido en punto de referencia esencial para su conocimiento en el contexto europeo.

A través de categorías como la historia, la política, la ciencia, el medioambiente, la cultura material o la vida urbana, la exposición busca repensar la colección de arte americano con una mirada temática y transversal, facilitando un análisis más profundo de las complejidades del arte y la cultura estadounidenses. La colección de obras viaja así desde los choques, conflictos, o negaciones culturales a la fascinación por la ciudad, pasando por la fructífera tradición de los primeros retratistas del edén americano, el goce y esplendor del ocio urbano, el despliegue del consumo material, o los objetos mágicos de las naciones originarias. Una muestra extensa y rica que permitirá recorrer la historia social, política y cultural de Estados Unidos en toda su complejidad, con obras entre lo realista y lo abstracto, lo romántico y lo vanguardista, de autores tan relevantes de Edward Hopper, Jackson Pollock, Mark Rothko, Thomas Cole o Georgia O'Keeffe.

Esta iniciativa de investigación no hubiera sido posible sin la estrecha y fructífera colaboración de todas las instituciones implicadas: la Terra Foundation for American Art, colaborador activo del museo desde hace años, el propio Museo Nacional Thyssen-Bornemisza, y la Comunidad de Madrid. A estas instituciones expresamos desde aquí nuestro más sincero agradecimiento.

Isabel Díaz Ayuso
Presidenta de la Comunidad de Madrid

A mediados del siglo pasado, cuando en Europa aún nadie se interesaba por el arte norteamericano, Hans Heinrich Thyssen-Bornemisza se convirtió en una excepción singular. A finales de los años sesenta y durante toda la década de los setenta, y al mismo tiempo que Estados Unidos comenzaba a redescubrir su particular territorio artístico, el barón Thyssen inició una excepcional colección de arte americano decimonónico.

Más allá de los prejuicios del viejo continente, el barón, fascinado por el amor del artista norteamericano por la naturaleza reflejada en el paisajismo del siglo XIX y su inspiración en la pintura holandesa del XVII, se unía a una corriente que reivindicaba el arte norteamericano como parte del arte occidental. Desde entonces su colección fue creciendo hasta convertirse en la de mayor número y calidad de toda Europa.

Hoy el Museo Nacional Thyssen-Bornemisza concede una gran relevancia al arte estadounidense en su exposición permanente, un arte que ya forma parte de la conciencia y de la historia del arte occidental.

Desde la Comunidad de Madrid apoyamos esta reinstalación dentro del proyecto Arte americano en la colección Thyssen, financiado por la Terra Foundation for American Art, que supone un nuevo planteamiento temático y transversal de las escuelas de arte americanas tradicionales y modernas frente al habitual planteamiento cronológico. Una nueva fórmula que permitirá a los visitantes madrileños y de todo el mundo tener una visión más rica y compleja del arte y la cultura estadounidenses y disfrutarla en relación con el contexto europeo de la colección permanente.

El arte es una inversión con doble retorno: económico y emocional. Incuestionable fuente de riqueza a través del turismo cultural y de ocio, el arte es, sobre todo, la fuente de reflexión e inspiración que nos permite entender, construir y cambiar el mundo. O, dicho en otras palabras: nos hace más libres.

Sharon Corwin
Presidenta y directora general de
Terra Foundation for American Art

El Museo Nacional Thyssen-Bornemisza alberga una amplia colección de pintura americana de los siglos XIX y XX reunida por el barón Hans Heinrich Thyssen-Bornemisza entre las décadas de 1970 y 1990. En los últimos años, el museo ha emprendido un proyecto de investigación dedicado a esta colección, con el fin de repensar la forma en que se presenta y contextualiza el arte americano en el museo. Como parte de este proyecto, la Terra Foundation for American Art se enorgullece de patrocinar una beca para una estancia de investigación de dos años, concedida a Alba Campo Rosillo. Campo Rosillo, junto con Paloma Alarcó, conservadora jefe de Pintura Moderna, y demás conservadores del museo, han analizado más de cerca la pintura norteamericana, examinando las obras, los temas y los enfoques desde las perspectivas de género, etnia, clase o idioma. La nueva instalación y el catálogo de la colección cuestionan y amplían las definiciones del arte americano. De este modo, el museo invita al público español e internacional a descubrir y redescubrir estos cuadros de maneras novedosas.

En nombre de la Terra Foundation for American Art, me gustaría expresar mi profundo agradecimiento al personal del Museo Nacional Thyssen-Bornemisza por su compromiso con el fomento de nuevos enfoques a través del estudio minucioso de su colección. Su deseo de recontextualizar las historias del arte americano coincide con la voluntad de la Terra Foundation de ampliar, transformar y enriquecer los relatos. También me gustaría expresar mi gratitud a los autores que han aportado sus textos a este catálogo: Paloma Alarcó, Alba Campo Rosillo, Marta Ruiz del Árbol, Clara Marcellán, Wendy Bellion, Kirsten Pai Buick, David Peters Corbett, Catherine Craft, Karl Kusserow, Michael Lobel y Verónica Uribe Hanabergh.

Guillermo Solana
Director artístico del Museo Nacional Thyssen-Bornemisza

Cuando se diseñó la programación para celebrar el centenario del nacimiento de nuestro fundador, Hans Heinrich Thyssen-Bornemisza, decidimos iniciar las conmemoraciones con una muestra dedicada a la pintura expresionista alemana, que fue su primera pasión como coleccionista, y terminarlas con su última gran aventura: la colección de arte americano. Este es el objeto de la exposición actual, que una vez más se propone complementar las obras que pertenecen al museo con otras que han permanecido en colecciones de la familia Thyssen-Bornemisza con el fin de aproximarnos a lo que fue la colección original del barón. El resultado es un conjunto de unas 140 obras que se han instalado en la planta primera del museo, organizadas en cuatro grandes bloques temáticos, «Naturaleza», «Cruce de culturas», «Espacio urbano» y «Cultura material», estableciendo diálogos entre obras de diversas épocas, combinando el arte de los siglos XIX y XX.

La exposición ha implicado una labor previa de investigación, que ha sido posible gracias a la Terra Foundation for American Art, orientada a reinterpretar la colección de arte americano del barón Thyssen con una nueva mirada, incluyendo la atención a cuestiones de género, etnia y clase social, así como las relativas al medio ambiente, para ofrecer a nuestro público un acercamiento crítico y actualizado a la historia del arte y la cultura estadounidenses. Esta reinterpretación se argumenta oportunamente en el catálogo, a través de los textos de las dos comisarias, Paloma Alarcó, jefa de conservación de Pintura Moderna del museo, y Alba Campo Rosillo, Terra Foundation *Fellow* de Arte Americano, así como de Clara Marcellán y Marta Ruiz del Árbol, conservadoras de Pintura Moderna del museo; mi enhorabuena a todas ellas por su excelente trabajo. Quiero manifestar también mi reconocimiento a los miembros de la familia Thyssen que han contribuido generosamente con préstamos de sus colecciones. Y al gobierno de la Comunidad de Madrid, que ha patrocinado esta muestra como todas las demás exposiciones y actividades vinculadas al centenario del barón Thyssen-Bornemisza.

MAPA HISTÓRICO DE ESTADOS UNIDOS

Estos mapas reflejan el aspecto cambiante del territorio americano y sus habitantes, desde las tierras ancestrales de diversas naciones indígenas a la expansión territorial de Estados Unidos entre 1776 y la actualidad. La información indica las principales ciudades, accidentes naturales y procesos históricos mencionados en la exposición.

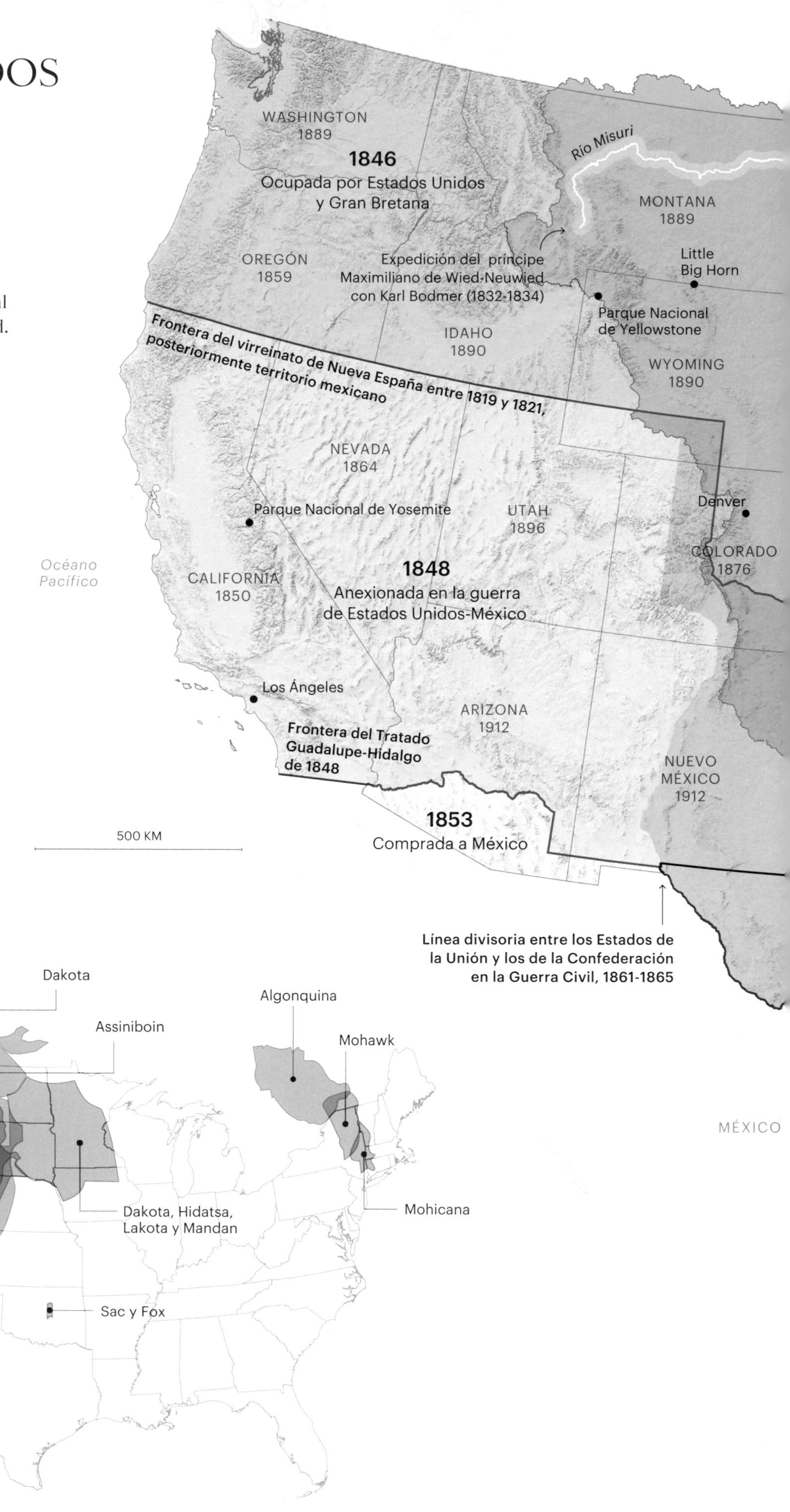

Naciones indígenas

CANADÁ
1818
Cesión británica
1783
Nuevas colonias
ESTADO
Año de incorporación
VERMONT 1791
MAINE 1820
1776
Territorio de los Trece Estados originales
NEW HAMPSHIRE
Río Misisipi
DAKOTA NORTE 1889
MINNESOTA 1858
Mineápolis
Fort Snelling
WISCONSIN 1848
Oshkosh
MICHIGAN 1837
Detroit
NUEVA YORK
MASSACHUSETTS
Boston
Hartford
Providence
RHODE ISLAND
CONNECTICUT
DAKOTA DEL SUR 1889
Montclair
Nueva York
IOWA 1846
Chicago
PENSILVANIA
Filadelfia
NEBRASKA 1867
NUEVA JERSEY
1803
Compra de la Luisiana francesa
ILLINOIS 1818
INDIANA 1816
OHIO 1803
MARYLAND
Baltimore
Washington D.C.
DELAWARE
Río Misuri
Cincinnati
VIRGINIA OCCIDENTAL
VIRGINIA
San Luis
Río Ohio
KANSAS 1861
MISURI 1821
KENTUCKY 1792
Océano Atlántico
CAROLINA DEL NORTE
TENNESSEE 1796
OKLAHOMA 1907
ARKANSAS 1836
CAROLINA DEL SUR
GEORGIA
MISISIPI 1817
ALABAMA 1819
Fort Worth
1845
Anexión de Texas
Río Misisipi
San Agustín
LUISIANA 1812
1819
Cesión española
TEXAS 1845
FLORIDA 1845
Golfo de México
VE
ME
White Mountains
Montes Adirondack
Prouts Neck
Lago George
NH
NY
Gloucester
Playa de Singing
Río Hudson
Montes Berkshires
MA
Cape Cod
Montes de Catskill
RI
Nantucket
CT
Estrecho de Long Island
PA
Lago Greenwood
Colinas de Shinnecock
NJ
Toms River
100 Km
Otros territorios estadounidenses
Islas Midway (1867)
Alaska
Atolón Johnston (1858)
Hawái
Islas Vírgenes (1917)
Islas Marianas del Norte (1947)
Arrecife Kingman (1922)
Atolón Palmira (1900)
Isla Wake (1899)
Puerto Rico (1898)
Guam (1898)
Isla Jarvis (1857)
Islas Baker y Howland (1857)
Samoa Americana (1899)
Isla de Navaza (1857)

AMÉRICA DESDE EUROPA

Paloma Alarcó

Viajeros europeos

«Mi idea de América, como la de tantos franceses, estaba arraigada, y probablemente todavía lo está, en Chateaubriand», confesaba el pintor francés André Masson en una serie de entrevistas a varios artistas europeos refugiados en Estados Unidos durante la guerra, que publicó el Museum of Modern Art (MoMA) en 1946[1]. El escritor francés François-René de Chateaubriand fue uno de los responsables, aunque no el único, de difundir en Europa una idea imaginaria de América como el Nuevo Edén y de desarrollar el mito del «buen salvaje» americano, al exaltar su condición natural, su inocencia rousseauniana, frente al racional hombre ilustrado europeo.

Con la intención de huir de la Revolución Francesa, el joven Chateaubriand viajó a Estados Unidos en 1791. En compañía de un guía holandés, subió por el río Hudson hasta Albany, desde donde se adentró en las tierras habitadas por los mohicanos. Llegó hasta Niágara y los Grandes Lagos, para descender después por la Luisiana francesa a lo largo del Misisipi hasta el territorio natchez. En sus narraciones inspiradas en esta aventura, tanto en el *Viaje a América* (1827), como en las novelas exóticas *Atala*, (1801), *René* (1802) y *Los natchez* (1827), así como en las *Memorias de ultratumba* (1848), ilustró el esplendor del paisaje norteamericano y narró las costumbres de los nativos, sin omitir escenas de la crueldad de la guerra que mantenían los indígenas y los europeos llegados a sus tierras. Hoy tenemos la certeza de que muchas de las historias de Chateaubriand eran fruto de su imaginación romántica, pero no es menos cierto que a pesar de ello lograron que arraigara una imagen mitificada de América en la cultura popular europea durante varias generaciones. Un ejemplo paradigmático de su reflejo en pintura es *La muerte de Atala* del pintor francés Anne-Louis Girodet de Roucy-Trioson [fig. 1], un mito literario del Nuevo Mundo adaptado a las convenciones europeas del neoclasicismo prerromántico que refleja la escena en la que Chactas, el indio natchez, llora el suicidio de su amada Atala, cristiana y mestiza.

Otros exploradores y escritores europeos viajaron por América atraídos por la exuberancia de sus paisajes y el exotismo de sus nativos[2]. Una aventura especialmente extraordinaria fue sin duda la del príncipe Maximiliano de Wied-Neuwied, el explorador, etnógrafo y naturalista alemán que viajó por el continente americano para estudiar la geografía, la naturaleza y sus habitantes. Maximiliano partió de San Luis el 10 de abril de 1832 acompañado por el pintor suizo Karl Bodmer para repetir la mítica ruta militar seguida entre 1804 y 1806 por Meriwether Lewis y William Clark para cartografiar los territorios de Luisiana recién adquiridos por Thomas Jefferson. Remontaron el río Misuri en el paquebote *Yellowstone*, escoltados por los tramperos y vendedores de la American Fur Company, que desde 1808 se dedicaba al comercio de pieles en esas tierras. Desde Fort Clark, en Dakota del Norte, visitaron a los mandan y los hidatsa y, como había hecho el pintor George Catlin el año anterior, Bodmer los representó en numerosos apuntes y acuarelas. Finalmente, a su paso por Fort Union, se relacionaron con los assiniboin, y en Fort McKenzie con los piegan, o pies negros, todos ellos también retratados por el pintor.

1 AA. VV. 1946, p. 3.
2 Harry Liebersohn ha estudiado la construcción ficticia de los indios americanos por parte de los viajeros europeos. Véase Liebersohn 1998.

← Robert Rauschenberg
Express, 1963
[detalle de cat. 111]

fig. 1

Anne-Louis Girodet de Roucy-Trioson
El entierro de Atala, 1800-1825
Óleo sobre lienzo, 207 × 267 mm
Musée du Louvre, París, inv. 4958

El relato de esta expedición en forma de diario del príncipe Maximiliano, que se publicó ilustrado con aguatintas realizadas a partir de las acuarelas de Bodmer[3], se considera uno de los documentos más relevantes sobre las naciones nativas de las llanuras del río Misuri, pues se corresponde temporalmente con su progresiva desaparición por la expansión territorial y la marea de colonos que iban transformando la Frontera Oeste[4]. No es menos notable el hecho de que durante décadas se convirtiera en fuente de inspiración para numerosos escritores, cineastas y artistas. Las novelas de aventuras ambientadas en las tierras americanas del escritor alemán Karl May, protagonizadas por el noble jefe apache Winnetou y su hermano el «rostro pálido» Scharlih, un alemán emigrado a los Estados Unidos, apodado por su fuerza Old Shatterhand (mano de hierro), se nutre, entre otras fuentes, de las historias de Maximiliano y del repertorio de grabados y acuarelas de Karl Bodmer. El retrato del jefe mandan Mató-Tópe (Cuatro Osos) [cat. 72], a quien Bodmer representó en dos ocasiones, podría haber sido una referencia esencial para May a la hora de crear a su héroe literario.

Hoy la mayor parte de esos viejos mitos han sido desmantelados por la historiografía reciente, pero es innegable que, como había ocurrido con el «buen salvaje» de Chateaubriand, los heroicos personajes de las narraciones de May, o las obras de Bodmer, contribuyeron a configurar una imagen de los indígenas norteamericanos en el imaginario europeo que, en cierta medida, aún pervive en nuestros días[5]. Uno de los más ávidos lectores de las aventuras de Karl May en su juventud fue Hans Heinrich Thyssen-Bornemisza y su impacto estimuló su futuro interés por el arte y la cultura de Norteamérica. La primera prueba de ello fue la adquisición, a finales de los años 1950, de los setenta grabados coloreados de Karl Bodmer que marcan el inicio de su colección americana[6].

No es en absoluto irrelevante que fueran los europeos, más que los americanos, los que proyectaran sobre Europa una imagen mítica de América y tampoco lo es que más tarde colaboraran a su desmitificación. Si efectuamos un salto en el tiempo, un viaje de muy distinta índole de otro forastero, el escritor francés Michel Butor, desmanteló el mito americano y, a través de cientos de referencias entrelazadas, consiguió trasmitir una idea más veraz de la multiplicidad de América. Butor, un autor de una curiosidad insaciable, recorrió Estados Unidos en 1959 y a su regreso publicó *Mobile*, un libro que dedicó a Jackson Pollock[7]. El texto, sin hilo conductor y escrito en vertical, es un *collage* circular de múltiples fragmentos de rápidas anotaciones, anuncios, nombres de ciudades, noticias de periódicos, citas de Chateaubriand o de Thomas Jefferson, sin faltar escritos de nativos americanos. Aunque el libro transmite la belleza natural y la energía de esa inmensa tierra, también hace explícitas las contradicciones de la vida americana, en especial de la todavía existente segregación racial. De él aprendemos que Estados Unidos es un país tan peculiar y diverso como imposible de definir.

3 Véase Príncipe Maximiliano 1839-1841. La obra se tradujo muy pronto al francés y al inglés, lo que aumentó considerablemente su difusión. El Archivo Maximilian-Bodmer fue adquirido en 1962 por La Northern Natural Gas Company y depositado en el Joslyn Art Museum de Omaha, Nebraska. Véase también Witte y Gallagher 2008-2012.
4 Véase Goetzmann et al 1984.
5 Beneke y Zeilinger 2007.
6 Véanse cats. 70-75 y 148-153.
7 Butor 1962.

fig. 2

Frederic Edwin Church
Niágara, 1857
Óleo sobre lienzo, 164,5 × 286,4 cm
National Gallery of Art, Washington, Corcoran Collection, adquisición, Gallery Fund, 2014.79.10

Las musas europeas

La veneración de una imagen mitificada de América no se tradujo sin embargo en un interés por el arte estadounidense en Europa. Por variadas razones, pero sobre todo por ser considerado durante décadas como una escuela inferior derivada del arte europeo, a lo largo del siglo XIX y la primera mitad del siglo XX, el arte norteamericano tardó en encontrar una audiencia propicia en el viejo continente.

Estados Unidos era admirado por las nuevas ideas de democracia, libertad, innovación técnica, prosperidad económica, pero Europa seguía siendo la que aportaba la tradición clásica y la historia. A pesar de los grandes avances del país, los primeros artistas americanos consideraban ineludible viajar al viejo mundo para aprender de las «musas europeas», como las denominaba Ralph Waldo Emerson, en un primer momento, a Inglaterra y Alemania, y más tarde, a París. Según este planteamiento, desarrollaron un arte que oscilaba entre la invención y la dependencia, buscando el modo de trasladar las viejas convenciones a la experiencia específicamente americana.

Cuando al terminar la Guerra Civil, Estados Unidos intentó mostrar una renovada imagen de americanidad y presentarse como un nuevo gran país reunificado en el gran encuentro entre culturas que fue la Exposición Universal de París de 1867, su presencia pasó casi desapercibida[8]. Los productos industriales americanos mostrados en los grandes pabellones del Campo de Marte fueron admirados por todos, pero, sin embargo, los paisajes de Frederic Church, Asher B. Durand o Albert Bierstadt o las pinturas heroicas de la contienda de Winslow Homer, hoy consideradas verdaderas obras maestras, prácticamente ni se mencionaron y solamente el impresionante panorama de *Niágara* de Church [fig. 2] obtuvo una modesta medalla de plata.

8 Troyen 1984, p. 6.

fig. 3

Vista de la exposición *Trois siècles d'art aux États-Unis* celebrada en el museo del Jeu de Paume, París, en 1938

fig. 4

Edward Hicks
El reino apacible, hacia 1834
Óleo sobre lienzo, 74,5 × 90,1 cm
National Gallery of Art, Washington, donación de Edgar William y Bernice Chrysler Garbisch, 1980.62.15

Setenta años después, en 1938, en un momento de gran inestabilidad en Europa, cuando se presentó en el museo del Jeu de Paume de París *Trois siècles d'art aux États-Unis*, la acogida europea continuó siendo escasa. El propósito de esa ambiciosa muestra, organizada por el MoMA de Nueva York por encargo del gobierno francés y comisariada por su director Alfred H. Barr junto con Dorothy C. Miller, era ofrecer una imagen internacional del arte estadounidense y trazar una «tradición americana» desde el arte popular de la era colonial y el paisaje sublime y arcádico americano, hasta el modernismo contemporáneo [fig. 3]. Con motivo de este acontecimiento, el crítico de arte del *New York Times* Edward Alden Jewell escribió el libro *Have We an American Art?* en el que se lamentaba de la escasa recepción por el público europeo y de la tibia acogida de la crítica[9].

Recién acabada la guerra, en 1946, la Tate Gallery de Londres, en colaboración con la National Gallery of Art de Washington y con el apoyo de las agencias del gobierno americano, organizó la muestra *American Painting: From the Eighteenth Century to the Present Day* que tampoco recibió la acogida esperada[10]. La selección no era muy diferente de la presentada en París en 1938, desde el arte colonial más temprano hasta las vanguardias más recientes. La presencia en ambas ocasiones de una pintura de la célebre serie *El reino apacible*, de hacia 1834, del pintor *folk* Edward Hicks [fig. 4] que, según el libro del profeta Isaías representa un mundo en el que los animales viven en armonía, demuestra que se quiso hacer uso de la imagen arcádica de América, que tanto habían fomentado los escritos de Chateaubriand, para su difusión internacional.

9 Jewell 1939.
10 Sobre esta muestra, véase Riley 2018.

fig. 5

Hans Namuth
Jackson Pollock trabajando, principios de la década de 1950
Gelatina de plata
National Portrait Gallery, Washington, Smithsonian Institution, donación de Estate of Hans Namuth, NPG.95.155

Americanidad

Poco después, durante el momento más álgido de la Guerra Fría, la recepción del arte americano en los países del bloque occidental cambiaría radicalmente. El gobierno americano no solo ayudó a la reconstrucción de Europa, sino que se propuso difundir su imagen de libertad y prosperidad frente al rígido frente soviético con un activo programa de apoyo y propaganda de la nueva pintura americana, la industria del cine o la música jazz. La Agencia de Información de Estados Unidos (USIA), creada en 1953 por el presidente Eisenhower, y el International Council (IC) del MoMA, que comenzó su andadura en 1952, con el apoyo del presidente del museo neoyorquino, Nelson Rockefeller, vieron claro el potencial de organizar exposiciones internacionales itinerantes de arte moderno americano[11].

La americanidad ya no residía en aquella imagen arcádica de la primera tradición artística americana sino en el último arte del expresionismo abstracto. Los jóvenes artistas de Nueva York —Willem de Kooning, Jackson Pollock, Barnett Newman, Clyfford Still, Mark Rothko, o Franz Kline—, de una energía inédita, que expresaba las más profundas ansiedades que impregnaban la cultura norteamericana, cautivaron a toda una generación europea marcada por un sentimiento de pesimismo provocado por la guerra.

La nueva pintura era expresiva, heroica, pero, sobre todo, era genuinamente americana. Fue precisamente al liberarse de la tradición europea cuando los artistas lograron que la anterior indiferencia se transformara en aceptación, incluso en una progresiva americanización del arte europeo[12]. Si hasta entonces el arte americano se había nutrido de fuentes europeas, era ahora la cultura norteamericana la que ejercía su influencia en el mundo occidental. Irving Sandler habló en un tono un tanto chauvinista del «triunfo de la pintura americana»[13] y, años después, Serge Guilbaut reconocía que Nueva York le había arrebatado el protagonismo artístico a París en un ensayo en el que interpretaba, en clave política, el expresionismo abstracto[14].

Entre la larga lista de actividades internacionales de promoción artística desarrolladas por el IC del MoMA destacamos la exposición *The New American Painting*, que durante 1958 y 1959 realizó una gira por ocho ciudades europeas[15]. El crítico Lawrence Alloway comparaba a los artistas de esta muestra con los héroes de las películas de Hollywood: «Estos pintores han sido asociados desde sus inicios con "el hombre de acción", como los héroes de las películas del Oeste»[16]. En realidad, al escribir estas palabras, a quien tenía en mente era a Jackson Pollock.

A mediados del siglo XX, Pollock, inventor de una revolucionaria forma de pintar, era sin discusión el artista más célebre de Estados Unidos y muy pronto lo sería de Europa [fig. 5]. Su primera mentora fue la coleccionista americana Peggy Guggenheim que en 1940 había regresado a su país natal huyendo de la ocupación nazi de Francia. Peggy conoció a Pollock cuando trabajaba como operario de mantenimiento en el entonces denominado Museum of Non-Objetive Painting de su tío, el coleccionista Solomon R. Guggenheim. En 1943, en plena guerra, organizó la primera exposición del pintor en su galería neoyorquina Art of This Century[17] y también fue la responsable de su primera presentación en Europa en una muestra en el Museo Correr de Venecia en 1950. Como sabemos, la consagración definitiva le llegó en 1949, cuando la revista *Life* se preguntaba: «Is he the greatest living painter in the United States?»[18] y el trágico accidente de automóvil que en 1956 acabó con su vida, terminó por convertirlo en un mito. En este contexto era obvio que el barón Thyssen acabaría comprando su primer Pollock[19], con el que inicia su coleccionismo de arte moderno americano.

11 Este asunto ha estimulado una larga lista de publicaciones: Kozloff 1973; Saunders 2001; Dossin 2012; Menand 2021 y un largo etcétera.
12 Lewison 1999.
13 Sandler 1970.
14 Guilbaut 1983.
15 Se inauguró el 19 de abril 1958 en Basilea y de ahí pasó por Milán, Madrid, Berlín, Ámsterdam, Bruselas, París y Londres (finalizó a finales de marzo 1959). La presentación en la España franquista fue durante el verano de 1958, en las salas del Museo Nacional de Arte Contemporáneo de Madrid.
16 Lawrence Alloway: «Myths and Continuance of American Painting». En *Art News Bulletin*, Londres, julio-agosto de 1958. Citado según Spicer 2018.
17 Peggy Guggenheim, a través de su galería Art of This Century, que permaneció abierta entre 1942 y 1947, apoyó al grupo surrealista en Nueva York y a los jóvenes Motherwell, Baziotes, Gorky, Rothko y Still, además de a Pollock.
18 Seiberling 1949. El artículo incluía fotografías de Martha Holmes y Arnold Newman.
19 Se trataba de *Marrón y plata I* [cat. 127], adquirido en 1963.

fig. 6

Ugo Mulas
Salas de Robert Rauschenberg y Jasper Johns,
XXXII Bienal de Venecia, 1964
Archivo Ugo Mulas

fig. 7

Ugo Mulas
Transporte de *Express* de Robert Rauschenberg
en los Giardini, XXXII Bienal de Venecia, 1964
Archivo Ugo Mulas

fig. 8

Ugo Mulas
Transporte de las obras de Robert Rauschenberg
en la laguna, XXXII Bienal de Venecia, 1964
Archivo Ugo Mulas

fig. 9

Vista de la exposición *The Natural Paradise: Painting in America 1800-1950* celebrada en el MoMA, Nueva York, 1976

En los años sesenta, esa década en la que Estados Unidos se vio rodeado de un halo romántico provocado en parte por la publicidad, el cine y el imparable éxito de la nueva pintura de acción, Europa tampoco pudo resistirse a la estética seductora del pop. El nuevo lenguaje echaba por tierra los anhelos heroicos y subjetivos del anterior expresionismo abstracto y devolvía el arte al mundo real, a las cosas tan ligadas a la cultura americana[20]. La mayor victoria se produjo en abril de 1965 con la presentación de las pinturas de Andy Warhol en la galería de Ileana Sonnabend de París, calificado por el poeta americano John Ashbery, que por aquel entonces residía en la capital francesa, como «el mayor alboroto transatlántico desde que Oscar Wilde intentara un acercamiento de culturas en Buffalo en el siglo XIX»[21].

Los mitos de la vida diaria, que tanto interesaron al pop, poseían una doble cara: por un lado, un optimismo constructivo derivado de la nueva fe en el progreso, y por otro, un síndrome de decadencia y temor al desastre. Esta dualidad se refleja en los comportamientos contrapuestos que caracterizaron los años posteriores a la Segunda Guerra Mundial: el sentimiento de conformidad y la necesidad de reivindicación. Esta contraposición quedó claramente reflejada en la representación americana en la Bienal de Venecia de 1964. La USIA, que patrocinó esta edición, nombró comisario a Alan R. Salomon, director del Jewish Museum de Nueva York. La mayoría de los pabellones exhibían obras de artistas contagiados por el expresionismo abstracto americano, pero Salomon decidió combinar obras de pintores de los dos movimientos artísticos del momento: Morris Louis y Kenneth Noland, representantes de la abstracción cromática que apoyaba el influyente Clement Greenberg, y Jasper Johns y Robert Rauschenberg, cercanos al pop. Las abstracciones de Louis y Noland, se exhibieron en el pabellón americano mientras que, por falta de espacio, las banderas americanas de Johns y los *combines* y los *collages* serigrafiados de Rauschenberg se presentaron en las salas del consulado americano. La anécdota curiosa de esta Bienal se produjo al confirmarse que Rauschenberg iba a recibir el Gran Premio y tres de sus grandes lienzos, entre los que se encontraba *Express*, que entraría en la colección del barón Thyssen en 1974 [cat. 111], tuvieron que ser transportadas en una barca por el Gran Canal desde el consulado al pabellón americano en los Giardini por exigencias del jurado de la Bienal [figs. 6-8][22].

Jasper Johns mostraba su transformación de la bandera americana en motivo artístico no llevado por un impulso nacionalista sino más bien como refutación del frustrante ambiente político de la Guerra Fría y de los dudosos métodos del macartismo. De igual modo, las premiadas pinturas serigrafiadas de Rauschenberg también reflejaban una cierta protesta contra ese patriotismo histérico que había desencadenado la voluntad de reforzar la identidad americana durante la posguerra.

Años después, justo en el momento en que el Watergate y el desastroso final de la Guerra de Vietnam empañaban la imagen de Estados Unidos, la celebración del Bicentenario de la Declaración de Independencia en 1976 supuso un retorno a la evocación nostálgica del romanticismo sublime del siglo XIX para vincularlo a las corrientes artísticas más contemporáneas. Ese fue el objetivo de la exposición *The Natural Paradise* organizada por el MoMA y [fig. 9 y 14], como declaraba Robert Rosenblum en el catálogo, «ahora, en el año del Bicentenario, es especialmente apropiado explorar la tierra nativa del que creció el expresionismo abstracto»[23].

20 Crow 1996.
21 Ashbery 1965.
22 Véase Tomkins 1981, p. 10.
23 Rosenblum 1976, p. 15. Rosenblum había avanzado su teoría de la tradición de lo sublime en 1961 y la desarrolló en 1975. Véanse Rosenblum 1961 y Rosenblum 1975.

fig. 10

Thomas Cole
El curso del imperio: Desolación, 1836
Óleo sobre lienzo, 99,7 × 160,7 cm
New-York Historical Society, Nueva York, donación de The New-York Gallery of the Fine Arts, 1958.5

La exaltación de la «americanidad» del arte americano volvía a residir en la naturaleza virgen como depositaria de las verdades eternas y los valores morales, en la pintura sublime de la Escuela del río Hudson o, como escribía Barbara Novak en el catálogo, en las misteriosas imágenes dotadas de una quietud y silencio casi sobrenatural, del denominado luminismo[24], hasta alcanzar su traducción abstracta en la nueva Escuela de Nueva York.

Este discurso lineal, desde el primer paisajismo romántico hasta llegar a la abstracción, logró cristalizar con éxito y, como resultado, fue aumentando muy tímidamente en Europa el interés por el arte americano anterior a 1945. El Louvre, por ejemplo, adquirió en 1975 el cuadro de Thomas Cole *Cruz en la naturaleza salvaje*, de 1827-1829, un verdadero paradigma del nuevo estilo de paisaje majestuoso y sublime en el que el pintor evoca el dolor de un jefe indio sobre la tumba del que le había revelado la fe cristiana. Poco después, el barón Thyssen, tras reunir un significativo conjunto de pinturas modernas americanas, también comenzaría a coleccionar el arte de Cole y sus seguidores.

La profecía de Cole

Desde finales del siglo pasado, la obra de Thomas Cole, tradicionalmente valorado como el padre de la primera escuela americana de paisaje, se ha abierto a nuevas interpretaciones. Entre otras cosas, hoy se hace hincapié en el hecho de que el auge del paisajismo americano fue coincidente con la progresiva destrucción de la naturaleza derivada de la expansión y el desarrollo industrial. Sin duda, los paisajes heroicos y paradisíacos de Cole, que exploraban las relaciones del hombre con la naturaleza, son considerados en la actualidad una profecía del peligro de la fuerza aniquiladora de la civilización.

Conocedor de esta nueva concepción, el artista californiano Ed Ruscha, cuando fue invitado a representar a Estados Unidos en la Bienal de Venecia de 2005, bajo el tema del progreso, decidió tomar como referencia el ciclo pictórico de *El curso del imperio* de Thomas Cole, realizado entre 1834 y 1836. Estas cinco pinturas, que relatan el avance de la civilización desde un estado arcádico hasta la decadencia final, son una alegoría de la historia de América y un aviso de las consecuencias catastróficas del deterioro de la naturaleza derivado de la política expansionista del presidente Andrew Jackson. Los dos primeros cuadros del ciclo, *El estado primitivo* y *El estado arcádico*, nos llevan a la *Culminación del imperio* y su *Destrucción*.

24 Novak 1976b.

fig. 11

Ed Ruscha
Blue Collar Tool & Die, 1992
Acrílico sobre lienzo, 132,1 × 295 cm
Whitney Museum of American Art, Nueva York, adquisición con fondos de The American Contemporary Art Foundation, Inc., Leonard A. Lauder, President, 2006.8

En el último, *Desolación* [fig. 10], contemplamos la imagen distópica de una ciudad en ruinas de la que los hombres han desaparecido como fruto de su autodestrucción.

La interpretación del *Curso del imperio* que Ruscha ofrece en Venecia se inspira en la idea de evolución de los amplios panoramas de Cole para advertir sobre la peligrosa transformación que se está desarrollando en América. Siempre atento a la iconografía de la ciudad, confronta cinco obras en blanco y negro de edificios industriales de Los Ángeles, de su serie *Blue Collar*, fechadas en 1992 [fig. 11], con cinco pinturas en color realizadas más de diez años después. Las diferencias son notables a simple vista para hacer alusión a la transformación del paisaje urbano con el paso del tiempo.

Ambos artistas crearon un modelo de paisajismo americano muy dispar —Cole una imagen de la naturaleza sublime del Nuevo Mundo, Ruscha unos paisajes industriales de enorme perfección y sencillez— pero los dos nos ofrecen una amenazadora visión de las consecuencias de la devastación a causa de determinados comportamientos políticos. Ahora bien, frente a la profecía apocalíptica de Cole, en las imágenes industriales de Ruscha, la naturaleza y los signos de la civilización no están reñidos[25], más bien parece que el artista se encoge de hombros y nos dice: «Asumid las consecuencias».

Hasta hace relativamente poco el arte americano anterior a la Segunda Guerra Mundial era prácticamente desconocido en Europa. Se ha tardado años en reconocer sus cualidades específicas y la singularidad de su marco cultural, político y artístico. Sin embargo, como acreditan los recientes estudios y las múltiples exposiciones celebradas en varias ciudades europeas, en los últimos años ha florecido un mayor intercambio cultural que demuestra las posibilidades de la circulación de ideas para desarrollar un mutuo enriquecimiento en esta época de relativismo creciente[26].

No hace tanto, el historiador francés François Brunet, uno de los protagonistas del nuevo diálogo trasatlántico, planteó una atractiva visión contemporánea de América como la civilización de la imagen[27]. En consonancia con esta propuesta, mediante el repaso de la mitificación de la iconografía de los indígenas con la exploración del Oeste y de los primeros paisajes sublimes americanos, que configuraron una identidad nacional y profetizaron la capacidad aniquiladora del hombre; así como a través de la activa política de propaganda artística que desencadenó la americanización del viejo continente y la modernización de su imagen, nuestra intención es hablar del mito visual de Estados Unidos desde Europa.

25 Véase Whiting 2006, p. 80.
26 Véase Thielemans 2008.
27 Brunet 2013.

EL BARÓN THYSSEN-BORNEMISZA Y LA DIFUSIÓN DEL ARTE AMERICANO

Alba Campo Rosillo

La colección de arte americano que reunió el barón Thyssen fue posiblemente la más amplia en su género fuera de Estados Unidos[1]. Por sus fondos llegaron a pasar más de 330 pinturas a lo largo de tres décadas (1960-1990), y actualmente el Museo Nacional Thyssen-Bornemisza posee cerca de un centenar de obras, la baronesa Carmen Thyssen otras cien, y los hijos del barón cuentan con unas sesenta. Parte de estas colecciones de la familia se muestran al público en la exposición *Arte americano en la colección Thyssen* y están asimismo representadas en esta publicación.

Todo este conjunto de obras refleja tanto el gusto personal del barón como su espíritu empresarial, pasando por las tendencias del coleccionismo privado de la época y las ambiciones sociopolíticas que se analizan a continuación. El barón consideraba el arte en general como un agente de cambio capaz de establecer la paz, y fue especialmente con sus exposiciones itinerantes y los préstamos de obras a instituciones culturales y diplomáticas como hizo de su colección de arte estadounidense el estandarte de esta idea, dando a conocer su colección por el mundo e influyendo en política internacional[2].

El nacimiento de la colección americana

En el año 1963, cuando el barón compra la pintura *Marrón y plata I* de Jackson Pollock, de 1951 [cat. 127], se inicia su colección de arte moderno americano[3]. Ese mismo año John McCoubrey publicaba un estudio en el que afirmaba que el expresionismo abstracto, movimiento artístico al que Pollock pertenecía, constituía la escuela más significativa del arte americano. Según él, esto se debía a que contenía elementos de la cultura indígena y del pensamiento puritano, tales como el impulso abstracto; además, opinaba que la inmensidad del territorio americano influía en el artista, quien pintaba el espacio crudo y deshabitado[4]. Hans Heinrich no volvió a adquirir otra pintura americana hasta cinco años después, cuando compró *Ritmos de la tierra* de Mark Tobey, de 1961 [cat. 33][5]. Esta segunda obra pertenecía a la misma escuela artística, y se trataba de una pintura igualmente valorada por la crítica[6].

Poco después, en 1972, los negocios se inmiscuyen en la gestación de esta incipiente colección de arte estadounidense, cuando el grupo empresarial Thyssen-Bornemisza adquiere el conglomerado industrial Indian

1 Testimonio de Barbara Rose recogido en Grosvenor 1982, p. 61.

2 La baronesa Francesca Thyssen-Bornemisza enunció la filosofía de su padre durante su presentación del simposio *Hans Heinrich Thyssen-Bornemisza, coleccionista de arte*, en el Museo Nacional Thyssen-Bornemisza, el 15 de octubre de 2021. Simon de Pury expresó esta misma idea en su ponencia «La diplomacia cultural del barón H. H. Thyssen-Bornemisza: Recuerdos personales de mi etapa como conservador de la Colección Thyssen-Bornemisza entre 1979 y 1986», en el mismo evento. Para más información véase Moore en prensa.

3 La obra estaba expuesta en la galería Toninelli Arte Moderna, de Milán, dentro de una muestra itinerante organizada por la galería londinense Marlborough Fine Art.

4 McCoubrey 2000, pp. 2, 17-28. Véase también Guilbaut 1983.

5 Fue adquirida en 1968 en una subasta de Sotheby's de Londres, fuente frecuente de compras.

6 Es posible que estas compras se beneficiaran de una gran oportunidad surgida en el mercado del arte, puesto que la crisis del petróleo forzó a muchos coleccionistas a vender sus posesiones, que se habían visto depreciadas. Thyssen-Bornemisza 2014, p. 213.

← Jackson Pollock
Marrón y plata I, hacia 1951
[detalle de cat. 127]

fig. 12

Henry F. Farny
Cabeza de indio, 1908
Óleo sobre tabla, 24,1 × 16,5 cm
Colección privada

Head. Esta transacción financiera significó la obtención de 55 fábricas operadas por un total de 18.000 empleados[7]. Con esta vasta expansión de su imperio económico, el barón no solo tuvo ocasión de pasar largas temporadas en Estados Unidos para dirigirlo desde su oficina de Nueva York, sino que también dispuso de más tiempo para dedicarse a la compra de obras de arte[8]. En la sede de Indian Head en Nueva York colgaban en 1979 las pinturas *Dos puentes en Nueva York* de Lowell Nesbitt, de 1975, e *Indian Head* (Cabeza de indio), de Henry F. Farny, que era imagen del grupo empresarial [fig. 12][9].

Pero el barón llevaba viajando a Estados Unidos desde 1946. En sus memorias relata su época de juventud en tierras americanas, durante la que pasó a ser un protegido de la familia Loeb, y fue precisamente Louis Carl Loeb, corredor de bolsa y agente comercial, quien le introdujo en el mundo empresarial estadounidense[10]. En 1972, con la compra de Indian Head, el barón se convertía de pleno derecho en un magnate industrial de Estados Unidos.

Un hecho insólito ocurre en 1973. Hasta ese momento, como hemos visto, Hans Heinrich disponía de dos pinturas, y es entonces cuando compra, en un solo año, siete obras más de creación americana [incluyendo cats. 11, 91, 92 y 105]. Aún más llamativo es el hecho de que cinco de ellas tengan el mismo origen: la colección de la galerista Edith Gregor Halpert [fig. 13], que el barón adquiere o bien en la subasta de sus bienes tras la muerte de la coleccionista[11], o bien a través de intermediarios. Además de estas cinco, el magnate continuará comprando obras de Halpert hasta reunir quince en diez años. Esta circunstancia pone de manifiesto el enorme interés del barón por la procedencia de las obras[12], cuyo origen, en este caso una colección respetada, era su mejor carta de presentación.

Edith Gregor Halpert, galerista visionaria, fue pionera en el coleccionismo de arte americano de mediados de siglo. Nacida en 1900 en la actual Ucrania, emigró con su familia en 1906 a Nueva York huyendo de las purgas antisemitas. Se formó en Bellas Artes y en 1926 fundó The Downtown Gallery para promocionar la creación estadounidense contemporánea, que entonces solo se comercializaba en otras cinco galerías neoyorquinas[13].

En el folleto de una exposición de la galería en 1935 definía el arte estadounidense en estos términos:

> «El individualismo de la expresión, la diversidad del enfoque, la variedad de la técnica, distinguen la personalidad de cada artista en relación con los otros [...]. Su larga estancia en Nueva York, nuestro centro artístico nacional, y el estudio minucioso de todas las grandes tradiciones artísticas, han creado un amplio lenguaje en vez de una limitada expresión provinciana [..., y] reflejan el espíritu estadounidense de hoy»[14].

Romare Bearden, Stuart Davis y Ben Shahn, tres de los muchos artistas con los que Halpert trabajó, encarnan a la perfección su concepción del arte americano. Bearden, negro y original de Charlotte, Carolina del Norte, incluía numerosas referencias artísticas en sus pinturas-*collage* con escenas de comunidades afroamericanas para expresar la universalidad de la experiencia humana. Davis, blanco nacido en Filadelfia, se especializó en composiciones con objetos de uso cotidiano pintadas de modo abstracto. Shahn, judío y migrante lituano, abordó la temática social en imágenes de corte naíf. Estos tres pintores, de perfiles diversos, realizaron obras de estilo y temas muy diferentes, dándole consistencia a la definición de arte americano de Halpert: un arte individualista de lenguaje universal amplio.

7 Litchfield 2006, pp. 300 y 303; Thyssen-Bornemisza 2014, pp. 139-140.
8 López Manzanares y De Cos Martín, 2020, p. 237.
9 Stiftung zur Industriegeschichte Thyssen-Archiv, Duisburgo, en adelante Archivo Duisburgo, TB/3864. Agradezco la ayuda prestada por Falk Liedtke del Archivo de Duisburgo.
10 Archivo Duisburgo, TB/01147-Parte Uno, 1987-1988, pp. 66-67.
11 Véase el catálogo de dicha subasta: Nueva York 1973a.
12 Solana 2020, p. 14.
13 Halpert conocía personalmente a los artistas y representó a grandes figuras como Romare Bearden, Stuart Davis, Charles Demuth, Arthur Dove, Marsden Hartley, John Marin, Georgia O'Keeffe, Ben Shahn, Charles Sheeler y Max Weber —todos ellos en la colección Thyssen—.
14 Folleto de la exposición *Practical Manifestations in American Art*, celebrada en The Downtown Gallery en 1934, folleto de la exposición *14 Paintings by 14 American ontemporaries*, celebrada en The Downtown Gallery, 1935. Citados en Shaykin 2019, p. 63, nota 39.

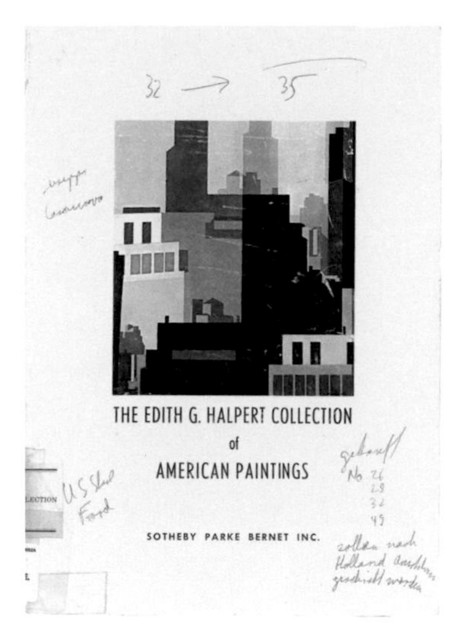

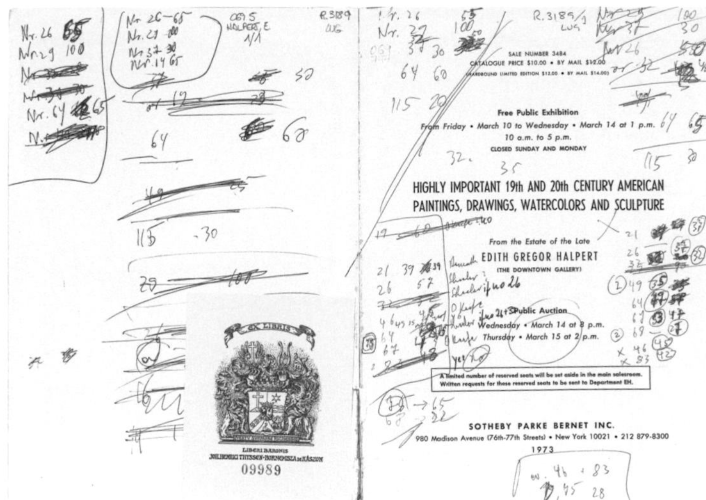

fig. 13

Catálogo de la subasta de obras que habían pertenecido a Edith Halpert con anotaciones manuscritas del barón Thyssen, 1973. Biblioteca del Museo Nacional Thyssen-Bornemisza

Esta idea ofrece una clave de por qué su visión atrajo tanto al barón Thyssen: nacido en los Países Bajos, de nacionalidad suiza, residencia en Mónaco, título nobiliario húngaro y fortuna alemana, se perfilaba como una figura cosmopolita y global.

Además, Halpert con gran habilidad logró conectar la obra de los pintores de vanguardia del momento con la producción decimonónica y el arte popular, abriendo un nuevo mundo de posibilidades para sus clientes. El concepto que permitía establecer la relación entre esas obras dispares en tiempo y temática era su espíritu primitivista, manifestado en su carácter ingenuo, a veces incluso tosco. Esta idea se inspiraba en el arte europeo contemporáneo que Halpert conoció durante su estancia en París en 1925-1926 y que bebía de fuentes tan diversas como el folclore popular ruso o bretón y la escultura africana[15]. Artistas como William Harnett y Winslow Homer fueron considerados precursores de los americanos contemporáneos, estableciendo un hilo conductor entre el pasado y el presente. La colección Thyssen cuenta hoy con dos obras de Harnett y llegó a atesorar un total de ocho de Homer, el precedente más consagrado del siglo XIX. Ello demuestra cómo el barón Thyssen buscaba no solo el prestigio de la colección sino también establecer una lógica interna mediante la unión conceptual entre las obras.

La teorización de la colección

En 1976 se conmemoró el bicentenario de la declaración de Independencia de Estados Unidos, un hecho que despertó un renovado interés por el arte americano. Además de las celebraciones que tuvieron lugar en incontables poblaciones del país, varios museos aprovecharon para organizar exposiciones sobre la producción artística de los últimos doscientos años, aunque con perspectivas muy distintas[16]. El barón Thyssen viajaba a menudo a Norteamérica y visitó muchas de esas muestras, cuyos catálogos se encuentran en su biblioteca personal.

Fue en el contexto del bicentenario y sus manifestaciones culturales en el que Hans Heinrich Thyssen comenzó a comprar arte histórico de este país. Después de haber adquirido ya treinta y tres pinturas del siglo XX, en 1977 obtendría dos lienzos de Winslow Homer, uno de ellos en préstamo en la exposición [cat. 68]. La muestra *The Natural Paradise* del Museum of Modern Art de Nueva York fue especialmente reveladora para el barón, puesto que se centraba en la pintura de paisaje —su género pictórico predilecto— y en sus diferentes secciones temáticas se confrontaban obras de los siglos XIX y XX [figs. 9 y 14]. Las ideas de Barbara Novak recogidas en su catálogo calaron hondo en el pensamiento del barón[17].

15 Harrison, Frascina y Perry 1993.
16 Howat y Tracy 1975-1976); McShine 1976; Brindle y Secrist 1976; Filadelfia 1976; Chambers 1975.
17 Novak 1976b.

fig. 14

Portada del catálogo de conmemoración del bicentenario *The Natural Paradise: Painting In America, 1800-1950*, Nueva York, The Museum of Modern Art, 1976. Biblioteca del Museo Nacional Thyssen-Bornemisza

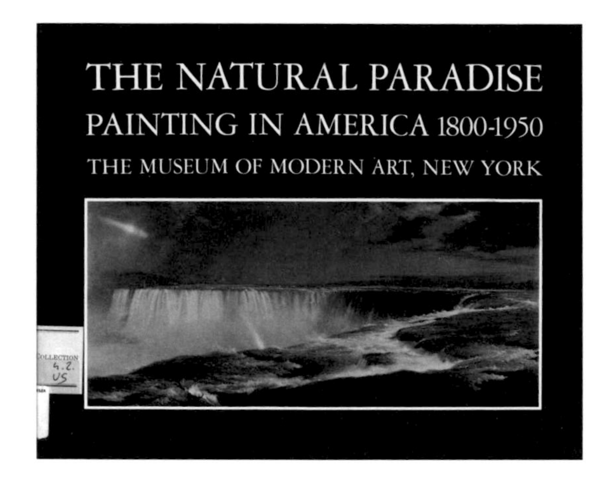

Nacida en Nueva York en 1928, Novak es una de las mayores especialistas en arte americano. Según ella, la pintura americana tiene su origen en el luminismo, caracterizado por un estilo lineal, comedido y conceptual aplicable principalmente al paisaje, pero también a otros géneros pictóricos.

La teoría de Novak constituía una innovadora conceptualización total de la pintura estadounidense desde el siglo XVIII hasta la actualidad, una idea que ya aparecía en sus dos primeros libros de 1969 y 1980, de los cuales el barón poseía un ejemplar [fig. 15][18]. El segundo de ellos fue publicado al mismo tiempo en el que el barón, guiado por el entonces conservador de su colección, Simon de Pury, estaba buscando un especialista que pudiera aconsejarle en sus adquisiciones. De Pury, subastador, marchante de arte y coleccionista suizo que trabajó para el barón Thyssen desde 1979 hasta 1986, era consciente, como Hans Henrich, de la importancia de que las obras de arte fueran analizadas y validadas por un experto antes de su compra. Fue así como Novak pasó a ser asesora del barón e influyó en la adquisición de más de setenta pinturas de paisaje, treinta de ellas de estética luminista[19]. La colección resultante fue un conjunto de obras muy representativas de importantes figuras americanas de los siglos XVIII al XX, entre ellas cinco lienzos de Frederic Church, autor de la obra *Niágara*, de 1857 [véase fig. 2] que, fue reproducida en la cubierta del catálogo de la exposición del MoMA anteriormente mencionada. Además, Novak se erigió como teórica oficial de la colección Thyssen y escribió tanto el catálogo razonado de la colección americana como algunos de las exposiciones temporales [fig. 16][20].

Una nota manuscrita de Novak que se conserva en el Archivo Thyssen de Duisburgo nos indica que al menos desde 1981 estuvieron en contacto, y se sabe que mantuvieron una relación de amistad que duró hasta el fallecimiento del barón Thyssen[21]. Fruto de esa amistad fue la dirección que tomaron las adquisiciones a partir de este momento. Desde 1979 entraron en la colección múltiples pinturas de paisaje de aquellos artistas y estilos que Novak ensalzaba en sus libros, entre ellos, *Pantanos en Jersey* de Martin Johnson Heade [cat. 37], *El fuerte y la isla Ten Pound, Gloucester, Massachusetts* de Henry Fitz Lane [cat. 40] o *Mañana* de George Inness [cat. 14]. En 1981 Novak afirmaba que «los dibujos de almiares de Heade son [...] los mejores del grupo luminista, y los considero los más impresionantes del siglo XIX estadounidense en general»[22]. En otro escrito, en relación a *Las cataratas de San Antonio, Alto Misisipi* de Henry Lewis [cat. 62], Novak manifestaba su gusto por obras como esa, que consideraba ilustraciones históricas, porque en ellas se apreciaban la topografía y cultura tempranas[23].

Novak perteneció a una generación pionera de investigadores que compartían cierto recelo sobre la calidad técnica de las obras. Existía entre ellos un cierto complejo de inferioridad que los llevó a considerar que el arte americano era de menor calidad técnica que el arte europeo del mismo periodo. En parte por este motivo, Novak y sus colegas se esforzaron en interpretar este arte combinando el análisis formal con la lectura de fuentes literarias para demostrar que lo que verdaderamente expresaba era la identidad nacional. Además, muchos de ellos trabajaban para museos y coleccionistas privados como el barón Thyssen

18 Novak 1969; Novak 1980; y Novak 2007.
19 Thyssen-Bornemisza 2014, p. 215.
20 Novak 1982 y Novak 1986.
21 Carta de Barbara Novak al barón Thyssen, 27 de mayo de 1981. En Archivo Duisburgo, TB/2766. Novak agradece al coleccionista el tiempo dedicado y su calurosa acogida durante su visita, probablemente a Villa Favorita, para admirar la colección de arte.
22 Carta de Barbara Novak a Pat Madelyn Dey-Smith, 4 de marzo de 1981. 10023, en Archivo del museo Thyssen.
23 Carta de Barbara Novak a Pat Madelyn Dey-Smith, 13 de marzo de 1981. en Archivo del museo Thyssen.

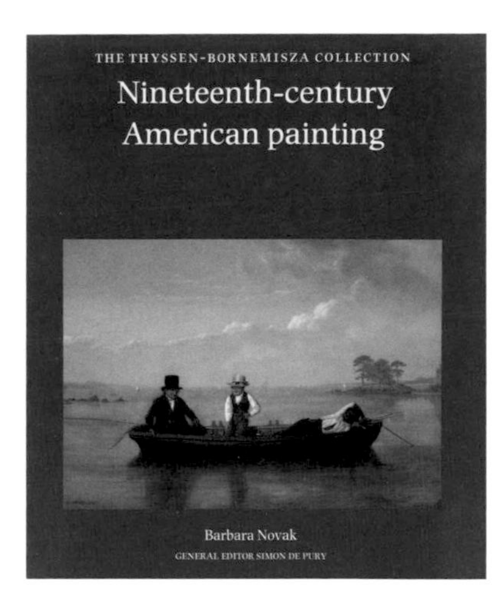

fig. 15

Portada del libro *Nature and Culture. American Landscape and Painting, 1825-1875*, de 1980, que el barón Thyssen poseía en su biblioteca. Biblioteca del Museo Nacional Thyssen-Bornemisza

fig. 16

Catálogo de la colección de pintura americana del barón Thyssen escrito por Barbara Novak, 1986. Biblioteca del Museo Nacional Thyssen-Bornemisza

y elaboraban monografías para galerías[24]. En una entrevista de 2013, Novak habla de su decisión de dedicarse al arte estadounidense: «Pensé que era una tarea académica que valía la pena, el adentrarse en un terreno que necesitaba ser estudiado. Además, sentí que era nuestro. No es que considerara que era el arte más maravilloso del mundo, pero pensé que era tremendamente interesante»[25].

La afirmación de Novak «sentí que era nuestro» conecta claramente con el interés de Hans Heinrich Thyssen-Bornemisza por el arte americano. En el catálogo de su colección estadounidense, publicado con motivo de una exposición itinerante a principios de los ochenta, el magnate decía: «Siento una gran atracción por los artistas norteamericanos, quizás porque soy americano en una cuarta parte»[26]. No hay que olvidar que su abuela materna, Mathilde Louise Price, provenía de Delaware, y que el barón creció leyendo los libros del alemán Karl May, que narraban las aventuras del personaje de ficción Winnetou, un indígena norteamericano en el Lejano Oeste[27]. Así pues, para el barón el arte estadounidense era también algo «suyo», y ello se materializó en el ritmo y volumen de las compras de los siguientes siete años (1977-1983), en los que llegó a reunir más de 150 obras[28]. En 1984 la colección era vista como «predecible, pero de primera», puesto que ya contenía obra de artistas considerados imprescindibles[29]. En los años siguientes las compras se redujeron a una media de cuatro por año, y desde 1993 los barones Thyssen —y a partir de 2002 Carmen Thyssen en solitario— adquirieron 23 obras más de arte americano. La calidad y diversidad de la colección era reconocida por un antiguo director de la National Gallery of Art de Washington, quien afirmó que «en alcance y amplitud es probablemente única en Europa»[30].

Los círculos coleccionistas

Como hemos visto, el barón Thyssen logró reunir obras de arte norteamericano sin igual fuera de Estados Unidos. Los negocios y los acontecimientos sociales le pusieron en contacto desde joven con otros aficionados del arte, de los cuales aprendió sobre hábitos coleccionistas y gestión pública de los fondos. Muchos de ellos reunieron importantes colecciones artísticas, pero las obras que las componían eran mayoritaria o exclusivamente europeas[31]. El barón fue el coleccionista europeo de arte americano más ambicioso de los setenta y ochenta, y envió sus obras a exposiciones por todo el mundo expandiendo de este modo el horizonte cultural estadounidense.

24 Corn 1988.
25 Entrevista grabada de James McElhinney a Barbara Novak, del 8 al 17 de octubre de 2013, disponible en Oral history interview with Barbara Novak, 2013 October 8-17 | Archives of American Art, Smithsonian Institution (si.edu).
26 Hans Heinrich Thyssen-Bornemisza en Washington 1984-1986, p. 11.
27 Véase Ruiz del Árbol 2016, pp. 2-6.
28 En el año del bicentenario adquirió 5 obras, en 1977, 30, en 1978, 12, en 1979, 25, en 1980, 45, en 1981, 31, en 1982, 23, y en 1983, 15. Las cifras incluyen también las obras que ya no forman parte de la colección del Museo Nacional Thyssen-Bornemisza o de la familia, pero es posible que fueran cifras más elevadas aún, puesto que hay obras que se vendieron al poco de comprarse y no han dejado rastro documental; hay constancia de 40 obras de las que se desconoce la fecha de compra o venta.
29 Los artistas elogiados en el siguiente artículo eran John Singleton Copley, Charles Willson Peale, Winslow Homer, Edward Hopper, Ben Shahn y Andrew Wyeth. Véase Schwartz 1984, p. 66.
30 Young 1983, p. 82.
31 Véase Rockefeller 2002, p. 448 y Solana 2020, p. 13. Otros coleccionistas amigos de Hans Heinrich Thyssen fueron, entre otros, los siguientes: Peggy (1947-) y David Rockefeller (1915-2017), quienes reunieron una colección de arte de más de 1.500 obras, entre ellas de Edward Hopper, Georgia O'Keeffe y Thomas Hart Benton. Véase *The Collection of Peggy and David Rockefeller: Art of the Americas*, Christie's Nueva York, 9 de mayo de 2018, en https://www.christies.com/auctions/rockefeller#overview_Nav; Drue Heinz (1915-2018), que fue miembro del patronato del Metropolitan Museum of Art de Nueva York y del Carnegie Museum of Art de Pittsburgh; y Henry Ford II (1917-1987) con quien Thyssen entabló una estrecha amistad y quien, junto con su primera mujer Anne McDonnell, miembro del patronato del Metropolitan, reunió obras impresionistas, postimpresionistas y del siglo XX entre otras.

fig. 17

Armand Hammer y Hans Heinrich Thyssen-Bornemisza en Villa Favorita, Lugano, 1983
Fotografía cortesía de Carmen Thyssen

fig. 18

Inauguración de la muestra *Maestri americani della Collezione Thyssen-Bornemisza*, Musei Vaticani, Ciudad del Vaticano, en 1983
Fotografía cortesía de Carmen Thyssen

Asimismo, Hans Heinrich Thyssen conoció y aprendió de varios coleccionistas de arte americano nacidos en Estados Unidos de padres extranjeros. En plena Guerra Fría, es comprensible que empresarios de origen internacional con negocios en Estados Unidos mostrasen su alianza política con occidente ensalzando la cultura de su país de adopción. Uno de ellos, Armand Hammer, era hijo de migrantes rusos y fue presidente de la compañía Occidental Petroleum durante cuarenta años [fig. 17][32]. En la gira de su colección de arte de 1971, Hammer recibió críticas negativas por la calidad de algunas de sus obras y contrató a John Walker III, el segundo director de la National Gallery of Art de Washington, para que hiciera una criba de la colección y le sugiriera nuevas compras[33]. Este proceso de refinamiento de su conjunto de obras se realizó de un modo similar en la colección Thyssen bajo la dirección de Simon de Pury y sus sucesores. En 1981 De Pury elaboró un listado de obras en el que se detalló el precio de compra y el valor de mercado de ese momento; dos años más tarde, se habían vendido siete pinturas americanas para dar paso a futuras adquisiciones[34]. Con esta operación se definieron criterios, lo que logró que la colección americana del barón Thyssen fuese considerada pionera por su marcada variedad temática y excelencia técnica[35].

Por otra parte, el barón Thyssen era cliente de la neoyorquina Spanierman Gallery al igual que otros dos coleccionistas clave de arte estadounidense: Richard A. Manoogian (1936-) nacido en Detroit y director de Masco Corporation, y Daniel J. Terra (1911-1996), residente en Chicago y fundador de Lawter Chemicals y de la Terra Foundation for American Art[36] Manoogian, hijo de migrantes armenios, comenzó a coleccionar, junto a su mujer Jane, arte americano en los años setenta, comprando arte moderno primero y más tarde obras del siglo XIX, tal y como hizo el barón por la misma época[37]. De hecho, la conexión entre Manoogian y Thyssen fue más allá, al adquirir en 1980 cuatro paisajes directamente de la colección Manoogian, años después, en 1998 los barones compraron una quinta obra [cats. 7, 27, 50, 55 y 114].

El segundo cliente de la Spanierman Gallery, Daniel Terra, era hijo de migrantes italianos. En 1973 comenzó su actividad coleccionista, y en 1977 exhibió su colección de arte americano por primera vez al público, animado por el espíritu de las celebraciones del bicentenario. Un año más tarde creaba la Terra Foundation for the Arts para fomentar el estudio del legado artístico y cultural estadounidense[38]. La labor filantrópica en el campo del arte y su apoyo a la campaña electoral de Ronald Reagan le valieron el nombramiento de Embajador General de Asuntos Culturales en 1982[39]. Durante el desarrollo de su cargo, Reagan optó por privatizar el sector cultural promoviendo mecenazgo privado[40]. Daniel Terra y el barón Thyssen adquirieron fama internacional por su coleccionismo pionero de arte americano en las décadas de los setenta y ochenta cuando los museos norteamericanos adquirían las obras de expresionistas abstractos para llenar las salas vacías en vez de comprar obra histórica[41]. Como se verá a continuación, Hans Heinrich Thyssen-Bornemisza ambicionaba la internacionalización del arte en general y del arte americano en particular, con una clara visión humanista, que Terra compartía.

32 En la Colección Hammer están representados artistas como Mary Cassatt, Thomas Eakins, William Harnett, Maurice Prendergast, John Singer Sargent, Gilbert Stuart y Andrew Wyeth.

33 Hammer y Lyndon 1987, pp. 438-443.

34 Las pinturas eran obra de Jasper Francis Cropsey, Charles Demuth, Thomas Doughty, Martin Johnson Heade, Robert Motherwell y Andrew Wyeth. Véase Archivo Duisburgo TB/3362. En una carta De Pury informaba de la existencia de un posible comprador de *Habitación de hotel* de Edward Hopper, añadiendo que se trataba de una obra «intocable» [cat. 103]. Carta de Simon de Pury al barón Thyssen, 12 de septiembre de 1984, Memorandum, en Archivo del museo. Thyssen compró ocho obras de la artista Georgia O'Keeffe y vendió tres de ellas (en 1977, 1978 y 1987) para adquirir otras de mayor calidad o diferente género [cats. 11, 12, 88, 132, 133]. Otra instancia de refinamiento de la colección fue la venta de un retrato pequeño pintado por John Singleton Copley para adquirir el lienzo de mayor tamaño de Catherine Hill [cat. 78]. Carta de Simon de Pury al barón Thyssen, en Archivo del museo.

35 Sobre la definición de una colección como sistema de conocimiento véase Foucault 1994, pp. xix-xx.

36 Thyssen-Bornemisza 2014, p. 215. Oaklander 2021, p. 95.

37 En 2015, la colección Manoogian albergaba treinta y nueve obras de artistas como Frederick Frieseke, William Merritt Chase, Childe Hassam, Anthony Thieme, Andrew Wyeth, Jackson Pollock y Frank Stella, todos ellos representados asimismo en la colección Thyssen. Véase Simmons 2015.

38 Cuando abrió su museo en Evanston (IL), en 1980, contaba con 50 pinturas y tras su fallecimiento en 1992, Terra había adquirido 600 obras de arte, había trasladado la sede del museo al centro de Chicago y había abierto otro museo en Giverny, Francia. Entre sus artistas favoritos estaban John Singer Sargent, William Merritt Chase y Maurice Prendergast, todos ellos también presentes en la colección del barón Thyssen [cats. 81, 82 y 117 entre otros]. Kennedy 2002, pp. 19, 20, 26.

fig. 19

Catálogo de la exposición *Bilder aus der Neuen Welt. Amerikanische Malerei des 18 und 19. Jahrhunderts*, Berlín y Zúrich, 1988-1989. Biblioteca del Museo Nacional Thyssen-Bornemisza

fig. 20

Catálogo de la exposición *Two Hundred Years of American Paintings from the Thyssen-Bornemisza Collection*, que itineró por ciudades de Japón como Kobe, Nagoya, Tokio e Hiroshima en 1991. Biblioteca del Museo Nacional Thyssen-Bornemisza

Diplomacia cultural

La diplomacia cultural fue un aspecto derivado del coleccionismo al que el barón Thyssen dedicó gran energía para facilitar el diálogo entre las distintas naciones[42]. Esta actividad emplea la cultura de un país para lograr los objetivos políticos[43]. Hans Heinrich ejerció este poder con la idea de promocionar la cultura estadounidense en tres frentes distintos: uno de ellos tuvo lugar dentro de las fronteras de Estados Unidos mediante el préstamo de sus obras a la sede central de la Reserva Federal; otra vertiente la conformaron las cada vez más ambiciosas exposiciones itinerantes de su colección de arte norteamericano por el mundo; y el tercer frente, y quizá más relevante, se dio en el ámbito diplomático con el préstamo de obras a embajadas o para que figuraran como telón de fondo durante encuentros de jefes de estado. Su fe en la capacidad del arte para «trascender límites» cristalizaba en la estrategia de diplomacia cultural de la colección americana[44].

En 1977 Mary Anne Goley fundó el «Programa de Arte» de la Reserva Federal para acercar el arte a los empleados y visitantes de dicha institución[45]. Al igual que el barón Thyssen tenía obras de arte expuestas en sus múltiples oficinas, el banco quiso decorar sus espacios de trabajo con obras en préstamo[46]. En febrero de 1978, el barón ya había prestado a la institución una obra de Richard Estes, que en ese momento intercambiaría por *Pochade* de Stuart Davis, a la vez que se comprometía a ceder una de O'Keeffe [cats. 12, 95 y 128][47]. A lo largo de los años, estuvieron también allí depositadas obras de Romare Bearden, Arshile Gorky y Reginald Marsh [cats. 86 y 107; véase fig. 45][48]. Las pinturas, todas ellas de principios-mediados del siglo XX, mostraban la riqueza y complejidad de las vanguardias americanas o, dicho de otro modo, encarnaban la universalidad del lenguaje del arte preconizado por Halpert en los años treinta. Es significativo que ya en 1978, el ideólogo del programa Arthur F. Burns le agradeciera al magnate su esfuerzo para que la iniciativa fuese un éxito[49].

La creciente colección de arte estadounidense del barón Thyssen pronto comenzaría a ser apreciada también en el extranjero gracias a las exposiciones itinerantes que se organizaron a partir de 1979. El coleccionista opinaba que el arte constituía el «legado humano», y que el arte es el pasaporte de los artistas[50]. Como muestra de esta idea, Hans Heinrich primero, y luego junto con su mujer Carmen Thyssen, expondrían sus obras americanas entre 1979 y 1999 en once muestras itinerantes que viajarían a lugares tan dispares como los Museos Vaticanos [fig. 18], la National Gallery de Nueva Zelanda o el Museo de Arte Contemporáneo de Hiroshima, pasando por numerosos museos estadounidenses [figs. 19 y 20][51]. El momento no podía ser más propicio puesto que, tras una década de grandes proyectos norteamericanos de diplomacia cultural en los años sesenta, el empleo del arte como herramienta política oficial había caído en picado hacia 1970. La administración de John F. Kennedy inició el programa denominado «Arte en Embajadas», promovido por el Departamento de Estado a partir de 1963, pero acontecimientos

39 Véase Ronald Reagan, «Nomination of Daniel J. Terra To Be United States Ambassador at Large for Cultural Affairs Online by Gerhard Peters and John T. Woolley, The American Presidency Project», enhttps://www.presidency.ucsb.edu/node/246135

40 Kennedy 2002, pp. 26 y 23.

41 Simon 2001, p. 36.

42 Archivo Duisburgo, TB/01147-Parte Dos, 1987-1988, p. 74.

43 Rugh 2009, p. 7 y Krenn 2017, pp. 1-3.

44 Archivo Duisburgo, TB/01147-Parte Dos, 1987-1988, p. 70.

45 Taylor 2017, p. 90. El gobierno de Estados Unidos prohibió al barón Thyssen exponer en el país hasta que el origen de sus activos americanos quedase aclarado, para que no influyese a la opinión pública. Véase Archivo Duisburgo, TB/01147-Parte Uno, 1987-1988, p. 67. Bajo el mandato de Richard Nixon se planteó el programa, pero se implementó en la época del presidente Gerald Ford. Véase Goley 2021, p. 1. El programa fue idea de Arthur F. Burns, quien se inspiró en cómo el Banco de España difundía su colección de arte a través de préstamos durante una visita al país en 1970. Véase la carta de Arthur F. Burns al barón Thyssen, 26 de enero de 1978, en en Archivo Duisburgo TB/2752.

46 El contacto se inició seguramente a través de sus negocios, dado que Mr. Miller, un miembro del comité directivo de la Reserva Federal, había trabajado con el cofundador de Indian Head, Royal Little. Carta del barón Thyssen a Nathan Cummings, 3 de enero de 1978, en *ibid.*

47 Carta del barón Thyssen a Mary Anne Goley, 8 de febrero de 1978, en *ibid.*

48 Goley 2021, pp. 28-30.

49 Carta de Arthur F. Burns al barón Thyssen, 26 de enero de 1978, en Archivo Duisburgo TB/2752.

50 En Archivo Duisburgo, TB/01147-Parte Dos, 1987-1988, p. 69.

51 Sidney 1979-1980; Houston 1982; Washington 1982; Ciudad del Vaticano-Lugano 1983-1984; Tokio-Kumamoto 1984; Londres 1984; Washington 1984-1986; Madrid 1986; Barcelona 1988; Berlín-Zúrich 1988-1989; Tokio 1991; Shanghái-Beijing 1996-1997; Nueva York-Hartford 1997-1998; Tokio-Takaoka-Nagoya-Sendai 1998-1999.

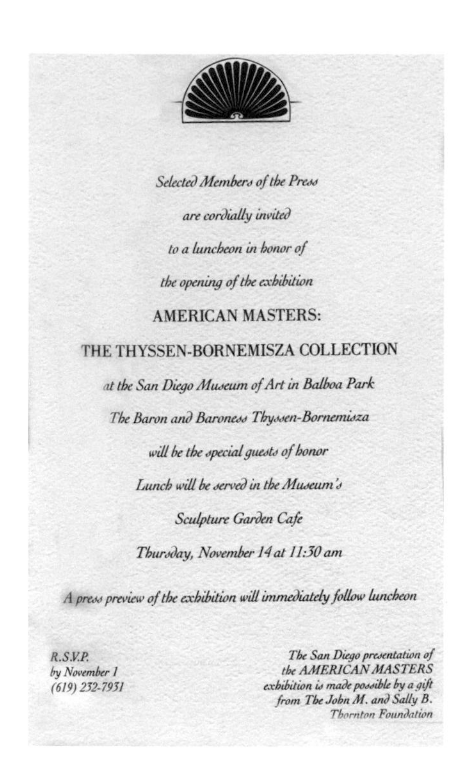

Selected Members of the Press
are cordially invited
to a luncheon in honor of
the opening of the exhibition

AMERICAN MASTERS:
THE THYSSEN-BORNEMISZA COLLECTION

at the San Diego Museum of Art in Balboa Park
The Baron and Baroness Thyssen-Bornemisza
will be the special guests of honor
Lunch will be served in the Museum's
Sculpture Garden Cafe
Thursday, November 14 at 11:30 am

A press preview of the exhibition will immediately follow luncheon

R.S.V.P.
by November 1
(619) 232-7931

The San Diego presentation of
the AMERICAN MASTERS
exhibition is made possible by a gift
from The John M. and Sally B.
Thornton Foundation

fig. 21

Invitación al almuerzo de inauguración de la exposición *American Masters: The Thyssen-Bornemisza Collection*, 14 de noviembre de 1985. Fotografía cortesía de Carmen Thyssen

fig. 22

Ronald y Nancy Reagan saludando al barón Thyssen en la National Gallery of Art de Washington. Fotografía cortesía de Carmen Thyssen

como la Guerra de Vietnam (1955-1975) y la violencia racista provocaron una oleada de rechazo hacia lo estadounidense y el programa perdió fuerza[52]. Por esta razón la difusión del arte y cultura americanos quedaron a merced de la iniciativa privada y de coleccionistas como Hammer, Terra y Thyssen, quienes suplieron ese vacío con diversas acciones de diplomacia cultural.

Dos personas estimularon el comienzo de la frenética actividad expositiva que el barón Thyssen emprendió con sus obras americanas. En primer lugar, Annemarie Henle Pope (1910-2001), historiadora del arte y comisaria de exposiciones de origen alemán, quien desde 1977 hizo de las pinturas del barón el núcleo de las muestras de la International Exhibitions Foundation, una fundación sin ánimo de lucro de la que era directora desde que ella misma la creara en 1965[53]. Pope además era miembro del Círculo de Amigos de la National Gallery of Art, y junto con su tercer director, John Carter Brown III, eran patronos del «Programa de Arte» de la Reserva Federal. No es casualidad, por tanto, que las obras de la colección Thyssen se expusieran repetidamente en estas dos últimas instituciones, teniendo además en cuenta el papel destacado que el barón desempeñaba en ambas[54]. En 1985 Pope había organizado más de 150 exposiciones y su fundación era considerada «un museo internacional sin muros», lo que demuestra una sintonía plena con la filosofía humanista de Hans Heinrich[55]. Una de las exposiciones más célebres fue la titulada *American Masters: The Thyssen-Bornemisza Collection* (1984-1986), que contó con más de 110 obras y recaló en ocho ciudades estadounidenses [fig. 21][56]. La introducción del catálogo, escrita por el americanista John I. H. Baur, antiguo director del Whitney Museum of American Art, elogiaba la presencia de obras representativas de grandes movimientos de arte americano[57].

La segunda personalidad relacionada con este impulso fue el embajador ruso en Alemania Occidental Vladimir Semyonov (1978-1986), quien marcó definitivamente la dirección de la diplomacia cultural llevada a cabo por Hans

52 La diplomacia cultural decayó hasta tal punto que Estados Unidos estuvo a punto de no participar en la Exposición Universal de Sevilla de 1992, en la que el país era el «invitado de honor». Véase Krenn 2017, p. 135.

53 Annemarie Henle se casó en 1947 con John Alexander Pope, director de la Freer Gallery of Art de Washington.

54 Carta de Mary Ann Goley al barón Thyssen, 14 de julio de 1978, en Archivo Duisburgo TB/2754; véase también Archivo Duisburgo, TB/01147-Parte Uno, p. 29.

55 El crítico de arte Paul Richard expresó esta idea en un artículo fechado en 1985, citado en Pearson 2001.

56 Véase Washington 1984-1986.

57 Véase Baur 1984, p. 15.

58 Thyssen-Bornemisza 2014, p. 226.
59 *Ibid.*, p. 220.
60 *Ibid.*
61 Anna Somers Cocks, «Death of an amiable, astute and generous collector,» en *The Art Newspaper*, 28 de abril de 2002, en Archivo del museo Thyssen.
62 Hammer y Lyndon 1987, pp. 433-437.
63 Thyssen-Bornemisza 2014, p. 220.
64 Taylor 2017, p. 89. Véanse también notas 11 a 14 del ensayo de Paloma Alarcó, p. 23. Significativamente, la obra *Prímula* [cat. 130] —cuyo título indica el nombre de la planta y significa «primera»— de Charles Demuth, había sido expuesta en la residencia de la embajada americana en Copenhague entre 1961 y 1964, años antes de que el barón la adquiriese en 1981, y quizás constituyó la semilla de su diplomacia cultural.
65 Colección Carmen Thyssen, inv. CTB 1978.59.
66 Maxine Cheshire, «Old Masters in Moscow», en *The Washington Post*, 28 de octubre de 1979, https://www.washingtonpost.com/archive/lifestyle/1979/10/28/old-masters-in-moscow/ae49c5e9-887f-4d6b-b0dc-190dcf7ec2ce/
67 Archivo Duisburgo, TB/3864. Carta de Thyssen-Bornemisza Collection a Sidney L. Hamolsky, Archivo del museo Thyssen. Carta de Simon de Pury a Lee Kimche McGrath, 22 de mayo de 1986, en Archivo Duisburgo, TB/3385.
68 Carta de Simon de Pury al barón Thyssen, 18 de febrero de 1982, en Archivo Duisburgo, TB/3385.
69 Telex, 22 de octubre de 1985, en Archivo del Museo. Carta de Susanne Thesing a Mark Palmer, 31 de octubre de 1986, en Archivo Duisburgo, TB/3385.
70 Carta de la Colección Thyssen-Bornemisza, a Lee Kimche McGrath, 11 de marzo de 1986, en *ibid.*
71 Hoy en día estas dos últimas obras pertenecen a la Colección Camen Thyssen, invs. CTB.1981.29 y CTB.1980.89.
72 Telex, 22 de octubre de 1985, en Archivo del museo Thyssen.

Heinrich Thyssen-Bornemisza. En un momento dado, en un encuentro en Colonia, el embajador iluminaría a los barones Thyssen con su filosofía sobre el arte: «Para mí [...] la pintura comienza a adquirir carácter universal cuando [...] los artistas plasman su arte en una tabla o en un lienzo, que pueden ser transportados de un lugar a otro [...], otorgándole la facultad humana de recorrer el mundo»[58]. El barón reflexionó sobre la movilidad de los cuadros y sobre cómo esto les permitiría «convertirse en embajadores del arte»[59]. De hecho, él mismo se convirtió en embajador al entender que «naciones separadas por barreras políticas, en conflicto por motivos ideológicos, pueden encontrar un terreno común y un camino hacia el entendimiento a través del lenguaje universal del arte»[60]. El coleccionista triunfó organizando en plena Guerra Fría cuatro exposiciones itinerantes a modo de intercambio con Rusia, logrando en una ocasión que obras de colecciones rusas se mostrasen en la National Gallery de Washington[61]. Cabe decir que su amigo y eterno rival en el mundo del arte Armand Hammer, se le había adelantado. En 1964 Hammer canjeó una exposición de arte ruso en Nueva York por arte americano en Moscú, y en 1972 organizó una gira de su colección por seis ciudades rusas a cambio de exponer arte ruso en la National Gallery en 1973. Esta segunda iniciativa contó incluso con cartas de apoyo del presidente Nixon y del secretario general Brezhnev, con lo que se atisbaba el acercamiento progresivo de ambos países. Finalmente, entre 1971 y 1986, la colección de Armand Hammer itineró por 50 ciudades de 18 países[62]. El barón seguiría su ejemplo, pero con mayor ambición y un claro acento americano con el objetivo de «fomentar el diálogo entre los distintos países», en este caso la Unión Soviética y Estados Unidos[63].

Arte y paz

Otra de las vertientes de la tarea diplomática del barón Thyssen comenzó a finales de los años setenta con los préstamos de obras de arte a embajadas estadounidenses de todo el mundo. El arte americano, con su variedad de estilos artísticos daba cuenta de la libertad de una sociedad democrática y ayudaba a mover productos nacionales en un mercado libre y global[64]. Con un espíritu similar, el barón Thyssen enviaba en 1979 a la embajada de Moscú sus obras *Desde las llanuras II* de Georgia O'Keeffe, *People's Flowers* de Richard Estes y *Granja (Kuerner's Farm)*[65] de N. C. Wyeth, de hacia 1916 —la cual había colgado previamente en la Casa Blanca— evidenciando la diversidad de estilos (desde la abstracción hasta el fotorrealismo) del arte americano del siglo pasado [cats. 12 y 147][66]. Igualmente, en 1979, la pintura de Charles Sheeler *Viento, mar y vela* [cat. 43] se exponía en la embajada americana de la ciudad de México, y entre 1981 y 1986 se sumaron *Orange Grove in California, de Irving Berlin*, pintada por Arthur Dove [cat. 126], *El poeta*, de Robert Vickrey, de 1981, y *People's Flowers* de Richard Estes[67]. Al reemplazar a su antecesor, el embajador estadounidense en Moscú, Arthur Adair Hartman, solicitó en préstamo cuatro pinturas americanas de una lista de trece de la colección Thyssen, entre las que destacaban obras como las de Rockwell Kent y John Twachtman de una selección de pintura de paisaje decimonónica[68]. La combinación de periodos, temáticas y estilos artísticos muy distintos, con especial hincapié en pinturas del siglo XX, mostraba al mundo y a sus líderes que Estados Unidos gozaba de un importante legado histórico y dominaba el arte de vanguardia, conciliando a la vez tradición y modernidad.

La selección de obras de la colección Thyssen prestadas a otras ciudades como Bruselas, Budapest, Londres y París durante la década de los ochenta continúa siendo reveladora por los mensajes que expresan. Así, la sede diplomática americana en Bruselas disfrutó del paisaje impresionista *Arroyo junto a la granja* de Ernest Lawson, de hacia 1908. En el soviético Budapest las obras elegidas eran figurativas y tenían un carácter evocador: *La guirnalda* de Thomas W. Dewing, de hacia 1916 , *En los Berkshires* y *Días de verano* de George Innes [cats. 21 y 23], la *Vista sobre el río Androscoggin, Maine* de David Johnson, de hacia 1869, y el *Valle del Ocate* de Worthington Whittredge[69]. La embajada londinense obtuvo tres obras, el *Retrato de Catherine Hill* de Copley [cat. 78], que ensalzaba el pasado colonial británico en Estados Unidos, *Marjorie reclinada* de Robert Henri, de 1918, y *Bosques de cigarras* de Charles Burchfield [cat. 17][70]. Por París pasaron las obras más dispares, evidenciando un gusto cosmopolita como, por ejemplo, *Chica en la ventana* de Eastman Johnson, *Calle 42* de Guy Pène du Bois, de 1945, *Paisaje nevado* de John Twachtman[71], *Bosques de cigarras* de Charles Burchfield y *Rojo, blanco, azul, amarillo, negro* de Lee Krasner [véanse cats. 99 y 135][72]. Además de decorar estas sedes, la colección Thyssen tuvo presencia en la embajada de las Naciones Unidas en Nueva York y, aunque no hay constancia de qué obras se expusieron, el hecho es que Hans Heinrich llevó hasta las últimas consecuencias su empeño por promover el diálogo entre países a través del arte prestando obras a este centro de la diplomacia mundial cuyo fin es mantener la paz.

To Baron & Baroness Thyssen-Bornemisza - With great appreciation &
Very Best Wishes & Regards
Ronald Reagan

fig. 23

Ronald Reagan y Mijaíl Gorbachov en su primer encuentro de jefes de estado durante la cumbre de Ginebra, 19 de noviembre de 1985. Fotografía cortesía de Carmen Thyssen

fig. 24

Faith Ryan Whittlesey, embajadora de Estados Unidos en Suiza, junto a los barones Thyssen durante su visita a Villa Favorita, Lugano, en 1985. Fotografía cortesía de Carmen Thyssen

La mayoría de los préstamos a embajadas estadounidenses se tramitaron a través del programa «Arte en Embajadas», que constituía una estrategia de diplomacia cultural en toda regla. En los archivos del barón se conserva un folleto explicativo, fechado en abril de 1989, firmado por Lee Kimche McGrath, su directora. La introducción rezaba así: «el arte es de alguna forma una poderosa divisa internacional: promueve el entendimiento entre gentes de contextos culturales diversos». El folleto además informaba de que, gracias al programa estaban en circulación más de tres mil obras de arte, todas ellas americanas y de alta calidad, valoradas en 35,2 millones de dólares, por 123 países. Asimismo, especificaba que esto era posible gracias a la colaboración entre el gobierno y el sector privado, y que contaba con prestadores como Hans Heinrich Thyssen-Bornemisza, que, si se daba el caso, donaban obras al programa[73]. El presidente Reagan abanderaba la idea del «excepcionalismo» americano, según la cual Estados Unidos es un país diferente con un destino especial[74]. Es muy probable que el magnate compartiese esta idea, y la presencia de este folleto sugiere que dejó de colaborar con el programa por entonces, justo meses después de que Reagan dejara de ser presidente [fig. 22].

El interés último del barón Thyssen, sin embargo, no residía simplemente en rendir homenaje a lo americano sino en promover el entendimiento internacional en un momento de tensión mundial durante la Guerra Fría. Así, en 1985, como ciudadano suizo, prestó dos pinturas de Arshile Gorky a la embajada de este país en Washington. Con ello se ponía de manifiesto el equilibrio entre lo extranjero —la sede diplomática de Suiza en Estados Unidos— y lo nacional —el arte americano en América— [cats. 107 y 108]. Además, la embajadora estadounidense en Suiza, Faith Ryan Whittlesey, acudió ese mismo año a Villa Favorita en Lugano y disfrutó de una visita guiada por la colección de arte del barón [fig. 24].

Sin embargo, uno de los grandes hitos de la diplomacia cultural llevada a cabo por Hans Heinrich fue el préstamo del paisaje *Playa de Singing, Manchester*, de Martin Johnson Heade [cat. 54], para la cumbre de Ginebra del 19 y 20 de noviembre de 1985[75]. Fue un momento histórico en que el secretario general soviético Mijaíl Gorbachov y el presidente Ronald Reagan se encontraron por primera vez [fig. 23]. Esta cumbre marcó «el principio del fin de la Guerra Fría»[76], y la marina decimonónica fue elegida para «establecer el tono» de las conversaciones[77]. Quién sabe si Barbara Novak influyó en la elección de la obra, una pintura de la escuela luminista que la historiadora del arte siempre vio en términos de espiritualidad —por el tratamiento de la luz y lo pausado de sus elementos— y de responsabilidad moral —por la fidelidad con la que el artista capturó el paisaje[78]. El efecto de la pintura fue positivo, puesto que el encuentro logró establecer la confianza necesaria entre ambos políticos para que se diera el cese de las hostilidades[79].

Reescribir la historia

La verdadera culminación de la diplomacia cultural de Hans Heinrich Thyssen-Bornemisza tuvo lugar cuando éste acordó depositar su colección de arte en Madrid, completando con ello el panorama artístico español. Como todos sabemos, la colección entró en el Museo Thyssen-Bornemisza en préstamo en 1992, y un año más tarde el Estado español formalizaba su compra, adquiriendo 775 obras. Tal y como afirma Elizabeth Boone, las raíces y el legado español en Estados Unidos habían quedado velados a finales del siglo XIX para construir una identidad nacional estadounidense alrededor de lo británico[80]. Con la presencia de la colección de arte americano en España se reafirmaban estos vínculos y sus relaciones históricas comenzaban a reescribirse.

La apertura del museo madrileño no significó el fin del coleccionismo de arte estadounidense, ya que Carmen Thyssen ha continuado adquiriendo obras hasta el momento actual[81]. Además, desde el fallecimiento del barón en 2002, el arte americano ha seguido gozando de atención en diversas exposiciones[82]. De hecho, el actual proyecto de reinterpretación de la colección, en colaboración con la Terra Foundation for American Art, cierra un importante ciclo en relación a la pintura americana de los fondos Thyssen e impulsa la colección hacia el futuro con una renovada mirada para seguir favoreciendo el diálogo internacional.

73 «Fact Sheet. Art in Embassies Program, U.S. Department of State. April 1989», en Archivo Duisburgo TB/3385.
74 Davis 2003, pp. 544-545.
75 Véase Paloma Alarcó, «El barón Hans Heinrich Thyssen-Bornemisza, coleccionista de arte moderno», en Alarcó 2009, pp. 11-36, aquí p. 17.
76 «La cumbre de Ginebra de 1985, el principio del fin de la Guerra Fría», EFE Moscú, 13 jun. 2021, consultado en La cumbre de Ginebra de 1985, el principio del fin de la Guerra Fría | Mundo | Agencia EFE.
77 De Pury y Stadiem 2016, s. p.
78 Novak 1986, pp. 28-30.
79 El barón Thyssen siguió de cerca el desarrollo de la Guerra Fría. Entre sus papeles se encontró un ensayo escrito en 1991 por Peter Henry Berry Otway Smithers en que el autor analizaba el pasado, presente y futuro de las relaciones internacionales de occidente con el bloque comunista. Peter Henry Berry Otway Smithers, «Opportunity Passes By», 6 de octubre de 1991, pp. 1-15, en Archivo Duisburgo, TB/1710.
80 Boone 2019.
81 En 1996, ingresaron en su colección ocho obras, en 1997 cuatro, en 1998 ocho más, en 1999 cuatro, y cinco desde entonces [cats. 6, 10, 55-58].
82 Véanse Llorens 2000, Bourguignon, Fowle y Brettell 2014 y Ruiz del Árbol 2021, entre otros.

1/NATURALEZA

Paloma Alarcó

Asher B. Durand
Un arroyo en el bosque
1865

[detalle de cat. 20]

AMÉRICA SUBLIME

El 20 de enero de 1961, en la ceremonia de toma de posesión como presidente de John F. Kennedy, el poeta Robert Frost recitaba de memoria *The Gift Outright*, un poema sobre los orígenes de Estados Unidos:

> The land was ours before we were the land's.
> She was our land more than a hundred years
> Before we were her people. She was ours
> In Massachusetts, in Virginia,
> But we were England's, still colonials,
> Possessing what we still were unpossessed by,
> Possessed by what we now no more possessed[1].

Sesenta años después, el 20 de enero de 2021, esta vez en la ceremonia del actual presidente Joe Biden, la poeta afroamericana Amanda Gorman leía *The Hill We Climb*, una metáfora de la superación del pasado para afrontar el futuro:

> We are striving to forge a union with purpose,
> To compose a country committed
> To all cultures, colors, characters,
> And conditions of man[2].

El poema de Frost se asentaba, desde una perspectiva eurocéntrica, en la idea de América como tierra prometida, en el mito del *Manifest Destiny*, la misión divina que guió a los pioneros que ocuparon el nuevo territorio. Los versos de Gorman, por su parte, defienden la diversidad de la sociedad contemporánea americana para dar fin a las injusticias y desigualdades. Este preámbulo, que resume el giro de pensamiento en dos periodos de la historia estadounidense —el pasado expansionista y el presente reconciliador—, nos sirve para iniciar el recorrido por el arte americano que, durante tres décadas, coleccionó el barón Thyssen-Bornemisza.

Antes que nada, hay que tener en cuenta que, en Norteamérica, quizá más que en ningún otro lugar, el concepto de Naturaleza fue esencial en el proceso de creación de la identidad de la joven República. Por ese motivo, la génesis y el desarrollo del género artístico del paisaje americano no puede desvincularse ni de la historia ni de la conciencia política, lo que lo convierte en una combinación con características específicas inéditas en Europa. Hace años Barbara Novak y Perry Miller nos contaron que la fuente de inspiración de los primeros artistas americanos no fue la cultura sino la naturaleza y, como consecuencia, la pintura de paisaje sirvió para definir el país, al tiempo que lo representaba[3]. De manera que desde el principio, el reflejo de la naturaleza virgen aún sin profanar se estableció como la fórmula más idónea de reafirmación del creciente espíritu nacional[4].

Si bien durante el periodo colonial el paisaje no fue más que un mero fondo decorativo de los retratos de los colonos puritanos [cat. 48], tras la Independencia en 1776, y sobre todo a comienzos del siglo XIX, los artistas tomaron conciencia de la grandeza de esa tierra en la que los nativos y los europeos se habían cruzado por primera vez. Al tratarse de artistas recién llegados desde Europa o formados en el viejo continente[5], en sus inicios el paisajismo americano fue una adaptación de las corrientes de la vanguardia romántica europea a la exuberancia del Nuevo Mundo, combinada con un sentimiento religioso y patriótico[6].

Thomas Cole, un artista «trasatlántico»[7], nacido en Gran Bretaña, emigrado a Estados Unidos en 1818 y nacionalizado americano en 1834, fue el primero en desvelar la relación del hombre con la naturaleza bajo las convenciones del romanticismo sublime. Entre 1825, el año de su primer viaje aguas arriba del río Hudson, y su prematura muerte en 1848, dedicó muchas de sus pinturas a los bosques y las montañas al norte de la ciudad de Nueva York. En el paradójico cuadro *Expulsión. Luna y luz de fuego*, de hacia 1828 [cat. 1], Cole combina un paisaje imaginario, influido por el romántico inglés John Martin[8], con apuntes realizados del natural en las White Mountains [fig. 25]. La imagen, que reúne los elementos primarios de la materia según la estética de lo sublime —agua, tierra y fuego— parece sumergirnos en un tenebroso abismo[9], pero nuestra mirada se dirige hacia el resplandor del Paraíso del que han sido expulsados Adán y Eva, símbolo de la mano de Dios que se apodera de la naturaleza[10]. En otra obra posterior, *Cruz al atardecer*, de hacia 1848 [cat. 2], Cole mantiene la misma capacidad insuperable de plasmar un sentimiento religioso: una enorme cruz domina el paisaje frente al resplandor de los rayos del ocaso tratados con el sentido bíblico de la Creación.

1 Robert Frost intentó leer un poema escrito para la ocasión, pero se le volaban las páginas y el sol le cegaba la vista, por lo que decidió recitar de memoria *The Gift Outright*, que había publicado en 1942 en *Virginia Quarterly Review*. «La tierra fue nuestra antes de ser de la tierra./ Fue nuestra tierra más de cien años antes/ de que nos convirtiéramos en su pueblo. Era/ nuestra allí en Massachusetts, y en Virginia,/ pero éramos de Inglaterra, colonos todavía,/ poseedores de lo que aún no nos poseía,/ poseídos por lo que ya no poseíamos.» Robert Frost, «La entrega total», en Frost 2017, p. 544.

2 «Nos esforzamos por forjar una unión con/ sentido:/ crear una patria comprometida/ con todos los colores, las culturas, los caracteres,/ Y circunstancias del hombre». En Gorman 2021, pp. 27 y 29.

3 Novak 1980 y Miller 1967.

4 Christadler 1992.

5 La mayoría de los artistas viajaron a Londres, París, Roma o Düsseldorf para formarse.

6 El trascendentalismo literario de Ralph Waldo Emerson (1803-1882) y Henry David Thoreau (1817-1862), que expresaron la unión del hombre con la naturaleza desde un punto de vista moral, fue un referente esencial para los primeros paisajistas.

7 Véase Barringer et al. 2018.

8 Sobre todo, la escena de la *Expulsión* de las ilustraciones del *Paraíso perdido* de John Milton que realizó John Martin en 1827.

9 Sarah Burns ha estudiado el lado oscuro de la pintura de Cole. Véase Burns 2004.

10 En literatura, fue su amigo William Cullen Bryant (1794-1878) quien asoció por primera vez la naturaleza con Dios.

fig. 25

Thomas Cole
El puente del miedo, 1827
Grafito y crayón sobre pergamino,
14,9 × 12,4 cm
Detroit Institute of Arts, adquisición Founders Society, William H. Murphy Fund, 39.367

Trascendentalista como Cole, Frederic Church también buscó el plan creador de Dios en el estudio de la naturaleza, pero, a diferencia de su maestro, incorpora el espíritu científico propio de su alma de explorador. A mediados del siglo XIX, influido por el naturalista alemán Alexander von Humboldt, viajó a Sudamérica en dos ocasiones[11] y en el intervalo entre los dos viajes pintó *Cruz en la naturaleza salvaje* [cat. 3], un paisaje tropical desolado que carece de la exuberante vegetación del *Paisaje sudamericano* [cat. 66] de ese mismo periodo. La cruz adornada con guirnaldas de flores en primer plano alude al simbolismo cristiano de la muerte, en memoria del fallecimiento de uno de los hijos de William Harmon Brown, quien le encargó el cuadro[12].

La alegoría de la cruz sigue presente en algunos expresionistas abstractos del siglo XX, sobre todo entre los expatriados. En *Cruz en el Edén*, de 1950, del pintor de origen filipino y formación católica Alfonso Ossorio [cat. 4], se representa en una figura distorsionada con los brazos extendidos para indagar en la naturaleza divina y la desolación humana. También *Abstracción* del norteamericano de origen holandés Willem de Kooning [cat. 5], una composición abstracta, matérica y gestual de la iconografía de la muerte, explora la laceración y la distorsión corporal e introduce la simbología de la crucifixión a través de una violenta disección de los atributos simbólicos del Gólgota. Como confirmaba su mujer Elaine de Kooning: «Bill siempre tuvo el crucifijo en mente»[13].

En su madurez, bajo la influencia de las ideas místico-cristianas de Emanuel Swedenborg (1688-1772), el pintor George Inness se interesa por cuestiones metafísicas. En palabras del propio artista: «Una obra de arte no apela al intelecto, ni al sentido moral. Su objetivo no es instruir sino despertar una emoción»[14], algo que desde luego transmite *Mañana* [cat. 14], una obra extremadamente visionaria y poética. A la muerte de Inness, en 1894, los protagonistas del paisajismo sublime estaban prácticamente olvidados, pero su huella se puede rastrear en la línea romántica de la pintura americana del siglo XX. Fueron los artistas del círculo del fotógrafo y galerista Alfred Stieglitz quienes primero recuperaron el pasado místico del paisaje americano para la modernidad. En sus imágenes del lago George [fig. 26], transformado por aquel entonces en lugar de esparcimiento de la clase alta neoyorquina, Stieglitz y Georgia O'Keeffe logran trasmitir sensaciones insondables provocadas por la contemplación de la naturaleza. *Abstracción. Resplandor I* [cat. 11], pintada por O'Keeffe en 1921 con su inconfundible estilo de pinceladas casi invisibles y tonos neutros, plasma la magia de la noche a través de una misteriosa imagen que podría remitirnos a visiones planetarias alrededor de una resplandeciente luna. Por su parte, en *Desde las llanuras II*, de 1954 [cat. 12], explora su fascinación por el traslado de las manadas de ganado a través de las grandes llanuras de Texas, levantando polvo y provocando un ruido ensordecedor. La artista acusó la huella formal y simbólica de la pintura romántica, pero sus composiciones no son los vastos panoramas de Cole o Church, sino ampliaciones mágicas de pequeños detalles o fragmentos de la naturaleza.

Durante los años centrales del siglo XX, algunos artistas siguieron vinculados a la naturaleza sublime a través de la abstracción[15].

11 Véase el texto de Alba Campo Rosillo en esta misma publicación, pp. 105-113.

12 Véase el texto de Kirsten Pai Buick sobre esta obra en esta misma publicación, pp. 54-55.

13 En Yard 1991, p. 14.

14 George Innes, «A painter on painting». En *Harper's New Monthly Magazine*, n.º 56, febrero de 1878, pp. 458-459. Citado según Bell 2006, p. 60. Sobre este asunto véase DeLue 2004.

15 En 1961 Robert Rosenblum publicó un artículo en el que definía a Mark Rothko, Barnett Newman, Clyfford Still y Jackson Pollock como exponentes de la pervivencia del espíritu romántico. Véase Rosenblum 1961.

fig. 26

Georgia O'Keeffe
Desde el lago n.º 1, 1924
Óleo sobre lienzo, 91,4 × 76,2 cm
Des Moines Art Center, Des Moines.
Nathan Emory Coffin Collection,
adquirido con fondos del Coffin
Fine Arts Trust

Como podemos apreciar en *Sin título (Verde sobre morado)*, de 1961 [cat. 15], de una gran intensidad dramática y espiritual, Mark Rothko quiere ir más allá de las apariencias y consigue envolver al espectador con su fuerza sobrecogedora. La sutil irradiación de sus pinturas estimula una atmósfera de recogimiento interior, cuya contemplación pausada hace que su belleza vaya en aumento.

Como en tantas obras pintadas con su característico lenguaje a base de campos de color irregulares superpuestos, en *1965 (PH-578)* [cat. 16], Clyfford Still desea que el espectador se sienta igual de sobrecogido por las cualidades matéricas y sensuales de la superficie pictórica que por el efecto dramático de la naturaleza de los románticos. También las enormes acuarelas de Charles Burchfield, ese artista inclasificable y largamente incomprendido, pueden insertarse en la tradición del romanticismo norteamericano [cats. 17-19][16]. Burchfield siempre se movió entre dos tendencias complementarias: una crítica nostálgica ante la imparable industrialización de la era moderna y un cierto espíritu romántico de exaltación de las fuerzas ocultas de la naturaleza.

RITMOS DE LA TIERRA

Si, como hemos visto, la influencia del romanticismo europeo impregnó en sus comienzos el paisajismo norteamericano, a partir de mediados del siglo XIX la mentalidad positivista postdarwiniana propició un creciente interés científico por el entorno natural[17]. A diferencia de los artistas que se aproximaron al paisaje con un espíritu panteísta según las categorías estéticas de lo sublime, la segunda generación de paisajistas se acercó a la corriente naturalista, dominante en Europa durante gran parte del siglo XIX, interesándose por la historia natural y por el estado de transformación permanente de la naturaleza.

Desde sus primeras salidas al campo junto a su maestro Thomas Cole, Asher B. Durand se convirtió en un convencido de la pintura a la intemperie y en sus escritos invitaba a pintar del natural: «Acudid en primer lugar a la naturaleza para aprender a pintar paisajes»[18]. *Un arroyo en el bosque*, de 1865 [cat. 20], es un ejemplo de su personal puesta en escena de la exuberancia de los montes de Nueva Inglaterra, con grandes hayas en primer plano, cuya monumentalidad se enfatiza con el formato vertical, y un realismo de minuciosidad científica en las rocas cubiertas de musgo o en el reflejo del sol sobre la corteza de los árboles, no muy alejado de los paisajes de Gustave Courbet. La misma deriva naturalista y una similar exactitud en los detalles está presente en el *Pescador de truchas* de John Frederick Kensett [cat. 22], *En los Berkshires* de George Inness [cat. 21], o en *Verano en los Catskills*, de James McDougal Hart [cat. 25], de una gran fidelidad geológica en las rocas cubiertas de musgo y puntual veracidad en la vegetación.

En la década de 1870, a su regreso de un largo periplo por Europa y Oriente Próximo, Frederic Church se construyó junto al Hudson Olana, una mansión de estilo neopersa. Allí estudió con interés los nuevos tratados científicos sobre la luz y el color mientras captaba en sus pinturas la transformación del paisaje de su alrededor según las condiciones atmosféricas de las diferentes estaciones del año. *Otoño*, de 1875 [cat. 7], es la plasmación de su entusiasmo por el colorido otoñal, tal y como quedaba reflejado en la carta que le

16 Sobre el uso de la acuarela por Burchfield, véase Burlingham 2009, pp. 11-19.
17 *El origen de las especies* de Charles Darwin fue publicado en 1859.
18 Durand 1855.

fig. 27

Asher B. Durand
Almas gemelas, 1849
Óleo sobre lienzo, 111,8 × 91,4 cm
Crystal Bridges Museum of American Art, Bentonville, 2010.106

escribe a su amigo el pintor Jervis McEntee (1828-1891): «Cuando el fuego otoñal enciende el paisaje se pueden contemplar los más bellos colores de la naturaleza»[19].

Como Church, Jasper Francis Cropsey se retiró a la naturaleza idílica en Aladdin, una casa solariega en Warwick, junto al lago Greenwood. Una manifestación de esa etapa es *El lago Greenwood*, una obra tardía de 1870 [cat. 24], marcada por la influencia de John Ruskin (1819-1900), a quien conoció en Inglaterra. Cropsey combina la amplia y efectista vista del lago, en plena explosión de color del *Indian summer* que antecede la venida del invierno, con una meticulosa captación de los más pequeños detalles de la vegetación. El formato panorámico, agrandado horizontalmente de forma intencionada, que comenzó a imponerse en la pintura americana hacia mediados del siglo, da un mayor protagonismo a los juegos de luz del cielo y su reflejo sobre el amplio horizonte con una dorada puesta de sol. En la zona inferior izquierda se distinguen, no sin dificultad, dos diminutas figuras que contemplan desde un promontorio rocoso la multicolor puesta de sol sobre el lago. No podemos dejar de relacionar a estos dos personajes, empequeñecidos por Cropsey para exagerar la grandiosidad de la naturaleza, con las *Almas gemelas* —Cole y su amigo William Cullen Bryant (1794-1878)—, inmortalizadas por Durand mientras se maravillaban desde una roca de la inmensidad del paisaje [fig. 27].

Una luminosidad similar se aprecia en *El lago George*, de John Frederick Kensett [cat. 50], el paraje que había servido de escenario de *El último mohicano* (1826) de James Fenimore Cooper (1789-1851), una historia heroica de los nativos durante la guerra franco-indígena (1754-1763) o en los paisajes de Thomas Moran en Yellowstone. En 1871 Thomas Moran se unió a la expedición geológica de Ferdinand V. Hayden (1829-1887) con destino a la región noroeste de Wyoming y a Yellowstone[20]. Los numerosos bocetos realizados durante el viaje le sirvieron de base para los grandes lienzos que realizó a su vuelta, como *El gran cañón de Yellowstone*, de 1872 [fig. 28], que fue adquirido por el Congreso de Estados Unidos y colgó durante años en la entrada del Capitolio en Washington. Tanto las exploraciones como, sin duda, las pinturas de Moran contribuyeron significativamente a los debates que concluyeron con la designación de Yellowstone como parque nacional por el presidente Ulysses S. Grant en 1872. William Turner (1775-1851) fue para Moran una referencia artística crucial y en bocetos como *Aguas termales del lago Yellowstone* [cat. 26], adapta las convenciones románticas a la visión del famoso géiser que observaron con asombro los primeros viajeros. Las diminutas figuras de dos indígenas en el centro y el fondo de la composición muestran a los habitantes de esa región cuyas vidas fueron alteradas con la llegada de las expediciones.

En *El viejo puente*, pintado por Theodore Robinson en 1890 [cat. 27], se aprecia la incipiente influencia de la fugacidad del impresionismo francés. El mismo influjo está presente en William Merritt Chase, quien con la creación en 1891 de la Shinnecock Hills Summer School of Art, contribuyó a la expansión del impresionismo en Norteamérica. Chase pintó numerosos paisajes de los alrededores de su vivienda cerca de Southampton, en Long Island, como *Las colinas de Shinnecock*, de 1893-1897 [cat. 28], en los que, como apunta Karl Kusserow en esta publicación[21], da la espalda al océano y se concentra en los efectos lumínicos del cielo y en la representación de las dunas cubiertas de vegetación que separaban la tierra firme de la orilla del mar.

19 Carta de Frederic Church a Jervis McEntee, fechada el 23 de septiembre de 1874, en Albert Duveen Papers, en Washington, Archives of American Art, Smithsonian Institution. Citada por Katherine Manthorne en Novak 1986, p. 100.
20 Ferdinand V. Hayden publicó una descripción detallada de Yellowstone en *Scribner's Monthly Magazine* en febrero 1872 con ilustraciones de Moran. Véase Bedell 2002. Véase también Knox 2018.
21 Véanse pp. 80-81 en esta misma publicación.

fig. 28

Thomas Moran
El gran cañón de Yellowstone, 1872
Óleo sobre lienzo montado en aluminio, 245,1 × 427,8 cm
US Department of Interior Museum, Washington

Adentrándonos ya en el siglo XX, hay que resaltar la figura de Arthur Dove, un artista siempre atento a la transformación de las fuerzas internas de la tierra y las condiciones cambiantes de la atmósfera. En *U. S.*, de 1940 [cat. 29], o en *Mirlo*, un óleo abstracto de 1942 [cat. 30], como en otras composiciones de su etapa final, pueden vislumbrarse algunos ecos biomórficos y ritmos repetitivos de gran vitalidad orgánica con la intención de integrar abstracción y naturaleza. Rachel DeLue vinculaba *U.S.* con ciertas composiciones del mismo artista inspiradas en la guerra, unas vistas aéreas en las que se concentra su interés por la geografía y la meteorología[22].

También el pintor alemán emigrado a Nueva York Hans Hofmann, que abrió en 1935 una escuela para artistas en Provincetown y más tarde en Nueva York, insistía a sus alumnos: «la naturaleza es siempre la fuente de los impulsos creadores del artista»[23]. A partir del final de la década de 1940, el artista comenzó a cultivar una figuración orgánica que todavía se mantiene a comienzos de los años cincuenta en *Hechizo azul* [cat. 31], en la que se armonizan sus raíces y su formación europea con las novedades de su experiencia americana.

Según una vieja anécdota, cuando Hofmann le aconsejó a Jackson Pollock que debía pintar frente a la naturaleza, éste le respondió: «I am nature» (yo soy la naturaleza)[24]. *Número 11*, de 1950 [cat. 32], es un buen ejemplo de lo que había querido trasmitir con esa sagaz afirmación. La coreografía del artista moviendo su cuerpo y su mano por encima del lienzo colocado sobre el suelo —una combinación de la gestualidad de la nueva pintura de acción con el dominio absoluto de los materiales de la pintura[25]— era toda una liturgia vinculada al mundo natural [véase fig. 5]. Según atestiguó su mujer, Lee Krasner, el propio Pollock había manifestado que quería reproducir los ritmos de la tierra porque «el hombre forma parte de la naturaleza, no está alejado de ella»[26]. Pero, además, según sus declaraciones, el modo en que el artista actúa como médium en el proceso creativo tiene mucho de los rituales de los nativos americanos: «Me siento más cerca, más parte de la pintura, ya que de esta manera puedo caminar alrededor de ella, trabajar desde cuatro lados y estar literalmente en la pintura. Esto es propio de los métodos de pintura en arena de los indios del Oeste»[27].

22 DeLue 2016, p. 140.
23 Hofmann 1995.
24 Testimonio de Lee Krasner recogido en Karmel 1999, p. 28.
25 La combinación de espontaneidad y control fue la base interpretativa de Kirk Varnedoe y Pepe Karmel en la exposición de Pollock celebrada en el MoMA en 1998.
26 Testimonio de Lee Krasner recogido en Rose 1983, p. 134.
27 Pollock 1980.

fig. 29

Thomas Cole
Vista desde el monte Holyoke, Northampton, Massachusetts, después de una tormenta. El meandro, 1836
Óleo sobre lienzo, 130,8 × 193 cm
The Metropolitan Museum of Art, Nueva York, donación de Mrs Russell Sage, 08.228

IMPACTO HUMANO

«No puedo más que expresar mi pesar porque la belleza de esos paisajes esté desapareciendo rápidamente, los estragos del hacha aumentan cada día, desahuciando los escenarios más nobles, y a menudo con un desenfreno y una barbarie apenas creíbles en una nación civilizada»

Thomas Cole[28]

Al igual que Jackson Pollock, que anuló el contacto directo del pintor con el lienzo, Morris Louis se abstuvo de intervenir en el proceso de ejecución del cuadro actuando como mero «facilitador», dejando que los colores siguieran su propia lógica llevados por la fuerza de la gravedad presente en la naturaleza. En *Columnas de Hércules* [cat. 34] contemplamos su depurada técnica de veladuras derramadas. En esta operación, los colores acrílicos de la marca Magna, muy diluidos con trementina, empapaban rápidamente la tela, manchándola y formando parte de ella de manera irreversible.

Ritmos de la tierra, ejecutada por Mark Tobey en 1961 [cat. 33], define a la perfección su estilo singular, delicado y lineal, derivado tanto de la observación del natural como del automatismo surrealista. Al igual que en la mayoría de sus pinturas, la estructura pictórica *all-over* se construye a base de un vocabulario de formas caligráficas flotantes y entrelazadas, denominado *White Writing*, que nos asoma a su particular visión espacial del cosmos.

Al lamentarse de los crecientes «estragos del hacha», el pintor Thomas Cole se muestra como un adelantado en la toma de conciencia de los peligros del avance del progreso[29] y sus reflexiones adquieren un renovado protagonismo en la era contemporánea de concienciación medioambiental. Para Cole la naturaleza era «una fuente inagotable de disfrute intelectual» que despertaba «una percepción más aguda [*a keener perception*] de la belleza de nuestra existencia»[30]. Fue precisamente esta frase la que inspiró a Alan C. Braddock y Christoph Irmscher el título de un estudio pionero sobre el arte americano desde el punto de vista ecocrítico[31]. La ecocrítica, una nueva especialidad incorporada a la historiografía artística, no se conforma con el tradicional análisis del paisajismo como una construcción estético-cultural y lo estudia desde sus implicaciones medioambientales. En la reciente exposición *Nature's Nation: American Art and Environment*, Karl Kusserow y Alan Braddock consideraban que, si bien la ecología no existía entonces, la tensión entre civilización y preservación penetró de tal modo en la pintura americana de paisaje del XIX que preparó el terreno para la conciencia medioambiental moderna[32].

Antes de la llegada de la expedición del británico Henry Hudson (1565-1611), el inmenso territorio del valle del río Hudson, habitado por mohicanos, mohawks o munsees, estaba poblado de árboles. Pero, con el paso de los años, los asentamientos de los colonos fueron poco a poco convirtiendo esa naturaleza virgen en tierra de explotación. No debe extrañarnos que, en 1836, el mismo año en que publicó sus ensayos sobre el paisaje americano, Cole pintara su célebre *Meandro* [fig. 29], que ilustra de forma

28 Thomas Cole, «Essays on American Scenery», en *The American Monthly Magazine*, enero de 1836. Recogido en McCoubrey 1965, p. 109.
29 Hace años Barbara Novak abordaba las imágenes de árboles talados en la pintura de Cole y otros paisajistas, que denuncian el progreso a la vez que simbolizan la marcha de la civilización. Véase Novak 1976a. Véase también Cikovsky 1979. La reciente exposición organizada por Elizabeth Mankin Kornhauser y Tim Barringer en Nueva York y Londres demuestra que Cole fue de los primeros en mostrar su descontento por el avance de la industrialización. Véase Kornhauser y Barringer 2018.
30 McCoubrey 1965, p. 99.
31 Braddock e Irmscher 2009.
32 Kusserow y Braddock 2018. Véase también Brownlee 2008.

elocuente la transformación de la naturaleza desde el impenetrable bosque a unas tierras parceladas y cultivadas alrededor de un recodo del río Connecticut. El árbol caído y truncado de la izquierda podría aludir a los denominados «árboles testigo» marcados con incisiones para delimitar las nuevas propiedades o para señalar las zonas que había que talar.

Como hemos ido viendo, la mayoría de los primeros paisajistas americanos se retiraron a vivir al campo y en sus pinturas a veces aparecen escenas bucólicas de la vida campesina que representan actividades agrícolas como la recolección, que simbolizan la abundancia de Nueva Inglaterra y la sintonía de los primeros colonos con el entorno natural. Por otra parte, la imagen de una pequeña explotación rural familiar en medio del paisaje se inscribe en el ideal jeffersoniano de reconciliar el progreso tecnológico con la ocupación de la tierra[33]. Un ejemplo característico es *El campamento para la fabricación de azúcar de arce. La despedida* de Eastman Johnson [cat. 36], que muestra el entorno rural de Nantucket, la mítica isla escenario también de *Moby Dick* de Herman Melville. Como destaca Brian Allen, a diferencia del cultivo del azúcar de caña del sur, el sirope de arce era producido por trabajadores libres, no por esclavos[34]. Por eso, quizá, en lugar de una imagen de explotación, Johnson resalta un momento de solaz en el que varios hombres, niños y mujeres comen, beben y bailan como ciudadanos libres que trabajan en armonía con la naturaleza.

También Martin Johnson Heade, sobre todo en los paisajes de las marismas de la costa atlántica, que desarrolló desde 1859 a 1904, simboliza la preservación del entorno natural. Las sencillas tierras pantanosas con escenas de la siega y recogida del heno —como *Pantanos en Rhode Island*, de 1866 [cat. 35], y *Pantanos en Jersey*, de 1874 [cat. 37]—, son una estampa perfecta de una actividad agrícola ancestral, respetuosa con el equilibrio de la naturaleza. Ahora bien, también cabe otra interpretación, pues como apuntaba recientemente Maggie Cao estas «pinturas que desafían las expectativas del género se involucran en un proceso de vaciado y evacuación que refleja la destrucción ambiental de la época»[35].

La costa del océano Atlántico, además de ser el territorio de expansión agrícola, fue la puerta de entrada de los exploradores, los esclavos africanos y los colonos europeos y la base del comercio marítimo en los puertos de Plymouth, fundado por los *pilgrims* —los padres peregrinos calvinistas— que llegaron en el *Mayflower*, o los de Gloucester, Boston o Nueva York. La *Vista de Nueva York desde Brooklyn Heights*, de John William Hill [cat. 38], está tomada desde Furman Street, en la orilla de Brooklyn, mirando el paso de los barcos por el East River y el bajo Manhattan, que se iba configurando como un agitado distrito financiero. Por su parte, el puerto de Boston, utilizado por los indígenas como enclave comercial y transformado por los colonos en centro de exportación de mercancías, fue captado en varias ocasiones por el pintor británico Robert Salmon, instalado en la ciudad en 1828 [cat. 39]. Uno de sus continuadores en la ejecución de escenas de puertos fue su amigo Fitz Henry Lane. En *El fuerte y la isla Ten Pound. Gloucester, Massachusetts* [cat. 40] representa la ajetreada vida en este mítico puerto con esta isla como fondo. La isla Ten Pound, coronada por un fuerte y situada en el centro de la bahía, debía su nombre al impuesto que tenían que pagar los ingleses a su llegada. Los elementos narrativos del primer término, en el que los pescadores aparecen desempeñando sus faenas cotidianas, combinan el realismo de la escena con el interés por explorar plásticamente el paso del tiempo a través de la actividad humana.

Francis Silva nos muestra en *Kingston Point, río Hudson* [cat. 41] una visión un tanto mágica de esa pequeña localidad a orillas del Hudson. Antes de que en el siglo XVII llegaran los primeros exploradores holandeses, ese lugar había sido un asentamiento agrícola algonquino. A partir del siglo XVIII se transformó en un centro de actividad industrial, pero Silva, deliberadamente, evita mostrarlo, quizá para reflejar la naturaleza virgen perdida para siempre. Tampoco en *Navegación al atardecer* [cat. 42], uno de los escasos paisajes que pintó John Frederick Peto, un artista que destacó por sus naturalezas muertas, podemos ver la costa atlántica de Toms River, una localidad próxima a Island Heights. La pintura esconde la creciente actividad urbana y nos asoma a un solitario paraje, con la única presencia de un pequeño velero que indica la tradición de la navegación de esta zona. Como comprobamos en *Viento, mar y vela*, de Charles Sheeler, fechada en 1948 [cat. 43] —una pintura alejada de su temática más habitual, centrada en los paisajes industriales o las vistas urbanas[36]—, la vela se mantiene a lo largo del tiempo como actividad deportiva en la costa Este.

A finales del siglo XIX, cuando los grandes protagonistas de las décadas anteriores habían caído en el olvido, Winslow Homer se erige como el heredero de la tradición de la pintura de la naturaleza. En *La hija del guardacostas*,

33 Hunt 1992.
34 Allen 2004.
35 Cao 2018, p. 71.
36 Véase el texto de Clara Marcellán y Marta Ruiz del Árbol en esta misma publicación, pp. 155-165 y cats. 90-91.

fig. 30

Edward Hopper
Casa con árboles muertos, 1932
Acuarela sobre papel, 50,8 × 71,1 cm
Colección privada

una acuarela fechada en 1881 [cat. 45], pintada en Cullercoats, una pequeña aldea inglesa de pescadores, la protagonista es una de las mujeres del pueblo, a las que el artista definía como «criaturas robustas y fuertes»[37]. La escena manifiesta el agotamiento de la joven tras largas horas de infructuosa búsqueda de los supervivientes de algún naufragio o de alguna embarcación perdida en la niebla. Su figura, de proporciones monumentales, trasmite tal dramatismo que podría considerarse todo un símbolo de la trágica confrontación del hombre con las fuerzas de la naturaleza. A su regreso de Inglaterra a finales de 1882, Homer se instaló en Prouts Neck, en la costa de Maine, otra pequeña comunidad pesquera, donde pinta su vida sencilla con las mismas proporciones homéricas. *La señal de peligro* [cat. 44], que capta un momento de gran tensión durante un rescate en alta mar, pertenece a una serie dedicada al tema de la lucha heroica del hombre contra el océano embravecido.

El famoso libro del reverendo bostoniano William Murray (1840-1904) *Adventures in the Wilderness*, publicado en 1869, que narraba sus aventuras en los Adirondacks, desencadenó un creciente interés por estos parajes septentrionales, que inspiraron a Homer casi un centenar de acuarelas. En una de ellas, *Ciervo en los Adirondacks* [cat. 46], refleja magistralmente la silenciosa calma del lugar solamente perturbada por la presencia del perro a la caza de un ciervo. Según esta técnica cinegética, hoy prohibida por su crueldad, el perro desviaba al ciervo hacia el agua, donde le esperaban los cazadores[38].

Por último, debemos mencionar a Edward Hopper, que desde 1930 comenzó a pasar los veranos en South Truro, en Cape Cod, y los paisajes luminosos del lugar empezaron a aparecer de forma recurrente en sus obras. *Árbol seco y vista lateral de la casa Lombard* [cat. 47] representa la vivienda de su amigo Frank Lombard en sombra. Lo que otorga originalidad a esta acuarela es la silueta del árbol seco a la izquierda de la composición. Recortadas sobre el luminoso cielo, sus ramas oscuras y desolladas dan al ambiente un aire de desolación. Podría tratarse de un signo del pesimismo existencial del artista, pero si aplicamos una lectura medioambiental a la presencia de árboles muertos que asoman en varias de sus pinturas [fig. 30], podríamos establecer un vínculo con los árboles muertos de las pinturas de Cole o Durand, caídos por el destructor impacto humano.

37 Citado en Gerdts 1977, p. 21.
38 Véase el texto de David Peters Corbett en esta misma publicación, p. 100.

NATURALEZA/
AMÉRICA SUBLIME

1

Thomas Cole

Bolton-le-Moors, Reino Unido, 1801-Catskill, 1848

Expulsión. Luna y luz de fuego
hacia 1828

Óleo sobre lienzo, 91,4 × 122 cm
Museo Nacional Thyssen-Bornemisza,
Madrid, inv. 95 (1980.14)

2

Thomas Cole

Bolton-le-Moors, Reino Unido, 1801-Catskill, 1848

Cruz al atardecer
hacia 1848

Óleo sobre lienzo, 81,8 × 122,4 cm
Museo Nacional Thyssen-Bornemisza,
Madrid, inv. 96 (1980.15)

3

Frederic Edwin Church
Hartford, 1826-Nueva York, 1900

Cruz en la naturaleza salvaje
1857

Óleo sobre lienzo, 41,3 × 61,5 cm
Museo Nacional Thyssen-Bornemisza, Madrid, inv. 508 (1981.12)

William Harmon Brown encargó esta pintura tras la muerte de su hijo. Frederic Church compuso la obra basándose en los paisajes que vio en Colombia y Ecuador, donde la gente solía expresar su dolor a través de monumentos conmemorativos cuidadosamente dispuestos en la naturaleza. Además de su conexión con el dolor y el sufrimiento humanos, la imagen de Church es inseparable de cómo entendemos la representación del paisaje: como símbolo y recurso, en palabras de Denis Cosgrove y Stephen Daniels, pero también, según W. J. T. Mitchell, como instrumento de poder. Sin embargo, el cuadro y el artista exigen que nos detengamos a considerar esas conexiones entre poder y espiritualidad y nos revelan algo sobre la naturaleza de ambos.

Innumerables fuentes atestiguan el compromiso de los habitantes de Nueva Inglaterra con el pasado durante el siglo XIX. En ese momento, Estados Unidos estaba intentando decidir si quería ser una nación sometida al catolicismo o dirigida por protestantes. Según Jon Gjerde, «el recelo hacia el catolicismo romano no era un fenómeno nuevo en los primeros años de la nación; de hecho, tenía profundas raíces en el pasado colonial británico y estadounidense. Estos sentimientos se expresaron en las leyes y prácticas estatales y federales hasta bien entrado el siglo XIX. En las primeras décadas de ese siglo, al anticatolicismo legal [...] se le superponía un discurso sobre la nación americana y la pertenencia a la misma que complicó aún más el lugar de los católicos y de la Iglesia en la sociedad estadounidense»[1]. Además, Gjerde señala que las diferencias sobre la afiliación religiosa durante esta época fueron el principal impedimento para la formación de una identidad racial blanca.

Church no era anticatólico, pero, como habitante de Nueva Inglaterra, tenía un estrecho vínculo con el pasado puritano y con su exitosa incorporación e integración en la cultura de Estados Unidos. En sus cuadros abundan las expresiones de su aceptación y respeto hacia las creencias de los demás, por ejemplo en sus diversas representaciones de Tierra Santa o de cruces (sin la figura de Cristo), que aparecen en muchas de sus obras. También destacan sus profundas conexiones con el protestantismo y su historia literaria.

Muchos artistas norteamericanos plasmaron en su arte temas relacionados con los espacios naturales, y tanto si ese interés se expresaba en forma de pintura como de escultura, cada retrato de la naturaleza tenía implicaciones para la representación del paisaje y su poder para definir las relaciones y jerarquías culturales, sociales y políticas. Al igual que el concepto de «progreso» (definido desde el siglo XVII como un viaje moral desde la condenación hasta la salvación), los puritanos y sus descendientes tenían una profunda conexión con la idea de una «naturaleza virgen», de modo que debemos abordar este concepto en su sentido antiguo para entender la ideología de la frontera.

El concepto de «naturaleza virgen» no viajó con los puritanos desde Inglaterra, sino que nació de la propia naturaleza americana. Al llegar a un terreno baldío en lugar de a un jardín (del Edén), los puritanos sufrieron plagas, sequías, hambrunas, un clima totalmente desconocido para ellos y una población indígena hostil. El desierto era el hogar de los indios, las brujas y el diablo. Era un lugar desorientador, desconcertante, un espacio que podía convertir a los hombres de Dios en las mismas entidades que habían nacido para combatir. Además, la expansión hacia el oeste era antitética a la concepción de Nueva Inglaterra de la sociedad como un organismo y no como una acumulación de individuos cuyo movimiento amenazaba la integridad del organismo. Por lo tanto, los puritanos desarrollaron el concepto del Oeste para distinguir las tierras vírgenes (un lugar donde se realizan ejercicios morales y espirituales) de la frontera (el alejamiento de la sociedad con fines principalmente comerciales).

En el siglo XIX, los habitantes de Nueva Inglaterra seguían profundamente vinculados a sus antepasados, a su historia y a las primeras experiencias puritanas. El cuadro de Church es un testimonio de esas conexiones: conserva el antiguo sentido de la naturaleza virgen como algo más cercano a casa, como un espacio que encarnaba los retos espirituales que ponían a prueba la fe. Los habitantes de Nueva Inglaterra, como Church, ampliaron

1 Gjerde 2012, p. 26.

el concepto de las tierras vírgenes, pero lo hicieron desde una posición retrospectiva: las guerras contra los indios, el éxito de los reasentamientos de los pueblos indígenas y las políticas de exterminio puestas en práctica contra ellos transformaron los sombríos hallazgos del siglo XVII en una tierra sembrada con el propósito divino, donde las cruces podían brotar milagrosamente para convertir a quienes estuvieran dispuestos.

El cisma dentro del mundo cristiano era profundo, y la manera que protestantes y católicos tuvieron para empezar a comunicarse de nuevo fue a través del lenguaje de la modernidad. Como ideología, la modernidad fracturó los objetos en dos categorías: los que tenían una función de uso y los que tenían una función estética. El «descubrimiento del nuevo mundo» fue en gran medida semántico e ideológico, de modo que para distinguirse de los ocupantes de sus propias tierras vírgenes —los pueblos indígenas y los descendientes del imperio español—, Estados Unidos se definió a sí mismo por su modernidad, un proceso de secularización que al mismo tiempo creó, implicó y convirtió en extranjeros a grupos señalados que habitaban dentro de sus tierras vírgenes/confines/fronteras.

Kirsten Pai Buick

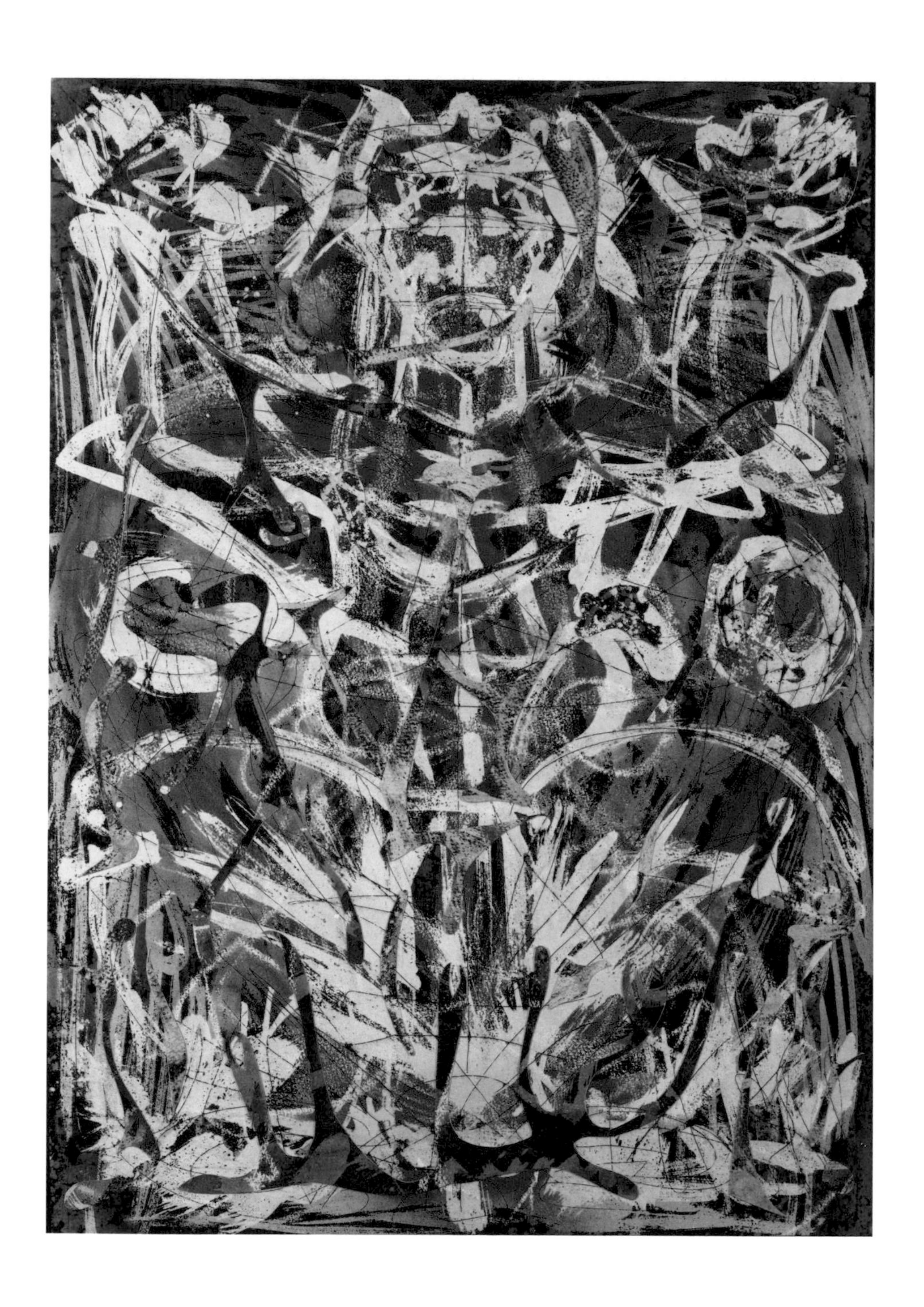

4 ←

Alfonso Ossorio

Manila, Filipinas, 1916-East Hampton, 1990

Cruz en el Edén
1950

Gouache y *collage* sobre papel, 85 × 61 cm
Thyssen-Bornemisza Collections,
inv. 1981.3

5

Willem de Kooning

Róterdam, Países Bajos, 1904-Nueva York, 1997

Abstracción
1949-1950

Óleo y oleorresina sobre cartón, 41 × 49 cm
Museo Nacional Thyssen-Bornemisza,
Madrid, inv. 630 (1974.55)

6

Worthington Whittredge
Springfield, 1820-Summit, 1910

El arcoíris, otoño, Catskills
hacia 1880-1890

Óleo sobre lienzo, 29,2 × 42,8 cm
Colección Carmen Thyssen,
inv. CTB.1999.114

7 →

Frederic Edwin Church
Hartford, 1826-Nueva York, 1900

Otoño
1875

Óleo sobre lienzo, 39,4 × 61 cm
Museo Nacional Thyssen-Bornemisza,
Madrid, inv. 507 (1980.86)

8

Albert Bierstadt

Solingen, Alemania, 1830-Nueva York, 1902

Puesta de sol en Yosemite
hacia 1863

Óleo sobre lienzo, 30,5 × 40,6 cm
Colección Carmen Thyssen,
inv. CTB.1980.9

9

Albert Bierstadt

Solingen, Alemania, 1830-Nueva York, 1902

Atardecer en la pradera
hacia 1870

Óleo sobre lienzo, 81,3 × 123 cm
Museo Nacional Thyssen-Bornemisza, Madrid, inv. 468 (1981.56)

10

William Bradford

Fairhaven, 1823-Nueva York, 1892

Pescadores en la costa de Labrador
s. f.

Óleo sobre lienzo, 52 × 82,5 cm
Colección Carmen Thyssen,
inv. CTB.1998.69

11

Georgia O'Keeffe

Sun Prairie, 1887-Santa Fe, 1986

Abstracción. Resplandor I
1921

Óleo sobre lienzo, 71 × 61 cm
Museo Nacional Thyssen-Bornemisza,
Madrid, inv. 695 (1973.5)

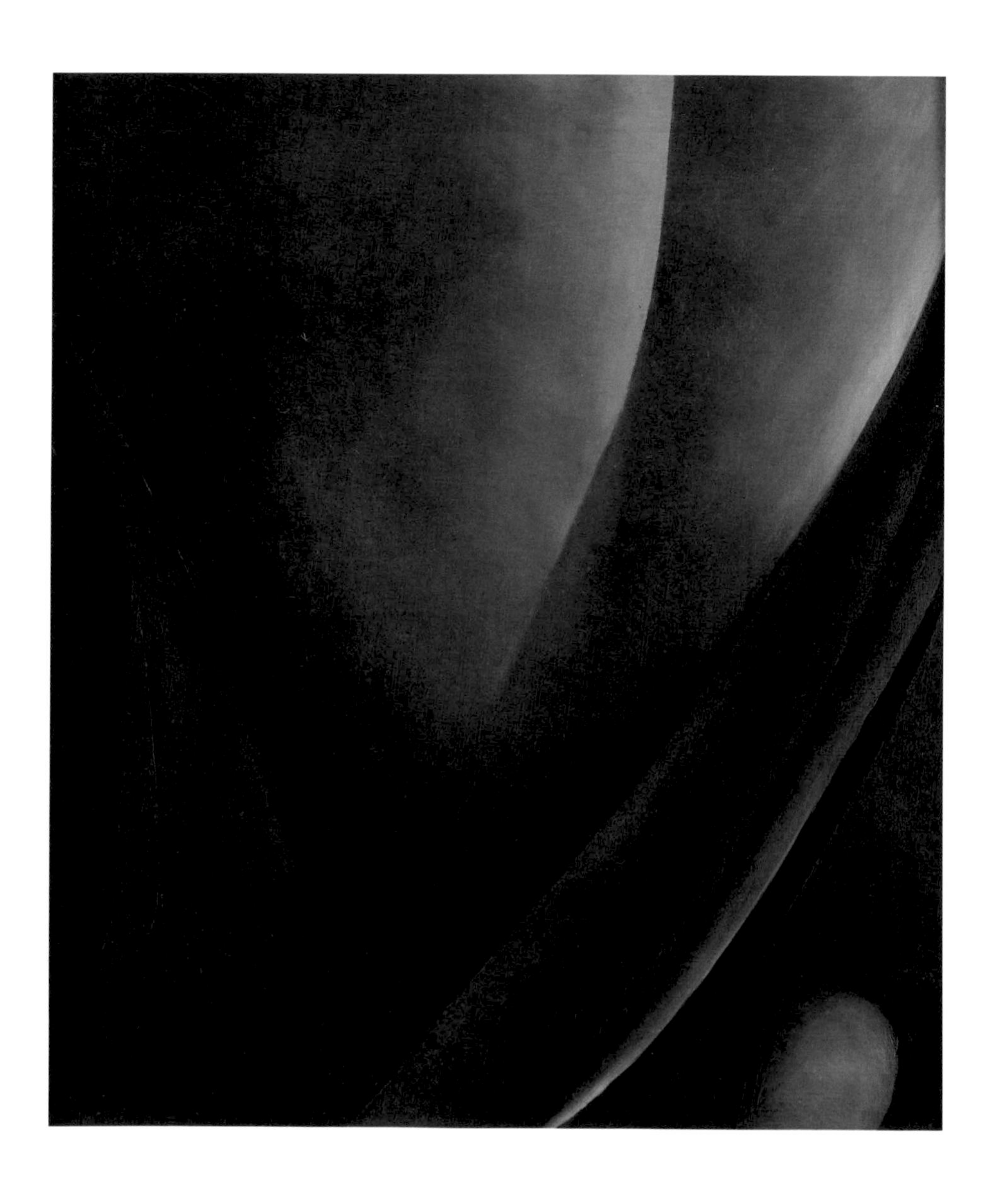

12

Georgia O'Keeffe

Sun Prairie, 1887-Santa Fe, 1986

Desde las llanuras II

1954

Óleo sobre lienzo, 122 × 183 cm
Museo Nacional Thyssen-Bornemisza,
Madrid, inv. 696 (1977.36)

13

Frederic Edwin Church

Hartford, 1826-Nueva York, 1900

Bote abandonado
1850

Óleo sobre cartón, 28 × 43,2 cm
Museo Nacional Thyssen-Bornemisza,
Madrid, inv. 509 (1982.40)

14

George Inness

Newburgh, 1825-Bridge of Allan, Reino Unido, 1894

Mañana
hacia 1878

Óleo sobre lienzo adherido a cartón, 76,2 × 114,3 cm
Museo Nacional Thyssen-Bornemisza, Madrid,
inv. 600 (1983.4)

15

Mark Rothko

Daugavpils, Letonia, 1903-Nueva York, 1970

Sin título (Verde sobre morado)
1961

Técnica mixta sobre lienzo, 258 × 229 cm
Museo Nacional Thyssen-Bornemisza,
Madrid, inv. 729 (1982.50)

16

Clyfford Still

Grandin, 1904-Baltimore, 1980

1965 (PH-578)
1965

Óleo sobre lienzo, 254 × 176,5 cm
Museo Nacional Thyssen-Bornemisza,
Madrid, inv. 766 (1982.36)

Charles Burchfield

Ashtabula Harbor, 1893-West Seneca, 1967

17

Bosques de cigarras
1950-1959

Acuarela, lápiz y clarión sobre papel, 103 × 132 cm
Museo Nacional Thyssen-Bornemisza, Madrid,
inv. 484 (1980.70)

18 →

Sol de sequía en julio
1949-1960

Acuarela sobre papel, 114,3 × 137,2 cm
Museo Nacional Thyssen-Bornemisza,
Madrid, inv. 483 (1977.88)

19 →

Orión en invierno
1962

Acuarela sobre papel, 122 × 137 cm
Museo Nacional Thyssen-Bornemisza,
Madrid, inv. 482 (1977.6)

1949-60

1962

NATURALEZA/ RITMOS DE LA TIERRA

20

Asher B. Durand
Maplewood, 1796-1886

Un arroyo en el bosque
1865

Óleo sobre lienzo, 101,6 × 81,9 cm
Museo Nacional Thyssen-Bornemisza, Madrid, inv. 533 (1980.79)

21

George Inness

Newburgh, 1825-Bridge of Allan, Reino Unido, 1894

En los Berkshires
hacia 1848-1850

Óleo sobre lienzo, 61 × 56 cm
Colección Carmen Thyssen,
inv. CTB.1980.22

22

John Frederick Kensett

Cheshire, 1816-Nueva York, 1872

Pescador de truchas
1852

Óleo sobre lienzo, 49,5 × 40,6 cm
Colección Carmen Thyssen,
inv. CTB.1980.52

23

George Inness

Newburgh, 1825-Bridge of Allan, Reino Unido, 1894

Días de verano
1857

Óleo sobre lienzo, 103,5 × 143 cm
Museo Nacional Thyssen-Bornemisza,
Madrid, inv. 601 (1985.26)

24 →

Jasper Francis Cropsey

Rossville, 1823-Hastings-on-Hudson, 1900

El lago Greenwood
1870

Óleo sobre lienzo, 97 × 174 cm
Museo Nacional Thyssen-Bornemisza,
Madrid, inv. 496 (1983.39)

25 →

James McDougal Hart

Kilmarnock, Reino Unido, 1828-Brooklyn, 1901

Verano en los Catskills
hacia 1865

Óleo sobre lienzo, 33,6 × 59 cm
Colección Carmen Thyssen,
inv. CTB.1996.18

26

Thomas Moran

Bolton, Reino Unido, 1837-Santa Bárbara, 1926

Aguas termales del lago Yellowstone
1873

Acuarela sobre papel, 24,2 × 36,8 cm
Thyssen-Bornemisza Collections,
inv. 1982.25

27

Theodore Robinson
Irasburg, 1852-Nueva York, 1896

El viejo puente
1890

Óleo sobre lienzo, 63,5 × 81,2 cm
Museo Nacional Thyssen-Bornemisza,
Madrid, inv. 725 (1980.88)

28

William Merritt Chase
Nínive, 1849-Nueva York, 1916

Las colinas de Shinnecock
1893-1897

Óleo sobre tabla, 44,4 × 54,6 cm
Museo Nacional Thyssen-Bornemisza, Madrid, inv. 502 (1979.30)

Pintar un paisaje sobre la nada era algo curioso e inusual en el arte estadounidense del siglo XIX. Pero eso es lo que hizo William Chase cuando, a finales de dicho siglo, terminó una serie de obras (muy numerosa en su conjunto), cada una de las cuales retrataba alguna franja anodina de terreno en los arenosos alrededores de su casa de Southampton, en Long Island. Chase dirigió una escuela de arte entre 1891 y 1902, antes de que la zona se convirtiera en el exclusivo y sofisticado lugar que es en la actualidad. De hecho, su acomodada clientela contribuyó a este cambio, lo cual, en parte, era uno de los objetivos de la Shinnecock Hills Summer School of Art. Como ha sucedido tantas veces en la historia de Estados Unidos, arte y comercio iban allí de la mano, en particular gracias a la figura de Jane Ralston Hoyt, una empresaria bien relacionada que, en colaboración con la compañía de ferrocarriles de Long Island, invitó a Chase a fundar la escuela para promover el desarrollo de la zona y de paso impulsar los intereses inmobiliarios de la propia empresaria[1].

El mar es precioso en Southampton. Pero la mayoría de las veces, Chase le dio la espalda en sus cuadros sobre la zona, o lo introdujo solo de forma oblicua, simplemente para dejar claro que nos encontramos en la costa, lo cual, de todos modos, podía deducirse de elementos como el tipo de luz, las nubes arrastradas por la brisa, el color del terreno y de la vegetación baja azotada por el viento, la topografía plana y suavemente ondulada (más dunas que «colinas» como sugiere el título del cuadro): todo ello hace pensar que nos encontramos en el litoral.

Las colinas de Shinnecock recuerda más que nada a un tipo de pintura francesa ligeramente anterior, quizás alguna de las escenas de prados que pintaba Alfred Sisley, con las que comparte el hecho de fijarse en una porción de campo aleatorio y anodino que se distingue únicamente por la mera decisión del artista de verlo y prestarle atención. Antes de obras como esta, la pintura de paisajes estadounidense cumplía otra función. En unos Estados Unidos en rápida expansión, este tipo de pinturas eran agentes del imperio que mostraban y allanaban el camino hacia su tema común —la gran *terra incógnita* americana— mediante pintorescas convenciones pictóricas a las que los artistas estadounidenses seguían aferrándose mucho tiempo después de que hubieran perdido su vigencia en el extranjero. Y todo ello por una buena razón: las composiciones de lo pintoresco, construidas minuciosamente a partir de los elementos que enmarcaban la escena y del retroceso gradual en el espacio mediante formas sucesivamente superpuestas, como si se tratara de un escenario, aportaban una sensación de lógica y de control sobre la tierra rebelde y potencialmente abrumadora, al tiempo que sugerían la entrada física en la escena y, por tanto, su ocupación metafórica.

Sin embargo, a medida que lo pintoresco se mezclaba con lo sublime en las grandes, detalladas y teatrales obras de pintores como Frederic Church o Albert Bierstadt, la propia grandiosidad de las escenas representadas excluía al espectador, convirtiendo la naturaleza en un espectáculo remoto y subvirtiendo así la utilidad política de la pintura de paisajes para promover los fines imperiales. En cualquier caso, ese proyecto ya estaba en decadencia cuando Chase tomó sus pinceles en las colinas de Shinnecock; la frontera ya se había cerrado oficialmente y, por supuesto, el artista vivía alejado de ella en todos los sentidos en el acomodado Southampton de la costa este.

Lo que Chase ofrecía en sus cuadros de Long Island era algo muy diferente: una estética más tranquila de la ausencia, una predilección por la falta de tema en lugar de los cielos espectaculares, los ríos caudalosos y las elevadas cumbres de la última Escuela del río Hudson. De ese modo, Chase otorgaba un papel importante y beneficioso a todo lo demás, esto es, a la naturaleza mundana que tan a menudo se pasaba por alto, se despreciaba y, en consecuencia, se explotaba y expoliaba irreflexivamente como pretendía hacer Jane Hoyt.

1 Véase Schaffner y Zabar 2010.

Al alejarse insistentemente del atractivo de la costa y dar prioridad a los encantos más sutiles de los lugares menos extraordinarios de la naturaleza, Chase invitaba al espectador a volver a sus escenas más familiares, humanizándolas literalmente y rompiendo así la dicotomía humano-no humano que tanto impregna la retórica de lo sublime como «lo otro espectacular». De este modo, aun sin saberlo, Chase logró algo que tiene que ver con la conciencia medioambiental: una percepción de la naturaleza en la que tiene cabida la presencia humana y se reconoce el valor inherente de todas las cosas. Así pues, podría decirse que al pintar la nada Chase se acercó a pintarlo todo.

Karl Kusserow

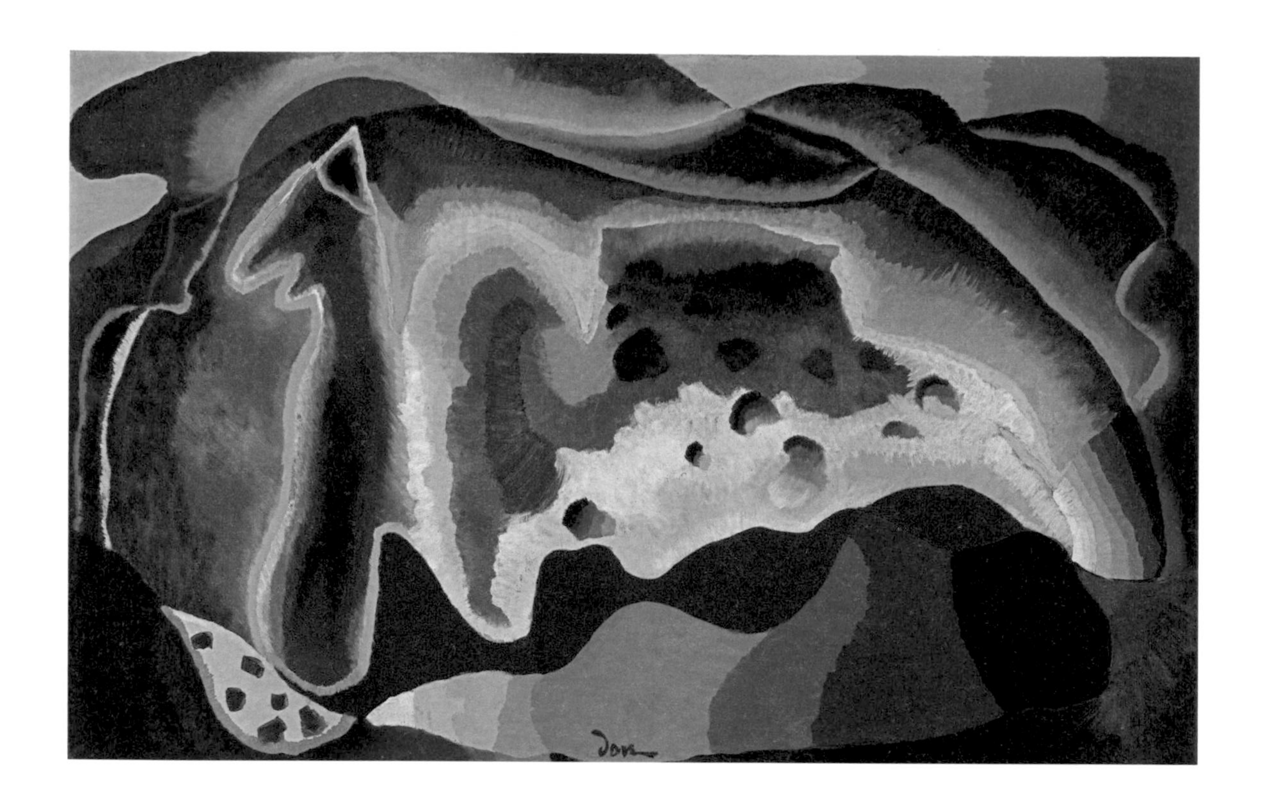

29

Arthur Dove

Canandaigua, 1880-Huntington, 1946

U. S.

1940

Óleo sobre lienzo, 50,8 × 81,3 cm
Museo Nacional Thyssen-Bornemisza,
Madrid, inv. 530 (1975.23)

30 →

Arthur Dove

Canandaigua, 1880-Huntington, 1946

Mirlo

1942

Óleo sobre lienzo, 43,2 × 61 cm
Museo Nacional Thyssen-Bornemisza,
Madrid, inv. 532 (1976.4)

31

Hans Hofmann

Weissenberg, Alemania, 1880-Nueva York, 1966

Hechizo azul

1951

Óleo sobre lienzo, 152,4 × 121,9 cm
Museo Nacional Thyssen-Bornemisza,
Madrid, inv. 586 (1979.67)

32

Jackson Pollock

Cody, 1912-The Springs, 1956

Número 11

1950

Óleo y pintura de aluminio sobre masonita, 55,8 × 56,5 cm
Thyssen-Bornemisza Collections, inv. 1975.28

33 →

Mark Tobey

Centerville, 1890-Basilea, Suiza, 1976

Ritmos de la tierra

1961

Gouache sobre cartón, 67 × 49 cm
Museo Nacional Thyssen-Bornemisza, Madrid, inv. 771 (1968.13)

34

Morris Louis

Baltimore, 1912-Washington, 1962

Columnas de Hércules

1960

Acrílico sobre lienzo, 231,1 × 267,3 cm
Museo Nacional Thyssen-Bornemisza,
Madrid, inv. 653 (1983.18)

NATURALEZA/
IMPACTO HUMANO

35

Martin Johnson Heade
Lumberville, 1819-San Agustín, 1904

Pantanos en Rhode Island
1866

Óleo sobre lienzo, 56 × 91,4 cm
Colección Carmen Thyssen,
inv. CTB.1987.24

36

Eastman Johnson

Lovell, 1824-Nueva York, 1906

El campamento para la fabricación de azúcar de arce. La despedida
hacia 1865-1873

Óleo sobre tabla, 26 × 57,7 cm
Colección Carmen Thyssen,
inv. CTB.1981.51

37

Martin Johnson Heade

Lumberville, 1819-San Agustín, 1904

Pantanos en Jersey
1874

Óleo sobre lienzo, 39,4 × 76,2 cm
Colección Carmen Thyssen,
inv. CTB.1979.34

38

John William Hill

Londres, Reino Unido, 1812-West Nyack, 1879

Vista de Nueva York desde Brooklyn Heights
hacia 1836

Acuarela sobre papel, 48,3 × 85 cm
Colección Carmen Thyssen,
inv. CTB.1982.49

39

Robert Salmon

Whitehaven, Reino Unido, hacia 1775-Cumberland, después de 1845

Imagen del yate Dream
1839

Óleo sobre tabla, 43 × 63 cm
Colección Carmen Thyssen,
inv. CTB.1983.27

40

Fitz Henry Lane
Gloucester, 1804-1865

El fuerte y la isla Ten Pound Gloucester, Massachusetts
1847

Óleo sobre lienzo, 50,8 × 76,2 cm
Museo Nacional Thyssen-Bornemisza, Madrid, inv. 635 (1982.43)

41

Francis Silva
Nueva York, 1835-1886

Kingston Point, río Hudson
hacia 1873

Óleo sobre lienzo, 51 × 91 cm
Museo Nacional Thyssen-Bornemisza,
Madrid, inv. 760 (1985.10)

42

John Frederick Peto
Filadelfia, 1854-Nueva York, 1907

Navegación al atardecer
hacia 1890

Óleo sobre lienzo, 30,5 × 50,9 cm
Museo Nacional Thyssen-Bornemisza,
Madrid, inv. 701 (1982.18)

43

Charles Sheeler

Filadelfia, 1883-Dobbs Ferry, 1965

Viento, mar y vela
1948

Óleo sobre lienzo, 51 × 61 cm
Museo Nacional Thyssen-Bornemisza,
Madrid, inv. 758 (1975.10)

44

Winslow Homer

Boston, 1836-Prouts Neck, 1910

La señal de peligro
1890, 1892 y 1896

Óleo sobre lienzo, 62 × 98 cm
Museo Nacional Thyssen-Bornemisza,
Madrid, inv. 588 (1980.71)

45

Winslow Homer

Boston, 1836-Prouts Neck, 1910

La hija del guardacostas
1881

Acuarela sobre papel, 34,3 × 34,3 cm
Museo Nacional Thyssen-Bornemisza,
Madrid, inv. 592 (1983.41)

46

Winslow Homer

Boston, 1836-Prouts Neck, 1910

Ciervo en los Adirondacks
1889

Acuarela sobre papel, 35,5 × 50,7 cm
Museo Nacional Thyssen-Bornemisza, Madrid, inv. 590 (1981.43)

Existe un tenaz diálogo americano entre lo salvaje y la insistente, y a menudo invasiva, presencia de lo humano. Una versión de este diálogo se expresa de forma sorprendente en la espléndida acuarela de Winslow Homer *Ciervo en los Adirondacks*. En esta imagen, la extensa superficie del agua en primer plano y de los árboles hacia el fondo se ven interrumpidas por la figura solitaria del perro a la izquierda y la cabeza y el torso del ciervo que se mueve hacia la derecha. El ciervo deja tras de sí una larga estela de agua removida que se extiende casi hasta el borde izquierdo del cuadro. De todos los animales, los perros, domesticados y adaptados como compañeros humanos, son los mediadores más significativos entre la naturaleza y el ser humano, y el perro de caza que aparece en este cuadro, varado en la orilla detrás del ciervo nadador, plantea la brecha que existe entre el control humano del paisaje y de la naturaleza y la alteridad de lo salvaje. De acuerdo con el detallado análisis de las prácticas de caza de Homer en los Adirondacks, realizado por el historiador del arte David Tatham, la imagen refleja una técnica de caza bien asentada. El perro conduce al ciervo hacia el cazador, que espera, rifle en mano, en la orilla opuesta[1]. En este sentido, se trata de una representación de la aplicación de la voluntad humana al mundo natural, transformándolo, incluso en el momento de su huida de nosotros, en un ejemplo ordenado y reglamentado de nuestra intervención. Sin embargo, lo que es cierto respecto a la técnica cinegética no lo es necesariamente respecto a la visual. El cazador no aparece en este cuadro por ninguna parte[2]. Homer experimenta aquí con otra dimensión de su tema. Atrapado en la orilla, el perro tiene un aire melancólico y frustrado mientras el ciervo se aleja nadando en la corriente de la naturaleza. Es una imagen de la huida de lo natural del poder humano. Visualmente, estamos atrapados entre posibilidades y significados sutilmente equilibrados. El mundo natural está domesticado —el perro bien adiestrado, el cazador al acecho (si asumimos que esa figura cuenta, aunque esté ausente de la obra) listo para disparar—, pero esas intervenciones presentan una fragilidad comparadas con los elementos visuales centrales de la acuarela, el bosque, el agua, el cielo, y la figura autosuficiente del ciervo, que se aleja con fluidez del mundo humano.

David Peters Corbett

1 Tatham 1996. Debo aclarar que no estoy negando ni el entusiasmo ni la participación de Homer en la caza del ciervo. Véanse también Tatham 1990 y Tatham 1994.

2 A diferencia de la mayoría de las obras de Homer sobre los Adirondacks, en las que el cazador sí aparece. Compárese, por ejemplo, con otra acuarela, *Un día de octubre* (1889, Sterling and Francine Clark Institute, Williamstown), en la que el cazador tiene una presencia destacada.

47

Edward Hopper

Nyack, 1882-Nueva York, 1967

Árbol seco y vista lateral de la casa Lombard
1931

Acuarela sobre papel, 50,8 × 71,2 cm
Museo Nacional Thyssen-Bornemisza,
Madrid, inv. 593 (1976.86)

EDWARD HOPPER

2/CRUCE DE CULTURAS

Alba Campo Rosillo

Romare Bearden
Domingo después del sermón
1969

[detalle de cat. 86]

ESCENARIOS
EL PAISAJE COMO HISTORIA

> En Estados Unidos todo se reduce a la tierra: quién la supervisaba y cultivaba, quién pescaba en sus aguas y conservaba su vida silvestre; quién la invadió y la robó; cómo se convirtió en una mercancía...[1]

Estas palabras de la historiadora y activista Roxanne Dunbar-Ortiz, que sientan las bases de su libro *La historia indígena de Estados Unidos*, sirven también como punto de partida de esta sección temática. La tierra es en sí misma un concepto complejo que puede significar tanto suelo como territorio. Cuando se trata como tema de la pintura, la tierra adquiere capas de significado muy marcadas. Este es el caso del doble retrato de Charles Willson Peale de Isabella y John Stewart de hacia 1773-1774 [cat. 48]. Los niños posan elegantemente en una zona boscosa sosteniendo unos melocotones. Su refinada vestimenta da fe de la riqueza familiar, procedente de la tierra en forma de plantaciones de melocotones que los Stewart poseían y gestionaban en la costa oriental de Maryland. Los árboles que enmarcan a los niños y la apertura hacia una masa de agua en el fondo hacen referencia al viaje de su padre a América desde su tierra natal en Escocia. John está recogiendo fruta mientras su hermana Isabella está a punto de morder un melocotón. Representan una versión actualizada de Adán y Eva, felices y solos en el paraíso[2]. La naturaleza y sus frutos están ahí para su disfrute: la tierra es el escenario de su dominio.

Las ropas de John e Isabella son un elemento clave para interpretar el cuadro: los colores blanco, azul y rojo que llevan son los de la bandera de Gran Bretaña de entonces (1707-1801) y los identifican como súbditos británicos, un estatus que compartían con todos los habitantes legales de las colonias británicas en Norteamérica antes de que estas declararan su independencia de la corona británica en 1776. Al presentar a los niños solos en un paisaje acogedor, el retrato promueve la noción de *firsting* (literalmente «primerizar»), que Jean O'Brien define como la creencia «de que los no-indios fueron los primeros en erigir las instituciones apropiadas de un orden social digno de mención» en el actual territorio estadounidense[3]. Para corregir esta fantasía y poner las cosas en su sitio, Kent Monkman, artista *queer* «dos espíritus»[4] de ascendencia cree, ofrece su *Bienvenida a los recién llegados* [fig. 31]. El *firsting* alcanzó su punto álgido entre las décadas de 1820 y 1880, cuando los habitantes de Nueva Inglaterra, en particular, que intentaban conservar su debilitado poder en el país, desarrollaron narrativas que los convertían en los creadores de una civilización angloamericana. Este relato pretendía desplazar la aportación tanto de los nativos como de los colonos procedentes de otras regiones y de los esclavos africanos. Un cuadro como *Pescadores en los Adirondacks*, de hacia 1860-1870, de William Louis Sonntag [cat. 51], que representa un sublime paisaje genérico al norte de Nueva York en el que aparecen únicamente dos personas (pescadores blancos), ilustra claramente esta visión «primerizante». En la escena no figura ningún nativo y la cabaña de madera con el humo saliendo por la chimenea se erige en símbolo de la domesticación humana de las tierras salvajes[5]. La tierra funciona aquí como el escenario de la asimilación colonial.

La otra cara del *firsting* es el *lasting* (literalmente «ultimar»), que subraya la ilusión de la inevitabilidad de la extinción de los indios. El *lasting* prevaleció durante el periodo en que el gobierno de Estados Unidos obligó a los pueblos indígenas a abandonar sus territorios ancestrales para instalarse en reservas. El artista alemán Charles Wimar plasmó esta fantasía de la «ultimación» en una escena en la que un grupo de nativos busca *El rastro perdido*, de hacia 1856 [cat. 49]. Mientras que el indio a caballo que apunta hacia el horizonte se muestra ansioso, el jinete del caballo blanco que está a su lado parece derrotado; así es como funcionaba la «ultimación», retratando a los indios como si estuvieran fuera de lugar y resignados a las fantasías de los colonos blancos sobre su desaparición. A estas ficciones ideológicas se suman los atuendos y costumbres indígenas representados en el lienzo. Wimar utilizó como fuentes otros cuadros, grabados y libros mientras estaba en Alemania, lo que dio como resultado una pintura carente de todo sentido de realidad.

Las ideologías complementarias de «los primeros» y «los últimos» avalaron la incautación de las tierras indígenas para ser explotadas por los colonos europeos. La mano de obra que trabajó estas tierras incautadas

1 Dunbar-Ortiz 2019, p. 14.
2 Steinberg 2004.
3 Los conceptos de *firsting* y *lasting* fueron acuñados en la introducción de O'Brien 2010.
4 Una persona «dos espíritus» es aquella en cuyo cuerpo conviven tanto el espíritu masculino como el femenino. Se trata de un concepto plenamente aceptado entre las naciones indígenas norteamericanas hasta que comenzó la colonización europea.
5 Manthorne 1986a.

fig. 31

Kent Monkman
Bienvenida a los recién llegados, 2019
Acrílico sobre lienzo, 335,3 × 670,6 cm
The Metropolitan Museum of Art, Nueva York, adquisición, Donald R. Sobey Foundation CAF Canada Project Gift, 2020, 2020.216a

fueron indígenas y de afrodescendientes sometidos. El expolio y la exclavitud sentaron los pilares sobre los que se estableció el orden colonial[6]. La cuestión de la esclavitud fue uno de los detonantes de la Guerra Civil estadounidense (1861-1865), que aunque existía tanto en los estados del norte como en los del sur, constituía un rasgo de identidad regional para estos últimos[7]. Cuando John Frederick Kensett pintó *El lago George* hacia 1860 [cat. 50], el artista ya no podía representar esta zona del estado de Nueva York a la manera nítida y brillante de los paisajes de Sonntag. Maggie Cao ha argumentado convincentemente que «el seccionalismo había empezado a desacreditar el poder nacional de los paisajes regionales»[8]. La niebla oculta la topografía de la zona, velando sus asociaciones históricas y patrióticas y convirtiéndola en un lugar genérico. En la década de 1860, la tierra entró en un nuevo proceso de erosión ideológica cuya pintura expresaba el estado de ánimo de la época.

El bloqueo visual dominó el género artístico del paisaje a lo largo de décadas. Así, durante la Guerra Civil surgió un tipo especial de composición: las escenas de costa con formaciones rocosas vaciadas de toda acción humana. La obra *Playa de Singing, Manchester* de Martin Johnson Heade [cat. 54], presenta una delgada línea de costa y una masa de agua rodeada de tierra. Este lugar era un popular destino de vacaciones, pero el hecho de que el cuadro se centre en las rocas de la izquierda indica un renovado orgullo por la historia de la tierra al realzar su antigua morfología[9]. La atención que se presta a las rocas es aún más pronunciada en *Playa de Manchester* de Sanford Robinson Gifford [cat. 52]. Gifford, que había servido en dos ocasiones en los voluntarios del Estado de Nueva York, creó la obra al final de la guerra. En este paisaje inquietantemente desolado, el enorme acantilado rocoso se alza sobre una orilla en la que las olas sugieren la formación estratificada del terreno. En esta misma línea se encuentran las tres escenas de costas rocosas de Alfred Thompson Bricher [cats. 55-57], que subrayan la necesidad de los estadounidenses de olvidar la guerra y encontrar formas alternativas de enraizar su historia en el territorio.

Una forma de recuperarse culturalmente del trauma de la guerra fue mediante la celebración euroamericana de la limpia mirada infantil[10]. En *Contemplando el mar*, de hacia 1885 [cat. 57], Bricher pintó una niña en una escena de costa en la que la formación rocosa permite el acceso al mar por ambos lados y transmite cierto alivio visual, cierta esperanza. William Merritt Chase también retrató a una niña, esta vez utilizando un punto de vista bajo, en *En el parque (Un camino)*, de hacia 1889 [cat. 115]. El muro de piedra que aparece a la izquierda era todo lo que quedaba de los cimientos de un convento católico e internado femenino que sirvió de hospital militar durante la Guerra Civil. La niña toca las piedras y su ligereza contrasta con la pesadez del muro. Otra forma de hacer frente al seccionalismo no resuelto consistió en apropiarse de la cultura indígena, percibida como más auténtica y pura[11]. Joseph Henry Sharp pintó un grupo de mujeres indias crow en *Montando el campamento, Little Big Horn, Montana*, durante una de sus muchas estancias entre las tribus nativas de la zona [cat. 59]. Las difuminadas manchas verdes y las acciones contenidas de las figuras tienen el efecto relajante que deseaban los clientes de Sharp cuando le encargaban pintorescas escenas indígenas[12].

6 O'Brien 2010, p. xxii.
7 Harvey 2012, p. 173.
8 Cao 2018, p. 15.
9 DeLue 2020, pp. 57-58.
10 Burns 2012, p. 205, y Pyne 2006, p. 44.
11 Whiting 1997.
12 Maddox 2004.

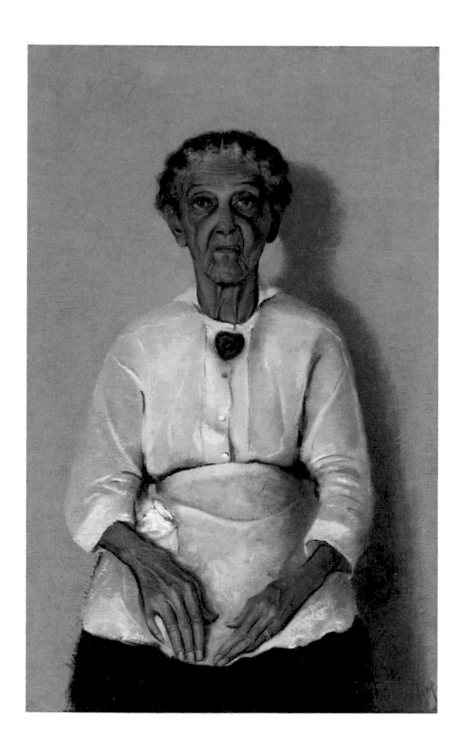

fig. 32

Archibald John Motley Jr
Retrato de mi abuela, 1922
Óleo sobre lienzo, 97,2 × 60,3 cm
National Gallery of Art, Washington,
Patrons Permanent Fund, Avalon Fund,
and Motley Fund, 2018.2.1

HEMISFERIO
EXPANSIÓN PANAMERICANA

> Bi-lingual, Bi-cultural [...]
> American but hyphenated,
> viewed by Anglos as perhaps exotic,
> perhaps inferior, definitely different,
> viewed by Mexicans as alien [...]
> sliding back and forth
> between the fringes of both worlds[14].

Otra colorida vista es el cuadro de Anthony Thieme *Cabañas cerca de San Agustín, Florida*, de hacia 1947-1948, titulado originalmente *Cabañas de negros* [cat. 58]. El propio artista aparece en la pintura esbozando la escena. La aversión de Thieme hacia el progreso tecnológico le hacía preferir las comunidades rurales como esta, situada en un pantano. El rápido desarrollo de Florida como estado productor de algodón a mediados del siglo XIX provocó que una avalancha de plantadores se trasladaran con sus trabajadores esclavos. Un siglo después, el legado de la esclavitud aún perduraba en estas viviendas precarias. Carolyn Finney denuncia que la «gran naturaleza» (*the great outdoors*) era para muchos afroamericanos una fuente de sustento, no de recreo, destacando una vez más las grandes exigencias impuestas a la tierra y la historia de su propiedad[13]. En su esfuerzo por ilustrar el efecto de la tierra sobre los negros, el artista Archibald John Motley Jr retrató en 1922 a su abuela de 80 años, Emily Sims Motley (1842-1929), prestando especial atención a la representación de sus manos y de sus dedos deformados por el trabajo físico en una plantación de Luisiana [fig. 32].

A pesar de que el país se autoproclama anglosajón, muchas naciones han contribuido a la diversidad de Estados Unidos en la actualidad, como expone Pat Mora en su poema y plasman varios pintores en sus obras. La obra del artista conocido como ADÁL, *El Puerto Rican Passport, El Spirit Republic de Puerto Rico: Luciana Alexandra del Rio de la Serna* [fig. 33], escrito en *espanglish*, define la nacionalidad de la niña como «mexijentiricana», reflexionando jocosamente sobre las múltiples capas de la historia e identidades de los ciudadanos norteamericanos. Los puertorriqueños son estadounidenses, pero su tierra es un dominio no incorporado de Estados Unidos y carecen de representación política en Washington.

Tras la milenaria presencia de los indígenas que habían cuidado de la tierra, varias potencias europeas ocuparon los territorios de lo que hoy es Estados Unidos. Las cataratas de San Antonio, *Owámniomni* en lengua dakota, retratadas por Henry Lewis (en 1847), George Catlin (en 1871) y Albert Bierstadt (hacia 1880-1887) [cats. 60-62], son un buen ejemplo de asentamiento estratificado y de la expansión estadounidense. Durante el siglo XVIII y principios del XIX, Francia, Inglaterra y España colonizaron la región, hasta que en 1820 se construyó y gestionó Fort Snelling con mano de obra esclava para proteger el territorio de Estados Unidos en una zona que actualmente se encuentra en el centro de Mineápolis. Las tres pinturas realizadas en el transcurso del siglo XIX mantienen la ilusión de que las cataratas permanecieron inalteradas por el desarrollo turístico e industrial.

13 Finney 2014, p. 141, nota 7.
14 «Bi-lingüe, bi-cultural [...]/ americana pero con guión,/ vista por los anglos como algo tal vez exótico,/ tal vez inferior, definitivamente diferente,/ vista por los mexicanos como extranjera [...]/ deslizándome adelante y atrás/ entre los márgenes de ambos mundos». Mora 1993, p. 95.

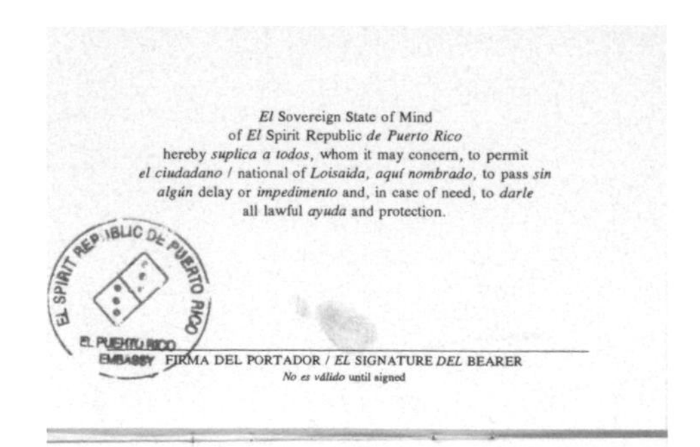

El Sovereign State of Mind
of *El* Spirit Republic *de Puerto Rico*
hereby *suplica a todos*, whom it may concern, to permit
el ciudadano / national of *Loisaida, aquí nombrado,* to pass *sin algún* delay or *impedimento* and, in case of need, to *darle*
all lawful *ayuda* and protection.

EL SPIRIT REPUBLIC DE PUERTO RICO
EL PUERTO RICO EMBASSY

FIRMA DEL PORTADOR / *EL* SIGNATURE *DEL* BEARER
No es válido until signed

EL SPIRIT REPUBLIC *DE* PUERTO RICO

EL PASSPORT

EL PASSPORT NO. / NO. DE PASAPORTE
EPRE 95

Tipo Bebe
Apellido Del Rio de la Serna
Nombre Luciana Alexandra
Nacionalidad Mexijentirican
Fecha de Nacimiento 04-17-2011
Sexo Femenina
Lugar de Nacimiento Ponce
Fecha de Expedición 02-16-2012
Fecha de Caducidad Nunca
Autoridad El Passport Agency

fig. 33

ADÁL
El Puerto Rican Passport, El Spirit Republic de Puerto Rico: Luciana Alexandra del Rio de la Serna, 1994, expedido en 2012
Litografía con fotografía en cuadernillo grapado, 17,8 × 12,7 cm
Smithsonian American Art Museum, Washington, donación del artista, 2013.19.2

fig. 34

Robert S. Duncanson
Ruinas mayas, Yucatán, 1848
Óleo sobre lienzo, 35,5 × 50,8 cm
Dayton Art Institute, Dayton, adquirido con fondos del Daniel Blau Endowment, 1984.105

Aunque la expansión estadounidense comenzó como un impulso hacia el oeste, pronto se desarrolló también en otras direcciones. Ya en 1813 Thomas Jefferson expresó su confianza en la unidad hemisférica de América, y en 1823 el presidente James Monroe enunció —en lo que más tarde se conocería como la «Doctrina Monroe»— el nuevo papel como país árbitro de las Américas libres para evitar nuevas intervenciones europeas[15]. Monroe reaccionaba así ante la creciente ola de revoluciones políticas en América Latina, donde los territorios bajo dominio colonial español estaban formando nuevos países independientes. Estados Unidos estableció relaciones diplomáticas con los países recién formados y poco después comenzó a explotar sus recursos. Cuando Frederic Church pintó su *Paisaje tropical* hacia 1855, ya había visitado Colombia, Brasil, Ecuador y Panamá en 1853 [cat. 63], utilizando las recién inauguradas líneas de vapor estadounidenses que transportaban mercancías, correo y personas. Church solía pintar «paisajes latinoamericanos» con elementos genéricos, como la prominente palmera, para sus clientes norteamericanos con intereses económicos en las regiones del sur[16].

Church vino a expresar la ambigüedad que muchos estadounidenses sentían hacia América Latina entre las décadas de 1850 y 1870. Esta tierra de maravillas provocó un asombro inicial que llevó a artistas como el afroamericano Robert S. Duncanson a representar lugares desconocidos como *Ruinas mayas, Yucatán* [fig. 34] para un público entusiasta en Estados Unidos. Pero como consecuencia de las expediciones con fines comerciales, los estadounidenses desarrollaron un sentimiento de propiedad y una actitud despectiva hacia sus habitantes[17]. En *Paisaje sudamericano*, de 1856 [cat. 66], Church representó el volcán Chimborazo coronando majestuosamente la composición con una mujer indígena andina camuflada en primer plano. El edificio en la cima de la montaña, a la izquierda, parece ser una iglesia, símbolo del catolicismo hispano que tanto criticaba la leyenda negra[18]. Huelga decir que no hay ninguna región tropical cerca del Chimborazo.

Martin Johnson Heade, pupilo y protegido de Church, también visitó varios países latinoamericanos: Brasil en 1863-1864, Nicaragua y Colombia en 1866, y de nuevo Colombia, Panamá y Jamaica en 1870. *Amanecer en Nicaragua*, de 1869 [cat. 65], representa el intento de Heade de pintar

15 Carta de Thomas Jefferson a Alexander von Humboldt, 6 de diciembre de 1813, citado en Bornholdt 1944, p. 220. Mensaje del presidente James Monroe al comienzo de la primera sesión del 18º Congreso (La Doctrina Monroe), 2 de diciembre de 1823; mensajes presidenciales del 18º Congreso, hacia 2 de diciembre de 1823-hacia 3 de marzo de 1825; Record Group 46; Records of the United States Senate, 1789-1990, National Archives.
16 Para más información sobre esta idea, véase el comentario de la obra de Church de Verónica Uribe Hanabergh en esta publicación, pp. 130-131.
17 Manthorne 1989, p. 51.
18 Véase Kagan 1996.

fig. 35

iliana emilia garcía
Distancias desconocidas/Islas no descubiertas,
de la serie homónima, 2006
Impresión de inyección de tinta
sobre lienzo, 81,3 × 101,6 cm
Colección de la artista

según el estilo de su maestro. También ofrece otro ejemplo de la conexión entre el arte y la explotación comercial, ya que el artista visitó Nicaragua (independiente desde 1821) en un momento en el que el país estaba siendo considerado como posible candidato para la apertura de un canal que conectara el Atlántico con el Pacífico. Otra de las obras de Heade, *Orquídea y colibrí cerca de una cascada*, de 1902 [cat. 64], presenta un motivo que el artista empezó a desarrollar en Brasil: colibríes pintados a menudo junto a una flor exótica. Aunque el emparejamiento sugería una relación simbiótica —néctar a cambio de polinización—, la combinación de especies obedecía a un principio más artístico que científico[19]. No obstante, la orquídea es la flor nacional de Colombia, Honduras, Venezuela y Panamá, entre otros países, y en este sentido potencia la «sensación latinoamericana» genérica que tanto Church como Heade pretendían transmitir.

Albert Bierstadt, otro prestigioso paisajista, se especializó en cuadros con vistas sublimes que promovían la idea del excepcionalismo estadounidense [cats. 8, 9 y 61][20]. *Calle en Nasáu*, de hacia 1877-1880 [cat. 67], muestra un tipo de imagen diferente puesto que refleja una vista mundana de la carretera que recorre una plantación en la capital de las Bahamas. Colonia británica hasta 1973, Bahamas estableció inmediatamente relaciones diplomáticas con Estados Unidos, país con el que compartía una historia de vínculos económicos y fronteras marítimas. Bierstadt eligió representar una escena pintoresca, como la de Thieme. La mujer de larga falda roja aporta un acento cromático a una composición que solo muestra personas de ascendencia africana. Los afrodescendientes, herencia del sistema transatlántico de esclavitud, constituían el grupo de población más numeroso de la isla tras su emancipación en 1834. La artista dominicana afincada en Estados Unidos iliana emilia garcía ofrece una conmovedora imagen que se contrapone a la de Thieme al centrarse en la añoranza. *Distancias desconocidas/Islas no descubiertas* [fig. 35], una composición que muestra dos sillas en una orilla que podría ser caribeña, reflexiona sobre los lazos afectivos que los migrantes establecen con su tierra natal.

Al igual que Bierstadt, el artista euroamericano Winslow Homer disfrutó del Caribe desde el punto de vista de un extranjero. A partir de 1884, Homer viajó allí durante la temporada de invierno y pintó acuarelas de una refrescante sencillez. En *Isla de Gallow, Bermudas*, de hacia 1899-1901 [cat. 68], las manchas de vegetación sobre las formaciones arenosas le sirvieron al pintor para jugar con esquemas semiabstractos; la tierra se convirtió en una fuente de experimentación artística. Mucho más tarde, en 1976, Andrew Wyeth realizó una acuarela de su perro de raza Malamute de Alaska en un paisaje que resulta sorprendentemente similar al de Homer en su tratamiento estilizado [cat. 69]. Alaska, comprada a Rusia en 1867, es uno de los muchos territorios que Estados Unidos adquirió desde 1776 siendo el último de ellos las Islas Marianas del Norte, incorporado en 1986. El vacío de la escena y el tono melancólico del color sepia funcionan como una pantalla en la que se proyectan las fantasías expansionistas, todavía activas en la actualidad.

19 Kusserow 2018, p. 133.
20 *Ibid.*, p. 136.

fig. 36

Melesio Casas
Paisaje humano 62, 1970
Acrílico sobre lienzo, 185,4 × 246,4 cm
Smithsonian American Art Museum, Washington, adquisición del museo a través del Luisita L. and Franz H. Denghausen Endowment, 2012.37

INTERACCIONES
COMUNIDAD, CONFLICTO, LEALTAD

Las interacciones humanas en Estados Unidos expresan las complejas diferencias e intereses de cada comunidad. En *Paisaje humano 62*, que incluye la leyenda «Brownies of the Southwest» [fig. 36], Melesio Casas hace un juego de palabras con el nombre de los bizcochitos de chocolate. La composición revela cómo las comunidades euroamericanas perciben a las poblaciones indígenas e hispanas de la región al llamarles «brownies» (literalmente «marroncitos»). Un espíritu similar animó la expedición a la zona del río Misuri que organizó el príncipe alemán Maximiliano de Wied-Neuwied (1782-1867) entre 1832 y 1834, en la que llevó consigo al artista suizo Karl Bodmer[21]. Este realizó un grabado que representa a una mujer sioux lakota Chan-Chä-Uiá-Te-Üinn, y a una niña assiniboin y pie negro, a las que había visto en momentos y lugares diferentes: la mujer en junio de 1833 en Fort Pierre, y la niña en octubre del mismo año en Fort Union [cat. 70][22]. Bodmer utilizó la estrategia de mostrar miembros de diferentes naciones indias en una sola imagen, como si tratara de introducir la idea de una cultura panindígena. En otra obra, el encuentro de la expedición con los hidatsa[23] se produce en una composición ficticia en la que aparece Fort Clark al fondo [cat. 75]. Merece la pena destacar que este es probablemente el único grabado en el que Bodmer se retrata a sí mismo, en el extremo derecho de la imagen, con Maximiliano de pie junto a él. Ambos posan con elegancia, sosteniendo sus rifles despreocupadamente mientras un trampero vestido con pieles les presenta al jefe hidatsa, en una imagen que evidencia un claro desequilibrio de poder.

El bisonte, a menudo mal llamado búfalo, es un elemento común a toda la cultura india norteamericana[24]. En *Ptihn-Tak-Ochatä. Danza de las mujeres mandan*, de 1832-1834 [cat. 74], Bodmer captó un instante de la danza ceremonial de la White Buffalo Cow Society. En la escena, varias mujeres ancianas ejecutan la danza ataviadas con pieles de bisonte y cintas en la frente decoradas con plumas, y portan ramitas y plumas de ave para atraer a las manadas de bisontes durante su migración invernal[25]. Mientras las mujeres atraían a los animales, los hombres los cazaban. La rivalidad para encontrar suficientes bisontes, entre otros recursos, para alimentar a toda la tribu provocaba fricciones entre las distintas naciones indígenas. Esta pugna daba lugar a batallas que quedaban registradas en el atuendo de los guerreros. Claramente fascinado por la vestimenta de los jefes indios, Bodmer retrató a *Abdih-Hiddisch*, jefe hidatsa de la aldea de Awacháwi, y a *Mató-Tópe ataviado con sus atributos bélicos*, un jefe mandan, ambos de 1832-1834 [cats. 71 y 72]. *Abdih-Hiddisch* (Hacedor de Caminos) viste una piel de bisonte y sujeta un tomahawk decorado con una cabellera humana y un mechón de pelo como trofeos de guerra. La pintura roja adorna sus tatuajes negros, que expresan también hazañas bélicas. Curiosamente, el jefe lleva un sombrero europeo rematado con una pluma que alude igualmente a sus éxitos guerreros y una medalla de la paz de Estados Unidos, ambos elementos obtenidos probablemente de comerciantes de pieles blancos que abastecían a la industria internacional de la moda. La medalla de la paz constituía una prestigiosa muestra de poder.

El mismo grado de reconocimiento entre sus pares era clave entre los colonos que posaban para John Singleton Copley. Nacido en el Boston colonial, Copley trabajó para los miembros poderosos y ricos de las élites locales desde principios de la década de 1750. En 1767

21 Para más información sobre esta expedición, véase el ensayo de Paloma Alarcó en esta misma publicación, pp. 19-27.
22 Aunque en el grabado se identifican como dakota y assiniboin, estudios recientes basados parcialmente en las notas de Maximiliano sugieren que la mujer era sioux lakota y la niña assiniboin y pie negro. Véase Gallagher y Tyler 2004, p. 109.
23 Aunque minatarre es el nombre que indica el grabado, hidatsa es la denominación actual de esa comunidad.
24 Dunbar-Ortiz 2019, p. 43.
25 Bowers 1950, pp. 324-325.

pintó el retrato de Martin Howard [cat. 76], presidente del Tribunal Supremo de Carolina del Norte, que posó con ocasión de su segundo matrimonio. El cuadro lo presenta como un hombre distinguido, con una peluca exquisitamente cuidada y la toga que acredita su cargo. Howard creció en Rhode Island, donde fue elegido en 1754 como delegado para participar en el Congreso de Albany donde se negoció la adhesión de las Seis Naciones a las colonias de la América británica frente a las de Nueva Francia en la guerra franco-indígena (1754-1763). Al terminar la guerra, el gobierno inglés, agobiado por las deudas, impuso en 1765 los primeros impuestos a sus colonias americanas mediante la tristemente famosa «Ley del Timbre» (*Stamp Act*). La defensa de Howard de esta medida provocó que los manifestantes atacaran su casa y su efigie, lo que le llevó a exiliarse a Inglaterra. Howard era un destacado miembro de la élite leal a la corona. La silla en la que está sentado está tapizada con tela azul, que junto con el rojo de la toga y el blanco del cuello representan los colores de la bandera británica en referencia a la postura política de Howard.

La lealtad de Copley a ambos bandos del conflicto le costó cara. Hacia 1772, retrató a Catherine Hill, nuera del conocido magistrado revolucionario Joshua Henshaw [cat. 78]. Copley pronto se vio atrapado en una red de tensiones crecientes entre los leales a la corona británica y los revolucionarios americanos que constituían su clientela. Tras casarse con una mujer de una familia leal, Copley se exilió a Inglaterra y nunca regresó a su tierra natal. Su modelo, Howard, también se convirtió en un proscrito (por segunda vez) en 1771, al condenar en los tribunales la institución de la esclavitud en un estado como Carolina del Norte, donde abundaban las plantaciones.

La esclavitud siguió gobernando y arruinando la vida de millones de personas en Estados Unidos durante el siglo XIX, y aunque fue oficialmente abolida en 1865, su legado sigue vivo. En 1847, James Goodwyn Clonney compuso *Pesca en el estrecho de Long Island a la altura de New Rochelle* [cat. 79], una ilustración de las relaciones raciales en el país. El cuadro fue realizado durante la guerra mexicano-estadounidense (1846-1848), que supuso la adquisición por parte de Estados Unidos de casi la mitad del territorio mexicano y provocó el debate sobre si la esclavitud debía ser legal en los nuevos estados. Ambientada en un tranquilo estuario en un día ligeramente nublado, la escena muestra el drama contenido que se desarrolla en la barca: el hombre blanco de mediana edad mira reflexivamente al hombre negro, cuyo brazo izquierdo toca la azada amenazando sutilmente con una reacción violenta si se le molesta. La imagen participa de la lógica de la pintura de género, que representaba a los sujetos de clase baja —generalmente negros, en inferioridad numérica y actitudes perezosas— con un efecto cómico para tranquilizar a la clase media urbana euroamericana[26]. El rostro caricaturizado del afroamericano responde a la típica representación por parte del artista de personajes estereotipados. Como contrapunto, la obra de la artista cubana exiliada María Magdalena Campos-Pons da voz a los descendientes de los esclavos africanos en las Américas. En su obra *When I'm not here / Estoy allá* [fig. 37], la pintora expresa la resiliencia de los individuos afroamericanos, así como el sentimiento de haber sido trasplantados que impregna a toda la comunidad de la diáspora africana.

Otros temas y culturas se representaban de forma igualmente superficial. William Merritt Chase compartía con sus contemporáneos occidentales la fascinación por la cultura japonesa, y hacia 1887 pintó una joven americana no identificada vestida con un quimono en un entorno de inspiración japonesa [cat. 81]. La muchacha está sentada en una silla baja de bambú ante un biombo y contempla unas estampas japonesas como expresión de la fantasía japonista. John Singer Sargent, nacido en Florencia y formado en París, vivió durante sus años de madurez en Londres. Cuando en 1904 retrató a Millicent [cat. 80], la escritora y filántropa duquesa de Sutherland, Sargent ya había logrado una gran fama internacional gracias a los atrevidos retratos de la alta sociedad que había realizado en los últimos veinte años. Tanto el aspecto de la duquesa como el escenario la perfilan como una diosa del bosque. La cara opuesta de este retrato aristocrático es el cuadro de Sargent de una vendedora veneciana de cebollas de hacia 1880-1882 [cat. 82]. En el lienzo, la joven aparece de pie en un desnudo espacio interior y funciona como una imagen en negativo de la brillante ciudad que se percibe a través del hueco de la ventana. Las relucientes cebollas destacan sobre el humilde atuendo de la muchacha, subrayando su condición de trabajadora.

La atención a lo exótico y a la clase trabajadora vuelve a aparecer en la obra de Frederic Remington *Señal de fuego apache*, de hacia 1904 [cat. 83]. La escena nocturna muestra a un indio apache montado a caballo cerca de una hoguera. Alexander Nemerov ha argumentado de forma convincente que el corpus de indios y vaqueros de Remington pretendía transmitir una autenticidad que él

26 Honour 2010.

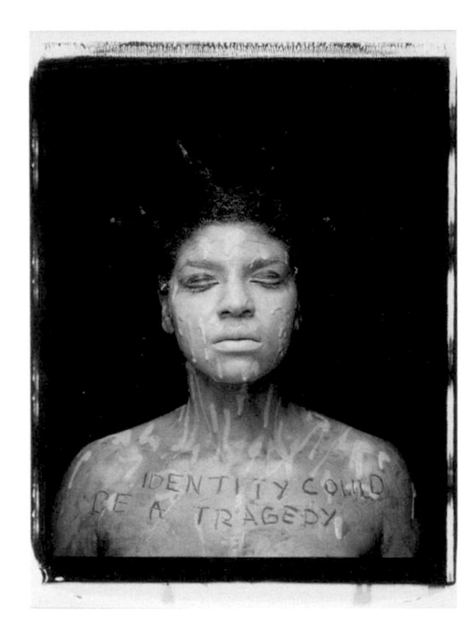

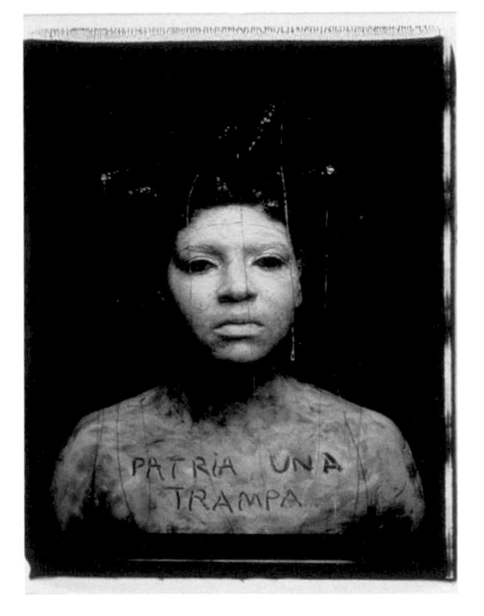

fig. 37

María Magdalena Campos-Pons
When I'm not here / Estoy allá, 1996
Tríptico de Polaroids
Cortesía de la artista, Gallery Wendy Norris, San Francisco, y Galerie Barbara Thumm, Berlín

echaba de menos en la industrializada costa este en el cambio de siglo. El paso del indígena, cuya espalda encorvada le da un aire de derrota, y de su caballo, está bloqueado por un árbol caído que encarna la ideología racial de la época, la cual veía tanto a los nativos como a los inmigrantes extranjeros de clase trabajadora como personas primitivas incapaces de progresar[27].

El arte de Ben Shahn remedia la producción esencializadora de Remington. Nacido en la actual Lituania, Shahn emigró a Manhattan para huir de la sistemática persecución zarista de los judíos. En 1942, retrató a un grupo de trabajadores franceses protestando contra el decreto oficial de Vichy que obligaba al proletariado francés a colaborar con el régimen nazi (4 de septiembre de 1942) [cat. 84]. La Oficina de Información de Guerra estadounidense hizo un cartel con este cuadro en el que se incluyó la frase «Nosotros, los trabajadores franceses, os advertimos.../ la derrota significa esclavitud, hambre, muerte». De hecho, las fuertes manos levantadas de los manifestantes ocultan parcialmente el decreto, que cuelga en la pared del fondo del cuadro, expresando su feroz resistencia. En una época en la que predominaba la fascinación por la tecnología y el desprecio generalizado por el trabajo humano, la atención de Shahn a las manos de los trabajadores señala, humaniza y empodera a la clase obrera[28].

Las manos siguieron siendo un potente símbolo para Shahn, que en 1968 pintó varias de ellas entrelazadas. *Identidad* [cat. 85] ilustra el llamamiento de Shahn a los judíos, reiterado en su arte a lo largo de los años, para que se alíen entre ellos y valoren su cultura. Otro artista con un impulso identitario similar fue Romare Bearden, diseñador, artista, comisario, escritor, músico y activista afroamericano que en 1969 declaró:

> Mi objetivo no es pintar sobre los negros en América en términos de propaganda... [sino] pintar la vida de mi pueblo tal y como yo la conozco... Mi intención, sin embargo, es revelar a través de las complejidades pictóricas la riqueza de una vida que conozco[29].

En *Domingo después del sermón*, de 1969 [cat. 86], Bearden retrata una reunión social en la calle, posiblemente en el sur rural del que su familia huyó cuando él era niño para escapar del racismo. Las figuras tienen diferentes tonos de piel —varias tonalidades de amarillo, marrón y gris— que, junto con sus manos significativamente grandes, socavan las identidades reduccionistas para expresar la riqueza y la complejidad de las experiencias de los negros[30]. La aparente simplicidad de la imagen es el resultado de la yuxtaposición de un sinfín de referencias culturales: desde las escenas que pintaron Vermeer y Pieter de Hooch hasta las máscaras africanas, desde las coloridas colchas que crearon los afroamericanos hasta el suprematismo de Malevich, desde los *collages* dadaístas y cubistas hasta las paredes empapeladas de las cabañas rurales del sur. Como dijo el artista en una ocasión: «Si algo busco en mi obra son conexiones, para que mis cuadros no sean solo lo que parecen representar»[31].

27 Nemerov 1991.
28 Fraser 2013.
29 Bearden 1969, p. 18.
30 Francis 2011.
31 Carta de Romare Bearden a Mary Schmidt Campbell, 22 de septiembre de 1973, citado en Campbell 1981.

CRUCE DE CULTURAS/
ESCENARIOS

48

Charles Willson Peale

Queen Anne's County, 1741-Filadelfia, 1827

Retrato de Isabella y John Stewart
hacia 1773-1774

Óleo sobre lienzo, 94 × 124 cm
Museo Nacional Thyssen-Bornemisza,
Madrid, inv. 315 (1980.36)

49

Charles Wimar

Siegburg, Alemania, 1828-San Luis, 1862

El rastro perdido
hacia 1856

Óleo sobre lienzo, 49,5 × 77,5 cm
Museo Nacional Thyssen-Bornemisza,
Madrid, inv. 785 (1981.49)

50

John Frederick Kensett
Cheshire, 1816-Nueva York, 1872

El lago George
hacia 1860

Óleo sobre lienzo, 55,8 × 86,4 cm
Museo Nacional Thyssen-Bornemisza,
Madrid, inv. 612 (1980.78)

51 ←

William Louis Sonntag
East Liberty, 1822-Nueva York, 1900

Pescadores en los Adirondacks
hacia 1860-1870

Óleo sobre lienzo, 91,4 × 142,2 cm
Colección Carmen Thyssen,
inv. CTB.1981.21

52

Sanford Robinson Gifford
Greenfield, 1823-Nueva York, 1880

Playa de Manchester
1865

Óleo sobre lienzo, 27,9 × 48,9 cm
Thyssen-Bornemisza Collections,
inv. 1980.21

53

Martin Johnson Heade

Lumberville, 1819-San Agustín, 1904

Puesta de sol en el mar
hacia 1861-1863

Óleo sobre lienzo, 54,6 × 91,4 cm
Thyssen-Bornemisza Collections,
inv. 1979.45

54

Martin Johnson Heade

Lumberville, 1819-San Agustín, 1904

Playa de Singing, Manchester
1862

Óleo sobre lienzo, 63,5 × 127 cm
Museo Nacional Thyssen-Bornemisza,
Madrid, inv. 577 (1985.9)

55

Alfred Thompson Bricher
Portsmouth, 1837-New Dorp, 1908

Día nublado
1871

Óleo sobre lienzo, 61 × 50 cm
Colección Carmen Thyssen,
inv. CTB.1998.67

56 →

Alfred Thompson Bricher
Portsmouth, 1837-New Dorp, 1908

Vista costera
s. f.

Óleo sobre lienzo, 38 × 81,3 cm
Colección Carmen Thyssen,
inv. CTB.1998.68

57 →

Alfred Thompson Bricher
Portsmouth, 1837-New Dorp, 1908

Contemplando el mar
hacia 1885

Óleo sobre lienzo, 56 × 81,3 cm
Colección Carmen Thyssen,
inv. CTB.1999.111

BRICHER

BRICHER

58 ←

Anthony Thieme
Róterdam, Países Bajos, 1888-Greenwich, 1954

Cabañas cerca de San Agustín, Florida
hacia 1947-1948

Óleo sobre lienzo, 63,5 × 76,5 cm
Colección Carmen Thyssen,
inv. CTB.1999.113

59

Joseph Henry Sharp
Bridgeport, 1859-Pasadena, 1953

Montando el campamento, Little Big Horn, Montana
s. f.

Óleo sobre lienzo, 30,5 × 45,7 cm
Colección Carmen Thyssen,
inv. CTB.1998.71

CRUCE DE CULTURAS/ HEMISFERIO

60

George Catlin

Wilkes-Barre, 1796-Jersey City, 1872

Las cataratas de San Antonio
1871

Óleo sobre cartón, 46 × 63,5 cm
Museo Nacional Thyssen-Bornemisza,
Madrid, inv. 487 (1981.54)

61

Albert Bierstadt

Solingen, Alemania, 1830-Nueva York, 1902

Las cataratas de San Antonio
hacia 1880-1887

Óleo sobre lienzo, 96,8 × 153,7 cm
Colección Carmen Thyssen,
inv. CTB.1980.8

62

Henry Lewis

Shropshire, Reino Unido, 1819-Düsseldorf, Alemania, 1904

Las cataratas de San Antonio, Alto Misisipi
1847

Óleo sobre lienzo, 68,6 × 82,5 cm
Museo Nacional Thyssen-Bornemisza,
Madrid, inv. 646 (1981.52)

63

Frederic Edwin Church
Hartford, 1826-Nueva York, 1900

Paisaje tropical
hacia 1855

Óleo sobre lienzo, 28 × 41,3 cm
Colección Carmen Thyssen,
inv. CTB.1990.5

Pintado dos años después de su primer viaje a Sudamérica, en *Paisaje tropical* Church utiliza una especie de laguna en el río Magdalena de Colombia para plasmar diferentes elementos de los trópicos: unos pájaros blancos que se alzan en vuelo, una palmera que sirve para enmarcar la escena, el ambiente húmedo y unos lugareños en una pequeña canoa.

Un viaje de un mes por este río en un *champán* (canoa) le sirvió de inspiración a Church para dibujar mientras navegaba. Sus detallados dibujos a lápiz de este territorio incluyen lianas colgantes, ceibas, heliconias, plantas parásitas, hierbas, bambúes, ficus y árboles del caucho. En el óleo, sin embargo, su conocimiento de los especímenes individuales se disuelve en una vegetación caótica llena de plantas parásitas, tallos, espeso follaje, hierbas y sedosos plumeros. La gran masa de vegetación es el elemento principal de la composición, donde las plantas específicas pierden su identidad e individualidad para crear una visión sintética que acentúa la percepción de una fecundidad desenfrenada a través de una vasta paleta de verdes. La vivacidad de cada planta parece haber sido realzada, ya que tras estudiarla a lápiz Church la transformó en un tropo general de los trópicos.

La exuberancia del paisaje sudamericano fue traducida por innumerables viajeros en un paraíso idílico. El concepto de la superabundancia de los trópicos fue creado por Alexander von Humboldt a través de sus escritos, cartas y conferencias, que reforzaron la idea de que «la naturaleza tropical era esencialmente vegetal»[1]. Cincuenta años más tarde, Church siguió los pasos de Humboldt y plasmó en sus diarios, cartas y dibujos esta cualidad extraordinariamente verde y exuberante de la vegetación.

Los bocetos de Church evitan la visión construida e idealizada de esta geografía. Hacer bocetos implica observar, abstraer y elegir solo lo esencial, pero en *Paisaje tropical* la síntesis tiene lugar en el cuadro terminado, no en la página llena de bocetos a lápiz. Church hacía sus dibujos de especies botánicas concretas en estudios individuales, aislándolas de la vegetación con la que interactúan en su conjunto.

Humboldt creía en un mundo holístico y ecológico donde todo interactuaba. Este es el universo que Church presenta en el cuadro, un universo en el que cada especie botánica contribuye a la creación del todo al integrarse sin fisuras en el espeso y denso entorno hasta el punto de que su singularidad desaparece. El artista estudia los detalles, capta la forma, toma nota de la ubicación y luego construye una imagen de estas relaciones activas en el entorno. La individualidad es posible cuando se presenta como parte del todo. Al observar el cuadro de cerca, no es posible separar visualmente las lianas del árbol, la hoja de la flor, la hierba del tronco. Vistas desde la distancia, las pequeñas pinceladas del lienzo convergen y se integran en una sólida fachada. El islote o ribera de la izquierda presenta los detalles más discernibles, pero cuando se observan de cerca, las palmeras, los helechos, las enredaderas y las pequeñas flores forman parte de un nudo enmarañado que es imposible deshacer.

Aquí, la vegetación, el fondo y la luz son homogéneos, y el espectador no puede descifrar el lugar ni el tiempo. La obra pretende presentar la exuberancia y la variedad de los elementos individuales que la componen, cuando en realidad es un lienzo lleno de breves pinceladas de tonos verdes, amarillos, blancos y marrones, en el que el fondo cubierto de nubes les da significado y sentido a estos detalles simulados. El elemento clave para entender el cuadro como una representación arquetípica de los trópicos es la transformación de una especificidad aparente en una generalidad. Church quiere que el espectador crea que cada espécimen es identificable, que

1 Stepan 2001, p. 37.

funciona al unísono con el conjunto de la vegetación, pero, cuando se mira de cerca, la realidad escapa a la determinación botánica conforme sus partes se funden en un todo y el espectador se queda con las ramas, las hojas y ciertas formas, pero nada muy concreto que encaje en una taxonomía propiamente dicha. Esta es la tónica de la mayor parte del cuadro, incluso en el caso de los personajes que, mientras atraviesan la ciénaga en su canoa, también evitan ser asociados con una actividad económica concreta o incluso con un destino para su travesía. Están representados de la misma manera que el verdor, y en ese sentido encarnan a toda una población que permanece fija en el tiempo.

Paisaje tropical representa la particular sensación de lugar que Church deseaba transmitir. Aparte de la pequeña playa de color ámbar, de los tonos anaranjados de la palmera, la enredadera y el arbusto de la izquierda, y del tono rojizo de la ropa de la primera figura de la canoa, el exuberante entorno verde recrea para el que observa la sensación de tiempo suspendido que caracteriza al ecuador. Este lugar representa todos los lugares del río, este tiempo todos los tiempos del río, este río todos y cada uno de los ríos de la Sudamérica tropical.

Verónica Uribe Hanabergh

64 ‹

Martin Johnson Heade
Lumberville, 1819-San Agustín, 1904

Orquídea y colibrí cerca de una cascada
1902

Óleo sobre lienzo, 38,2 × 51,5 cm
Colección Carmen Thyssen,
inv. CTB.1979.44

65 ←

Martin Johnson Heade
Lumberville, 1819-San Agustín, 1904

Amanecer en Nicaragua
1869

Óleo sobre lienzo, 38,7 × 73 cm
Colección Carmen Thyssen,
inv. CTB.1997.6

66

Frederic Edwin Church
Hartford, 1826-Nueva York, 1900

Paisaje sudamericano
1856

Óleo sobre lienzo, 59,5 × 92 cm
Colección Carmen Thyssen,
inv. CTB.1983.15

67

Albert Bierstadt

Solingen, Alemania, 1830-Nueva York, 1902

Calle en Nasáu
hacia 1877-1880

Óleo sobre cartulina sobre lienzo, 35,5 × 48,3 cm
Colección Carmen Thyssen, inv. CTB.1996.19

68

Winslow Homer
Boston, 1836-Prouts Neck, 1910

Isla de Gallow, Bermudas
hacia 1899-1901

Acuarela sobre papel, 34,3 × 52,1 cm
Thyssen-Bornemisza Collections,
inv. 1977.7

69

Andrew Wyeth
Chadds Ford, 1917-2009

Malamute
1976

Acuarela sobre papel, 79 × 137 cm
Thyssen-Bornemisza Collections,
inv. 1977.84

CRUCE DE CULTURAS/ INTERACCIONES

Karl Bodmer

Zúrich, Suiza, 1809-Barbizon, Francia, 1893

70

Mujer dakota y niña assiniboin
1832-1834

Grabado coloreado a mano, 59,5 × 43 cm
Colección Carmen Thyssen

71

Abdih-Hiddisch, jefe minatarre
1832-1834

Grabado coloreado a mano, 59,5 × 43 cm
Colección Carmen Thyssen

72

Mató-Tópe ataviado con sus atributos bélicos
1832-1834

Grabado coloreado a mano, 59,5 × 43 cm
Colección Carmen Thyssen

DACOTA INDIANERIN UND ASSINIBOIN MÄDCHEN.
INDIENNE DACOTA ET JEUNE FILLE ASSINIBOINE.
DACOTA WOMAN AND ASSINIBOIN GIRL.

ABDIH HIDDISCH.
London, published by Ackermann & Cº 96 Strand

MATO-TOPE
Geschmückt mit den Zeichen seiner Kriegsthaten
Décoré des emblêmes de ses faits d'armes

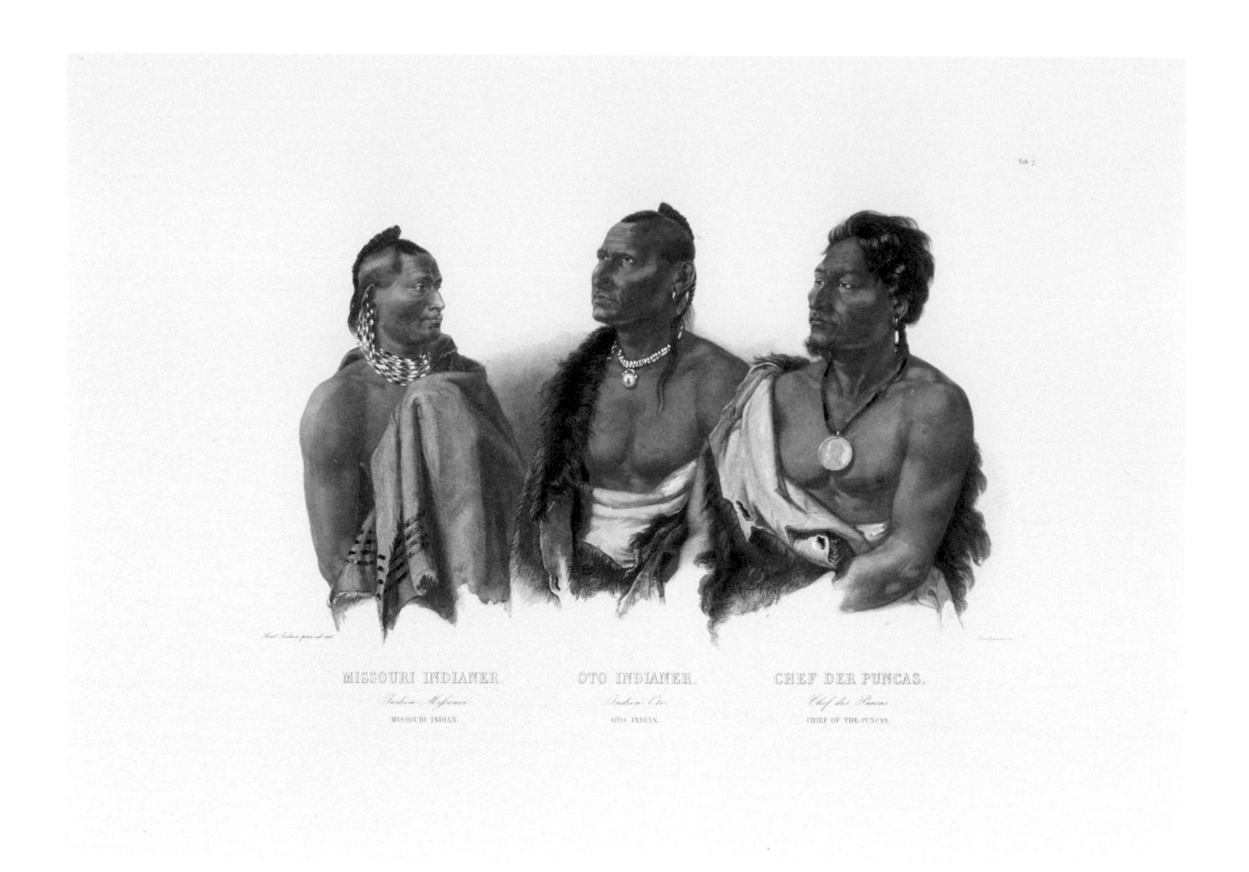

Karl Bodmer

Zúrich, Suiza, 1809-Barbizon, Francia, 1893

73

Indígena missouri. Indígena oto.
Jefe de los puncas
1832-1834

Grabado coloreado a mano, 56 × 72,5 cm
Colección Carmen Thyssen

74 →

Ptihn-Tak-Ochatä. Danza de las mujeres mandan
1832-1834

Grabado coloreado a mano, 27 × 36,3 cm
Colección Carmen Thyssen

75 →

Encuentro de viajeros con los minatarre junto a Fort Clark
1832-1834

Grabado coloreado a mano, 27 × 36,3 cm
Colección Carmen Thyssen

PTIHN-TAK-OCHATÄ.
Tanz der Mandan Weiber
Danse des femmes Mandans
DANCE OF THE MANDAN WOMEN.

ZUSAMMENKUNFT DER REISENDEN MIT MONNITARRI INDIANERN
bei Fort Clark
RENCONTRE DES VOYÁGEURS AVEC DES INDIENS MEUNITARRI
près du Fort Clark
THE TRAVELLERS MEETING WITH MINATARRE INDIANS.
near Fort Clark.

76

John Singleton Copley

Boston, 1738-Londres, Reino Unido, 1815

Retrato del juez Martin Howard

1767

Óleo sobre lienzo, 125,7 × 101 cm
Museo Nacional Thyssen-Bornemisza, Madrid, inv. 99 (1984.3)

77

John Singleton Copley

Boston, 1738-Londres, Reino Unido, 1815

Retrato de Miriam Kilby, mujer de Samuel Hill
hacia 1764

Óleo sobre lienzo, 128,4 × 102 cm
Museo Nacional Thyssen-Bornemisza,
Madrid, inv. 98 (1982.9)

78

John Singleton Copley

Boston, 1738-Londres, Reino Unido, 1815

Retrato de Catherine Hill, mujer de Joshua Henshaw II
hacia 1772

Óleo sobre lienzo, 77 × 56 cm
Museo Nacional Thyssen-Bornemisza,
Madrid, inv. 97 (1982.8)

79

James Goodwyn Clonney
Liverpool, Reino Unido, 1812-Binghamton, 1867

Pesca en el estrecho de Long Island a la altura de New Rochelle
1847

Óleo sobre lienzo, 66 × 92,7 cm
Museo Nacional Thyssen-Bornemisza,
Madrid, inv. 91 (1981.28)

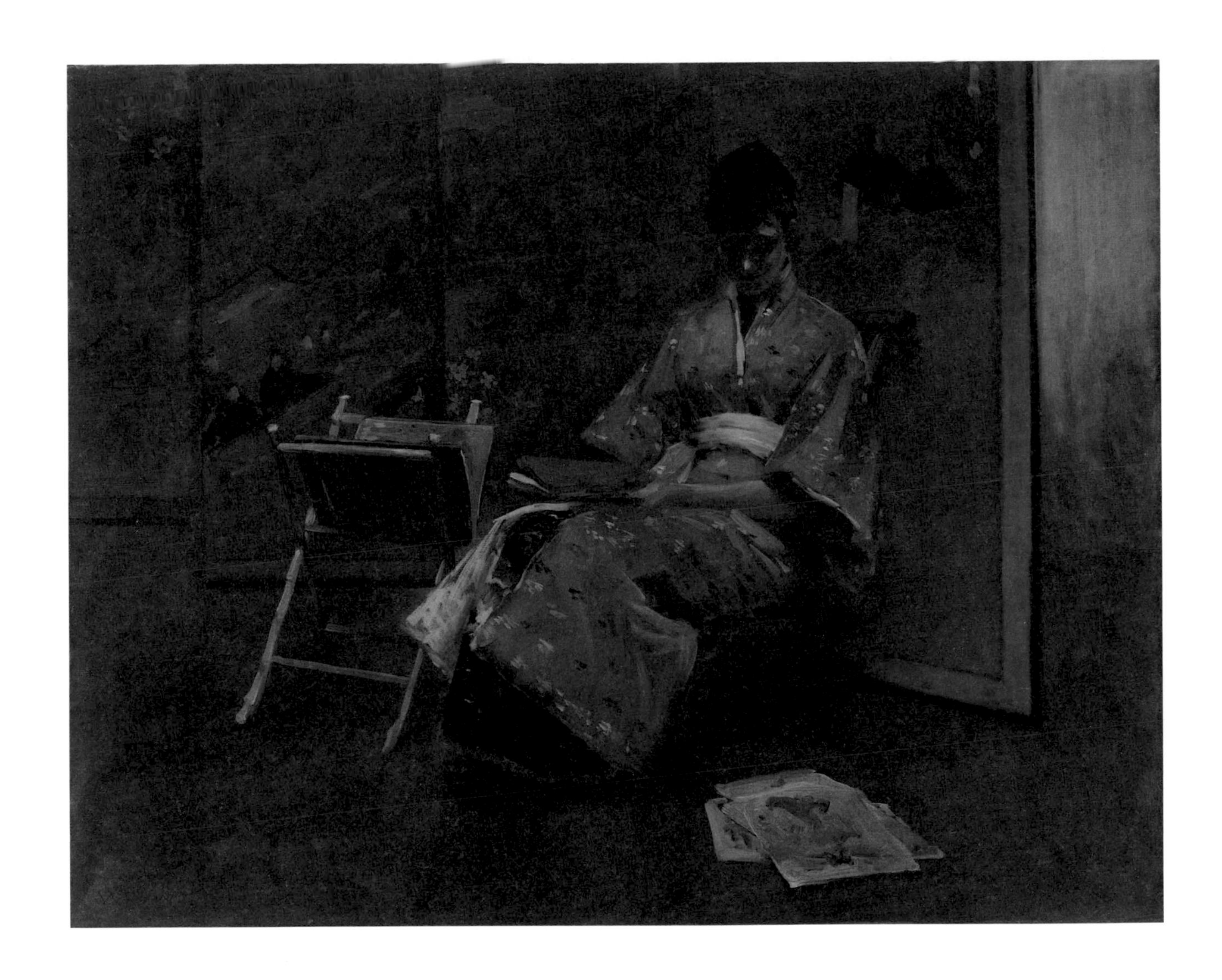

80 ←

John Singer Sargent
Florencia, Italia, 1856-Londres, Reino Unido, 1925

Retrato de Millicent, duquesa de Sutherland
1904

Óleo sobre lienzo, 254 × 146 cm
Museo Nacional Thyssen-Bornemisza,
Madrid, inv. 732 (1983.12)

81

William Merritt Chase
Nínive, 1849-Nueva York, 1916

Joven con vestido japonés. El quimono
hacia 1887

Óleo sobre lienzo, 89,5 × 115 cm
Museo Nacional Thyssen-Bornemisza,
Madrid, inv. 501 (1979.24)

82

John Singer Sargent
Florencia, Italia, 1856-Londres, Reino Unido, 1925

Vendedora veneciana de cebollas
hacia 1880-1882

Óleo sobre lienzo, 95 × 70 cm
Museo Nacional Thyssen-Bornemisza,
Madrid, inv. 731 (1979.56)

83

Frederic Remington

Canton, 1861-Ridgefield, 1909

Señal de fuego apache
hacia 1904

Óleo sobre lienzo, 102 × 68,5 cm
Museo Nacional Thyssen-Bornemisza,
Madrid, inv. 722 (1981.57)

84

Ben Shahn

Kaunas, Lituania, 1898-Nueva York, 1969

Obreros franceses
1942

Temple sobre cartón, 101,6 × 144,8 cm
Museo Nacional Thyssen-Bornemisza, Madrid, inv. 753 (1975.34)

85 →

Ben Shahn

Kaunas, Lituania, 1898-Nueva York, 1969

Identidad
1968

Técnica mixta sobre papel, 101,6 × 69,8 cm
Museo Nacional Thyssen-Bornemisza, Madrid, inv. 755 (1977.83)

Ben Shahn

86

Romare Bearden

Charlotte, 1911-Nueva York, 1988

Domingo después del sermón
1969

Collage sobre cartón, 101,6 × 127 cm
Museo Nacional Thyssen-Bornemisza,
Madrid, inv. 462 (1978.8)

2

3/ESPACIO URBANO

Clara Marcellán y Marta Ruiz del Árbol

Ben Shahn
Parque de atracciones
1946

[detalle de cat. 122]

LA CIUDAD

«I WAS asking for something specific and perfect for my city, and behold! here is the aboriginal name!
Now I see what there is in a name, a word, liquid, sane, unruly, musical, self-sufficient,
I see that the word of my city, is that word up there,
Because I see that word nested in nests of water-bays, superb, with tall and wonderful spires,
Rich, hemmed thick all around with sailships and steamships—an island sixteen miles long, solid-founded,
Numberless crowded streets—high growths of iron, slender, strong, light, splendidly uprising toward clear skies [...]».

Walt Whitman, *Mannahatta*[1]

Walt Whitman (1819-1892) vivió la mayor parte de su vida en Nueva York y fue testigo de los cambios y del crecimiento frenético que la ciudad experimentó desde mediados del siglo XIX hasta convertirse en el símbolo de la modernidad y de las oportunidades, con sus luces y sus sombras. La Guerra Civil que enfrentó al país entre 1861 y 1865 se tradujo en una migración masiva al norte de la población afroamericana, que en su huida de la tradición esclavista de las grandes plantaciones del sur buscó una nueva vida en la ciudad, concentrándose en Chicago y Nueva York. A ellos se sumaron los millones de inmigrantes europeos que entraban en el país a través de Nueva York, por motivos económicos, huyendo de las guerras o a causa de persecuciones políticas, religiosas y raciales[2].

La ciudad se convirtió así en un espacio de encuentro de culturas, cuyo paisaje se transformó con los nuevos rascacielos, el desarrollo industrial y las líneas de metro elevadas, entre otras muchas cosas, todo ello fascinante para los artistas americanos, y que causó gran impacto entre los europeos[3]. Las nuevas manifestaciones culturales se expandieron y el acceso a ellas se democratizó gracias a la radio, el cine o la prensa, medio este último al que estuvieron vinculados casi todos los pintores incluidos en esta sección[4].

Los versos de Walt Whitman con los que se abre este apartado son el hilo conductor de la película-homenaje que en 1920 realizaron Paul Strand y Charles Sheeler, *Manhatta*. El punto de vista elevado que posibilitaban los rascacielos convertía a los seres humanos en una masa indefinida, o en pequeños puntos que se pierden en la inmensidad, entre el movimiento de los barcos, el humo y el continuo crecimiento de la ciudad, siempre en construcción. Esta visión tiene antecedentes en las vistas urbanas impresionistas, pero alcanza mayor radicalidad en obras como *El pulpo* de 1912, de Alvin Langdon Coburn [fig. 38]. En ella, el fotógrafo muestra Madison Square desde lo alto de la Metropolitan Tower y transforma este parque de la ciudad en una composición casi abstracta. Sheeler mantuvo su idilio con Manhattan y muchos años después pintó *Cañones* [cat. 90], en la que equipara las formaciones geológicas con las grandes avenidas de la ciudad. Este símil, que Coburn ya había ensayado al exponer en 1913 *El pulpo* y su serie «Nueva York desde sus pináculos» junto a fotografías del Gran Cañón y Yosemite, invitaba a comparar Nueva York con un desierto de acero o sus rascacielos con acantilados[5]. En la obra pintada, Sheeler «editaba» la imagen fotográfica para dejar fuera todo aquello que no era esencial en su composición, para convertirla en un escenario estable y atemporal[6].

En muchas de estas campañas, realizadas desde lo más alto de las grandes torres de la ciudad, Coburn estaría acompañado por su amigo Max Weber, artista de origen ruso que entre 1905 y 1909 había estudiado en París con Henri Matisse, además de conocer a Pablo Picasso. Para Weber el reencuentro con Nueva York en la década de 1910 se tradujo en grandes óleos en los que, en lugar de describir la ciudad, trataba de mostrar su experiencia bajo el influjo del futurismo, con el lenguaje y la paleta del cubismo analítico. En *Estación terminal Grand Central* [cat. 87] se hace eco de la velocidad de los desplazamientos en coche y en transporte público, que alteran y dinamizan la percepción de edificios, vías y otros estímulos de la ciudad[7].

John Marin, quien como Weber se vincula a las vanguardias europeas y se sitúa en primera línea del modernismo americano, escogerá la acuarela como medio para plasmar la energía vital de la ciudad en obras como *Bajo Manhattan*, de 1923 [cat. 93]. Marin percibe el pulso en los edificios y en las personas por igual, y atribuye a los rascacielos la capacidad de conmoverle: «Si estos edificios me conmueven, también ellos deben de tener vida. Así que toda la ciudad está viva; edificios, gente, todos vivos; y cuanto más me conmueven, más siento que están vivos»[8].

Cuando Federico García Lorca visitó Nueva York en 1929, con el propósito de alejarse un tiempo de España, aprender inglés y dar conferencias, esa energía de la ciudad parecía consumirle, en lugar de estimularle. En la

1 «YO PEDÍA alguna cosa especial y perfecta para mi ciudad, Cuando he aquí que surgió su nombre aborigen./ Ahora veo lo que hay en un nombre, en una palabra diáfana, vigorosa, Indócil, musical, arrogante,/ Veo que la palabra de mi ciudad es la palabra antigua,/ Porque veo a esta palabra, que ha anidado en sus bahías, soberbia,/ Rica, circundada de buques de vela y de vapores, isla de dieciséis millas de longitud, firmemente asentada/ Calles innumerables repletas de gente, alta vegetación de hierro, esbelta, fuerte, ligera, que se levanta majestuosamente hacia el claro cielo». En Whitman 2019, pp. 979-981.

2 El paisaje urbano y las tensiones y cambios sociales que ocurrieron en Nueva York en la década de 1860 son retratados en la película de Martin Scorsese *Gangs of New York* (2002), en cuya campaña publicitaria se incluía el subtítulo «America was born in the streets», haciendo así hincapié en la importancia de la cultura urbana en la configuración de la nación.

3 Francis Picabia, Albert Gleizes o Marcel Duchamp, por poner algunos ejemplos, realizaron viajes a Nueva York en la década de 1910 y entraron en contacto con la escena artística a través de Alfred Stieglitz, Katherine Dreier y Walter Arensberg.

4 Según Kenneth Hayes Miller, el mentor de muchos de los artistas relacionados con la Ashcan School a comienzos del siglo XX, «los límites difusos entre la ilustración (el medio de la vida contemporánea) y la pintura (el medio de la práctica artística tradicional) beneficiaban al artista urbano». Véase Higginbotham 2015, p. 21.

5 Véase Wigoder 2002.

6 Como apunta Teresa A. Carbone, refiriéndose al arte de los años veinte, cuando Sheeler realiza sus primeras escenas urbanas, «sin embargo, los artistas, a diferencia de los escritores, eliminaron las multitudes, el clamor, la inmundicia y la confusión». Carbone 2011, p. 113.

fig. 38

Alvin Langdon Coburn
El pulpo, 1912
Gelatina de plata, 41,8 × 31,8 cm
The Metropolitan Museum of Art, Nueva York, Ford Motor Company Collection, donación de Ford Motor Company y John C. Waddell, 1987, 1987.1100.13

fig. 39

Federico García Lorca
Autorretrato en Nueva York, hacia 1929-1931
Tinta sobre papel
Publicado en la primera edición de *Poeta en Nueva York*, 1940
Colección privada

conferencia-recital que pronunció para presentar los poemas que en 1940 se publicarían póstumamente bajo el título de *Poeta en Nueva York*, Lorca describía así su experiencia: «Yo, solo y errante, agotado por el ritmo de los inmensos letreros luminosos de Times Square, huía en este pequeño poema ["Vuelta de paseo"] del inmenso ejército de ventanas donde ni una sola persona tiene tiempo de mirar una nube, o dialogar con una de esas delicadas brisas que tercamente envía el mar sin tener jamás una respuesta» [fig. 39][9].

Calle de Nueva York con luna, que Georgia O'Keeffe pintó en 1925 [cat. 88], muestra una sensibilidad cercana a la de Lorca, y bien podría haber inspirado sus palabras unos años más tarde: «Nada más poético y terrible que la lucha de los rascacielos con el cielo que los cubre. Nieves, lluvias y nieblas subrayan, mojan, tapan las inmensas torres, pero éstas, ciegas a todo juego, expresan su intención fría, enemiga de misterio, y cortan los cabellos a la lluvia o hacen visibles sus tres mil espadas a través del cisne suave de la niebla»[10]. El impacto de estas construcciones de gran altura en la manera de vivir y percibir la ciudad ocupó a Georgia O'Keeffe durante la segunda mitad de los años veinte. A partir de 1925 residió en uno de los primeros rascacielos habilitados como viviendas, el Shelton Hotel —hasta entonces su uso era fundamentalmente comercial. Ese mismo año comienza a pintar Nueva York, tanto desde arriba como a pie de calle. En sus paseos, muchos de ellos nocturnos, mira a lo alto y la naturaleza parece colarse entre los edificios, adquiriendo más protagonismo que la arquitectura[11].

Lejos de la ciudad, pero conectada con ella, encontramos *Autopista de ultramar* [cat. 92], inspirada en la autopista que se había construido un año antes en los Cayos de Florida. La imagen del asfalto que atraviesa el mar y se pierde en el cielo azul convirtió a su autor, Ralston Crawford, en una suerte de celebridad cuando una de las pinturas de esta serie se reprodujo en la revista *Life* en 1939. Tras la Gran Depresión «parecía capturar, con su vitalidad y sensación de posibilidades, las aspiraciones de la nación»[12]. Para entonces, se estima que el 70% de los automóviles que existían en el mundo se encontraban en Estados Unidos[13], y funcionaban como un símbolo de libertad e independencia del sueño americano. Y, volviendo al caso, aquella autopista de ultramar que hizo posible la explotación turística de un entorno paradisiaco es la protagonista en la imagen de Crawford, puesto que apenas vemos el mar o cualquier otro elemento del paisaje que nos ubique en los Cayos de Florida. El carácter abierto y surrealista de la escena lo explicaba Crawford así: «Recuerdo que en este lugar concreto de la carretera sentí que estaba literalmente yendo por el mar en mi coche. [...]

7 El barón Thyssen poseyó también otra importante obra de Weber de este periodo, *Nueva York*, pintada en 1913 y subastada en Christie's en 2016. Véase https://www.christies.com/en/lot/lot-5994687.
8 John Marin, nota sin título. En *An Exhibition of Water-Colors-New York, Berkshire and Adirondack Series- and Oils by John Marin, of New York* [cat. exp.]. Nueva York, Gallery of the Photo-Secession, n. p. Reimpreso en *Camera Work*, n.º 42-43, 1913, p. 18. Citado según Tedeschi y Dahm 2010, p. 99.
9 García Lorca 2020, pp. 18-19.
10 *Ibid.*, p. 17.
11 Véanse los ensayos de Marta Ruiz del Árbol, «Georgia O'Keeffe: Wanderlust y creatividad» (pp. 20-43) y Ariel Plotek «La lente de la artista» (pp. 70-83) en Ruiz del Árbol 2021.
12 Kimmelmann 1991.
13 Gibson 2012, p. 402.

fig. 40

Kehinde Wiley
Oficial de los húsares, 2007
Óleo sobre lienzo, 274,8 × 267,8
Detroit Institute of Arts. Adquisición del museo. Friends of African and African American Art

Cuando pinté *Autopista de ultramar* de joven veía un inmenso espacio ante mí y me fascinaba»[14]. Esa atracción pervive en el imaginario colectivo americano Esta atracción pervive en el imaginario colectivo americano. Carreteras míticas como la ruta 66 permiten recorrer el país en coche desde Chicago a Los Ángeles y han inspirado novelas como *En el camino* (1957) de Jack Kerouac o un género cinematográfico propio, las *road movies*[15].

La potente industria del automóvil recurrió a reconocidos artistas para definir su imagen. En 1927 Charles Sheeler recibió el encargo de fotografiar River Rouge, la nueva planta de Ford en las afueras de Detroit, que con sus ocho kilómetros cuadrados y 75.000 empleados era una ciudad en sí misma. Sheeler quedó deslumbrado por el orden y su funcionamiento racional, las formas claras y estructuradas que a sus ojos convertían a la fábrica en el nuevo templo de la modernidad, que junto a los paisajes urbanos se tornó en un motivo recurrente en su obra. En la década de 1950, una visita a las plantas de U.S. Steel en Pittsburgh inspiró *De mineral a hierro* [cat. 91]. En esta obra, duplicó e invirtió la misma imagen fotográfica y experimentó con distintos soportes y técnicas, jugando con las imágenes en negativo y positivo, la superposición de planos y un soporte traslúcido, el plexiglás.

Frente a la visión abstracta de la ciudad de las vanguardias, en la década de 1960 los nuevos realismos vuelven a retratar el paisaje urbano desde la perspectiva del viandante, haciéndose eco de sus complejos códigos visuales[16]. En *Cabinas telefónicas* de 1967 [cat. 95], Richard Estes nos muestra un punto especialmente concurrido de Nueva York, donde la presencia humana es tratada como algo accidental puesto que se confunde entre los reflejos del cristal de las cabinas, cuya superficie es equiparable en importancia a los coches, las fachadas de los edificios, señalizaciones y publicidad que forman parte del lugar.

Lindner también se situaba a pie de calle para inspirarse, pero en su caso el paisaje de la ciudad estaba formado por los tipos urbanos, «que encuentra mientras camina por la ciudad y los centros comerciales. Allí Lindner encuentra no solo sus temas, sino la manera de ejecutarlos y combinarlos. Solo le interesa la gente, la gente de la ciudad»[17].

En *Luna sobre Alabama* [cat. 97] Lindner aborda la incomunicación entre dos figuras que se cruzan, una mujer de piel blanca y un hombre de piel negra, vestidos elegantemente. 1963, el año en el que el artista pintó esta obra, estuvo marcado por las reivindicaciones de los derechos civiles de los afroamericanos en lugares como Alabama, donde la violenta represión de las manifestaciones tuvo mucho eco mediático y llevó a cuestionar la legitimidad de Estados Unidos como defensor de la libertad en el contexto de la Guerra Fría. Casi cien años después de la Guerra de Secesión, durante la que el abolicionismo adquirió especial relevancia, la consecución efectiva de la libertad de la población negra seguía siendo una cuestión pendiente. A comienzos del siglo XXI, Kehinde Wiley comenzó su serie *Rumores de guerra*, en la que representa a afroamericanos anónimos, la mayor parte de ellos de Harlem, en las actitudes y estilo propios del retrato de corte del Antiguo Régimen [fig. 40]. El contraste entre la parafernalia que rodea estas representaciones del poder y la estética urbana de los retratados, que visten vaqueros, zapatillas deportivas, chándal o cadenas de oro, pretende cuestionar la cultura visual y las narrativas históricas que todavía dominan muchas ciudades de Estados Unidos. Dentro de esta serie Wiley ha creado para Richmond, Virginia, una escultura ecuestre[18] como contrapunto a las de los generales confederados (y esclavistas) cuyas estatuas eran hasta hace poco parte del paisaje de la ciudad. La brecha sigue abierta, tal y como denuncia el movimiento Black Lives Matter en la actualidad.

14 Entrevista de Jacques Cowart a Ralston Crawford en Cowart 1978, p. 14.
15 Por ejemplo películas como *Easy Rider* (Dennis Hopper, 1976), *Thelma y Louise* (Ridley Scott, 1991) o *Nomadland* (Chloé Zhao, 2020).
16 Zurier 2006, p. 7.
17 Spies y Loyall 1999, p. 11.
18 Kehinde Wiley, *Rumors of War*, 2019. Virginia Museum of Fine Arts, Richmond

SUJETO MODERNO

fig. 41

Programa de la obra teatral de Israel Zangwill *The Melting Pot* (1916)

«Lo que hace a Nueva York un sueño no es tanto su grandeza objetiva sino el hecho de que, por muchas razones, mucha gente proyecta sus sueños allí», comentó Antonio Muñoz Molina de su experiencia en Manhattan[19]. Con sus palabras, el escritor español subrayaba cómo el aura mítica que rodea la ciudad estadounidense por antonomasia se debe, sobre todo, a su gente que, procedente de los más diversos rincones del planeta, ha imaginado cómo quería que fuese ese lugar. Como ilustra el programa de la obra teatral *The Melting Pot* [El crisol], de Israel Zangwill [fig. 41], las ciudades norteamericanas, con Nueva York a la cabeza, se convirtieron en una especie de gigantesca cazuela en la que los anhelos y esperanzas, las distintas culturas y tradiciones de sus habitantes, se fueron entremezclando a fuego lento, convirtiéndose de esta forma en el exponente más evidente de la extraordinaria diversidad del país[20].

Frente a los muchos artistas que se empeñaron en captar las radicales transformaciones arquitectónicas que estaba experimentando la gran metrópolis, otros bajaron su mirada para posarla en los viandantes, buscando al individuo que se esconde entre la multitud y caracterizando con sus pinceles a esos sujetos modernos que forman parte de la masa urbana. Al igual que John Dos Passos en *Manhattan Transfer* (1925), estos pintores creyeron que el latido de la ciudad lo conformaba esa multitud solitaria (*lonely crowd*) y el puzle que creaban sus historias personales.

Como tantos otros que llegaron allí buscando suerte, Eastman Johnson se instaló en Nueva York en 1858, donde pronto pasó a ser, gracias a sus escenas de género, un aclamado pintor de la vida americana. *Chica en la ventana* [cat. 99], realizada casi dos décadas después, pertenece a un momento en que Johnson se interesó por captar su recién estrenada vida familiar con Elizabeth Buckley, con la que se había casado en 1869[21]. La joven del retrato, de la que no conocemos su identidad, lleva un vestido suelto para estar en casa y se apoya en el amplio alféizar de la ventana del salón. Dirige su mirada a la calle, donde se distingue a otra figura femenina en una escalera sosteniendo en brazos a un niño de corta edad, que se ha identificado con el anhelo de la protagonista de llegar a la madurez y ser madre[22].

A pesar de que Winslow Homer solía representar a las mujeres en espacios exteriores y en actitudes dinámicas [cat. 45], el retrato que realizó de su amiga Helena de Kay [cat. 98], acuarelista y gran promotora cultural, pertenece a un momento en que, como Johnson, puso su atención en representar figuras femeninas inmersas en sus pensamientos. La predilección de ambos por escenas contemplativas se ha relacionado con el deseo de paz y tranquilidad que reinaba en Estados Unidos en los años inmediatos al fin de la Guerra de Secesión[23]. Por otro lado, podrían relacionarse con pinturas de temática similar, frecuentes en la pintura norteamericana desde la segunda mitad del siglo XIX, en las que las protagonistas, muchas veces sin individualizar, adoptaban comportamientos apropiados para el sexo femenino. Sin embargo, aún estando representadas dentro del ámbito de la intimidad doméstica, *Chica en la ventana*, y sobre todo *Retrato de Helena de Kay*, denotan un interés por la captación de la voz interior de las representadas[24].

La mujer sola en una habitación también fue uno de los temas favoritos de Edward Hopper. En *Muchacha cosiendo a máquina*, de hacia 1921

19 Muñoz Molina 2004.
20 El título de la obra *The Melting Pot*, presentada por primera vez en 1908, se ha convertido en una expresión común en Estados Unidos que es sinónimo de «crisol de culturas».
21 Carbone 1999, pp. 72-78, fig. 41.
22 Manthorne 1986b
23 *Ibid.*
24 Lévy 2004, pp. 15-16.

[cat. 100] y en *Habitación de hotel*, 1931 [cat. 103] el artista plasmó su personal visión de la realidad urbana, que se ha convertido en símbolo de la soledad del ser humano contemporáneo. Las dos protagonistas de las obras del Museo Thyssen se encuentran absortas en sus respectivas actividades y completamente ajenas a lo que sucede a su alrededor. El interior en el que se encuentran se separa de la gran ciudad por la ventana, una suerte de barrera translúcida, punto de tensión entre «el vacío y la finitud del *interior* y la infinitud de un *exterior* invisible o truncado»[25]. En ocasiones, como en *Habitación de hotel*, Hopper no sitúa a sus personajes en el confort de un hogar, sino en un lugar de paso, un no-lugar. Un espacio en el que, siguiendo la definición de Marc Augé, la persona está en tránsito y permanece en el anonimato, lo que intensifica su sensación de aislamiento[26]. El ser humano establece con estos no-lugares tan comunes en la ciudad —como estaciones, medios de transporte, centros comerciales, hoteles— una relación de consumo y por tanto no existe posibilidad alguna de que se apropie de ellos.

También se sitúan en un no-lugar las *Figuras en una sala de espera* [cat. 104] de John Marin. Desde que, con casi treinta años, decidiera dedicarse a la pintura, el artista había sentido una enorme atracción por Nueva York. Sin embargo, frente a sus vistas urbanas anteriores [cat. 93], a comienzos de la década de 1930 en su obra empieza a aparecer la figura humana en distintos lugares de la ciudad, como en el metro, caminando por la calle o en espacios interiores. El uso de la acuarela en las primeras, más dinámicas, da paso a la técnica al óleo que, aplicado en densas pinceladas, contribuye a aislar a los personajes de la composición. A pesar de que se trata de un pintor que generalmente privilegió las cuestiones formales, este lienzo, pintado en 1931 como *Habitación de hotel* de Hopper, parece respirar el mismo aire angustioso de la Gran Depresión con unos personajes anónimos que ponen de relieve la incomunicación que reina en la ciudad moderna[27].

La vida de los neoyorquinos fue también el tema principal de la obra Raphael Soyer. Miembro de la Fourteenth Street School, que aglutinó a artistas preocupados en mostrar las desigualdades sociales antes y después del crack de la Bolsa de 1929, el artista judío de origen ruso se instaló en el barrio que daba nombre al grupo, conocido como la Quinta Avenida de los pobres, y retrató a sus vecinos en toda su realidad y diversidad étnica. En *Chica con sombrero rojo* [cat. 101], pintado

fig. 42

Félix González-Torres
Sin título (Retrato de Ross en L. A.), 1991
Caramelos envueltos individualmente en papel celofán de múltiples colores, dimensiones variables
The Art Institute of Chicago, donación de Donna y Howard Stone, 1.1999

alrededor de 1940, contribuyó a crear una iconografía distintiva de la nueva feminidad americana, al plasmar los nuevos y activos roles que estaban adquiriendo las mujeres en la sociedad, ya fuera desempeñando oficios o convirtiéndose en exponentes de los nuevos hábitos de consumo[28]. Frente a otros artistas del momento, más interesados en la denuncia política, este lienzo denota la empatía de Soyer hacia la población afroamericana y su conmovedora visión de la condición humana[29].

En 1980, en la recta final de su vida, Raphael Soyer se autorretrató con la paleta en una mano y el pincel en la otra [cat. 113]. El artista, que realizó más de cincuenta retratos de sí mismo, hizo de su efigie el terreno perfecto para reflexionar una vez más sobre su propia persona. Firme defensor de que todo su arte siempre había sido un «autorretrato, siempre autobiográfico», puesto que «tu obra es lo que tú eres. Miras al mundo a través de ti mismo»[30], convirtió con estas palabras toda su creación artística en producto de su subjetividad y reflejó la imposibilidad que siente todo artista contemporáneo de verter una mirada objetiva sobre la realidad.

Love, Love, Love. Homenaje a Gertrude Stein, 1928 [cat. 105] es un ejemplo paradigmático del camino que tomó el género del retrato como consecuencia de las nuevas concepciones del yo que surgieron desde finales del siglo XIX.

25 Merle du Bourg 2010, p. 64, lám.
26 Augé 1992.
27 Baur 1981.
28 Todd 1993.
29 Heyd 1999, p. 79.
30 Palabras de Raphael Soyer en Baskind 2004, p. 53.

fig. 43

Jean-Michel Basquiat
Autorretrato, 1986
Acrílico sobre lienzo, 180 × 260,5 cm
Colección MACBA, Barcelona. Depósito de la Generalitat de Cataluña. Colección Nacional de Arte. Antigua Colección Salvador Riera, inv. 0413

Esta crisis, unida a la absoluta desconfianza del arte en la verdad de las imágenes, rompió para siempre la alianza hasta entonces existente entre el modelo y su reflejo. Si bien ciertos atributos habían acompañado siempre a los retratados, en este caso Demuth hace desaparecer por completo los rasgos fisionómicos de la escritora y los sustituye por emblemas o signos que la representan. Introduce en el lienzo una suerte de pistas (palabras, números y objetos) que camuflan su identidad y que, como si de un rompecabezas se tratara, encaminan al espectador iniciado a resolver el misterio escondido en la obra[31]. Recursos similares habían sido utilizados más de dos décadas antes por John Frederick Peto en *Toms River* [cat. 106], una obra ilusionista donde los objetos representados en trampantojo parecen remitir a la imagen masculina que aparece en el centro de la composición[32]. De igual manera, la obra de Demuth puede considerarse antecesora de nuevas formas de retrato que adoptarían años más tarde artistas conceptuales como Félix González-Torres. En *Sin título (Retrato de Ross en L. A.)*, 1991 [fig. 42], una pila de caramelos con un peso similar al de su pareja, Ross Laycock, se convierte en su representación alegórica. Los espectadores son invitados a tomar estos dulces, de manera que la instalación va desapareciendo poco a poco, emulando de esta forma el paulatino deterioro del cuerpo de Ross por efecto del sida.

Otra dimensión del sujeto moderno aparece en las obras de Arshile Gorky, donde emergen sin tapujos los impulsos interiores del hombre que la civilización occidental había reprimido. Su personal lenguaje artístico, a medio camino entre el automatismo surrealista y la libertad del gesto expresionista, configuró unas imágenes reveladoras del ser humano contemporáneo. En *Good Hope Road II. Pastoral*, de 1945 [cat. 107], el pintor plasmó un momento de plácida estabilidad emocional durante los nueve meses que residió en la casa que le prestó su amigo el artista David Hare en Roxbury (Connecticut). Situada en la Good Hope Road[33], que da título al lienzo, la residencia, con su entorno bucólico, fue el enclave perfecto para disfrutar de la tranquila vida familiar y sirvió de base para este lienzo, que también es conocido como *Abrazo (Hugging)*. Muy distinta es la atmósfera que respira su *Última pintura (El monje negro)*, de 1948 [cat. 108], que, según Julien Levy, fue encontrada sobre el caballete el día de su suicidio[34]. Los violentos trazos negros que enmarcan la figura principal dotan a la obra de una gran carga emocional y suponen «la plasmación del abatimiento de su estado emocional»[35].

La energía vital del ser humano aparece con toda su fuerza en *Hombre rojo con bigote* de Willem de Kooning [cat. 110]. El artista, que se movió durante toda su vida entre abstracción y figuración, eligió preferentemente la representación del cuerpo femenino (aunque en ocasiones como en este lienzo también el masculino) como terreno de exploración artística. Sus lienzos de formas distorsionadas esconden la identidad del modelo bajo una densa capa que envuelve figura y fondo y hacen que la materialidad de la pincelada y la violencia del color sean los verdaderos protagonistas. En una entrevista con David Sylvester, el pintor de origen holandés incidía en la importancia del proceso artístico, es decir, de la acción creadora como fin último de la pintura: «No trabajé buscando la idea de la perfección, sino para ver hasta dónde se podía llegar. [...] Con ansiedad y tal vez devoción al miedo, o al éxtasis, ya sabes, como en la *Divina comedia*, ser como un actor: para ver cuánto tiempo puedes estar en el escenario frente a una audiencia imaginaria»[36]. Artistas posteriores, como Jean-Michel Basquiat [fig. 43], aprovecharon el camino híbrido inaugurado por De Kooning como vehículo de expresión para incorporar a sus obras cuestiones de identidad racial, de género, de orientación sexual o de pertenencia a una comunidad o clase social determinada.

31 Corn 1999, pp. 223-234.
32 Véase el texto de Wendy Bellion sobre esta obra en esta misma publicación, pp. 36-37.
33 Actualmente la calle se llama Good Hill Road. No ha sido posible comprobar si la calle ha cambiado de nombre o si, por el contrario, fue una decisión intencionada del artista. Si esto fuera así, el cambio de «hill (colina)» por «hope (esperanza)», confirmaría aún más los sentimientos positivos que embargaban al artista en este momento de su vida.
34 Levy 1966, p. 10.
35 Alarcó 2009, p. 416.
36 Palabras de Willem de Kooning durante una entrevista con David Sylvester en 1960. Véase Sylvester 2001, p. 52.

OCIO Y CULTURA URBANA

fig. 44

Childe Hassam
La Quinta Avenida en Washington Square, Nueva York, 1891
Óleo sobre lienzo, 56 × 40,6 cm
Colección Carmen Thyssen,
inv. CTB.1979.19

«In New York,
concrete jungle where dreams are made of
There is nothing you can't do
Now you are in New York»

Jay-Z y Alicia Keys, *Empire State of Mind*

En las grandes ciudades que habían crecido en paralelo a la revolución industrial, el concepto de ocio surge con la reducción de las jornadas laborales, que permiten dedicar ese tiempo libre al entretenimiento, además del descanso. El hacinamiento tanto en las viviendas como en los espacios de trabajo y la especulación urbanística supusieron pronto un problema que las autoridades neoyorquinas trataron de solucionar creando los primeros parques públicos. A mediados del siglo XIX reservaron cerca de 3.000 metros cuadrados de la retícula en la que se había dividido Manhattan en 1811 para crear Central Park, que trasladaría el paisaje del río Hudson al corazón de Nueva York.

Al igual que se intentaba traer la naturaleza de vuelta a la ciudad, los urbanitas también hacían incursiones al campo. El paseo en entornos rurales se convirtió en una válvula de escape cada vez más accesible gracias a la ampliación de las líneas de ferrocarril y metro. Es el caso de Waverly Oaks, el conjunto de espectaculares robles en Belmont, situado a las afueras de Boston, que da nombre a la pequeña pintura de Winslow Homer [cat. 114]. Las figuras poco definidas, pero vestidas «de calle» parecen absortas en la charla y el paseo, en una escena plácida que contrasta con la Guerra Civil que todavía se libraba en 1864, y que Homer cubrió para la prensa como reportero.

Childe Hassam plasmó la variedad del paseo urbano, por trabajo, con prisa, por necesidad, o de manera ociosa, al modo del *flâneur* parisiense. Para llegar a su estudio recorría la zona de Boston a la que se había mudado tras casarse en 1884, quizás montado en uno de los tranvías que aparecen en *Día lluvioso. Columbus Avenue, Boston* [cat. 116]. El pulso de la ciudad y de sus habitantes se funde con la atmósfera húmeda que unifica la escena, por lo demás intrascendente. Poco después, en la primavera de 1886, Hassam se trasladó a París, donde aclaró su paleta y abrazó el impresionismo para convertirse en uno de sus máximos representantes a su regreso a Estados Unidos [fig. 44]. Como indica Barbara Haskell, en las escenas urbanas que Hassam pintó en Nueva York, la modernidad queda neutralizada por la paleta reducida, el acabado difuminado y los efectos atmosféricos que el artista primó[37].

William Merritt Chase, el otro gran representante del impresionismo en Estados Unidos, será especialmente alabado por escoger escenarios locales, como Central Park en el caso de *En el parque (Un camino)* [cat. 115], cumpliendo con la llamada de intelectuales y críticos de arte a olvidar las formas y actitudes europeas y pintar lo más cercano[38]. La mirada del artista es además reivindicada por desvelar la belleza allí donde otros solo ven hazañas de ingeniería o gasto público. Sus amables escenas están protagonizadas por niños de clase media-alta vestidos exquisitamente, acompañados de un adulto que cuida de ellos

37 Haskell 1999, p. 60.
38 Kay 1891.

fig. 45

Reginald Marsh
Smoko, el volcán humano, 1933
Acuarela sobre masonita, 91,4 × 122 cm
Colección Carmen Thyssen,
inv. CTB.1978.39

en la distancia. Esta situación privilegiada contrasta con la de los niños de familias empobrecidas, que se aventuraban solos en los parques. Walt Whitman denunciaría en sus artículos periodísticos[39] el maltrato que estos menores recibían por parte de los vigilantes y algunos de los grandes fotógrafos del siglo XX, como Lewis Hine, ilustrarían la dureza del trabajo infantil al que se veían abocados. Habrá que esperar a Robert Henri y sus seguidores para que la pintura se haga eco del lado menos luminoso de la sociedad, la vida de las clases populares, en escenas que retratan la masificación, la miseria o los hábitos de consumo y ocio modernos. *Surtidor en Madison Square* [cat. 118], que John Sloan pinta en 1907, nos hace sentir como uno más de los paseantes que se asoman a la fuente, en una celebración de la vida cotidiana y ordinaria de los americanos, como reivindicaba Henri. El ambiente pesado y las figuras del fondo nos recuerdan sin embargo la actividad incesante de la ciudad, que parece consumir a sus habitantes.

Junto a Central Park, la playa de Coney Island, al sur de Brooklyn, se convirtió en otro de los pulmones de la ciudad. Si bien en las primeras representaciones de este lugar, a mediados del siglo XIX, la playa y la naturaleza en estado puro son el motivo principal, la explotación urbanística y comercial en la década de 1890 transformó por completo el paisaje. Las creaciones humanas pasaron a ser el principal atractivo de este enclave, que ocupa un lugar de honor en la cultura popular y el imaginario americano como el mayor patio de recreo del mundo, donde todo es posible[40].

Más allá de la nueva moda de los baños en el mar[41], que Winslow Homer recoge en su *Escena de playa* de hacia 1869 [cat. 119], en *Escena de playa con teatrillo de títeres* [cat. 120] Samuel S. Carr presenta un catálogo de los entretenimientos que ofrecía Coney Island ya en la década de 1880, como los paseos en burro o los espectáculos de marionetas. Las posibilidades de ocio pronto fueron entendidas como una lucrativa oportunidad de negocio y esta zona rápidamente se convirtió en una fábrica de diversión en la que se competía por crear las atracciones más luminosas y exóticas, las montañas rusas más rápidas y en mostrar los seres más sorprendentes. El acceso se democratizó y masificó definitivamente en 1920, cuando la red de metro de Nueva York llegó hasta esta zona de Brooklyn. A partir de entonces cientos de miles de personas podían ir a pasar el día por tan solo un *nickel*, los mismos cinco centavos que costaba una entrada al cine.

En el Coney Island que Reginald Marsh retrata hacia los años treinta la naturaleza brilla por su ausencia. Su mirada se posa en las multitudes que se congregan en torno a las atracciones mecánicas o los grotescos espectáculos de seres monstruosos y fascinantes. Federico García Lorca también se hizo eco del espectáculo que suponía esta excursión durante su estancia en Nueva York en 1929, que dará lugar al poema «Paisaje de la multitud que vomita (Anochecer en Coney Island)». En *Smoko, el volcán humano* [fig. 45], que Marsh pintó en 1933, todo el fondo de la escena está cubierto por carteles y en primer plano vemos espectadores de todas las razas y culturas que habían recalado en Nueva York. A diferencia de la ciudad, en la que la segregación por clase y raza era patente, Coney Island funcionaría, junto a Harlem, como un espacio urbano de «límites raciales permeables»[42].

También Ben Shahn retrataría en su *Parque de atracciones* de 1946 [cat. 122] una escena inspirada en las fotografías que tomó en el

39 Whitman 1842.
40 Véase la exposición *Coney Island: Visions of an American Dreamland, 1861-2008* (Frank 2015).
41 Cross y Wilmerding 2019.
42 Higginbotham 2015, p. 11

fig. 46

Aaron Douglas
Aspectos de la vida de los negros: Canción de las torres, 1934
Óleo sobre lienzo, 274,3 × 274,3 cm
Schomburg Center for Research in Black Culture, Art and Artifacts Division, The New York Public Library

Buckeye Lake Amusement Park de Columbus. El artista, que desde 1935 realizó numerosas instantáneas que documentaron la realidad social del país durante la Gran Depresión[43], retomó posteriormente algunas de ellas como origen de sus pinturas. También en *Orquesta de cuatro instrumentos* [cat. 123], el pintor de origen lituano, que a lo largo de toda su carrera demostró un gran interés por la música folclórica[44], realizó su particular versión al óleo de una escena real que había captado con su Leica.

Muchos eran los pintores modernos que desde comienzos del siglo XX se habían fijado en la música como modelo para sus composiciones, pues les ofrecía una alternativa menos literal, más alejada de la apariencia de las cosas. Uno de los primeros en realizar una analogía musical, en su intento de crear un arte autónomo de la realidad visible, fue Marsden Hartley. *Tema musical n.º 2 (Preludios y fugas de Bach)* [cat. 124], que pintó durante una estancia en París en 1912, evidencia el impacto del cubismo, aun cuando el pintor siempre se diferenció de este movimiento por su deseo de que el arte fuera fruto de la intuición y no de un proceso intelectual[45]. En una carta a su sobrina desde el continente europeo comentaba «¿Alguna vez has oído hablar de alguien que intente pintar música —o el equivalente del sonido en color? [...] Solo hay un artista trabajando en Europa sobre [esta idea] y es un teórico puro y su trabajo carece bastante de sentimiento, mientras que yo trabajo completamente desde la intuición y lo subliminal»[46].

En 1917, John Marin realizó, probablemente bajo la influencia de su amigo Marsden Hartley, un conjunto de obras excepcionales en su carrera. El pintor, que en pocas ocasiones abandonó completamente la figuración, intentaba en esta serie de acuarelas experimentales, entre las que se encuentra *Abstracción* [cat. 125], representar plásticamente el sonido[47]. Marin, que consideraba que la pintura debía regirse por las mismas leyes de equilibrio y ritmo que la música, interpretaría también en términos musicales las múltiples obras en las que plasmó el dinamismo intrínseco a la gran ciudad [cat. 93][48].

La presencia constante de la música en el día a día de los estadounidenses, gracias a la aparición del fonógrafo, la radio y las nuevas formas de entretenimiento, la convirtieron en la más prominente y accesible de las artes. De entre todas las variadas expresiones musicales, los pintores se sintieron especialmente fascinados por el jazz, no solo como vía para alejarse del mundo visible, sino por ser una expresión autóctona que les permitía apartar su mirada de la vanguardia europea[49]. Surgido en Nueva Orleans, en la década de 1920 el jazz era la banda sonora de una América joven, enérgica, moderna y urbana. Los detractores la miraban como una peligrosa manifestación de modernidad y sus admiradores percibían en ella la promesa de nuevas libertades sociales. Los intelectuales del renacimiento de Harlem la consideraron además una expresión de la identidad cultural de la población afroamericana[50]. Un destacado miembro de este movimiento, Aaron Douglas, plasmó

43 Estas fotografías fueron realizadas para la Resettlement Administration (que a partir de 1937 fue sustituida por la Farm Security Administration) y se conservan en la Biblioteca del Congreso de Washington.
44 Pohl 1993, pp. 126-131.
45 Ludington 2009, p. 141.
46 Carta de Marsden Hartley a Norma Berger, 30 de diciembre de 1912, conservada en Yale Collection of American Literature, Beinecke Rare Book and Manuscript Library, Yale University. Citada en *ibid.*, p. 144. Hartley se refiere con toda probabilidad a Wassily Kandinsky.
47 Reich 1970.
48 Véase el capítulo dedicado a Marin en Cassidy 1997, pp. 9-36.
49 *Ibid.*
50 Haskell 1999, pp. 184-185.

plásticamente en su mural *Canción de las torres*, de 1934 [fig. 46] —donde un músico, situado entre los rascacielos de Nueva York, sostiene en sus manos un saxofón que irradia haces de luz— la relevancia que esta expresión artística ha tenido para la cultura contemporánea ya no solo americana, sino internacional.

Entre los artistas que se fascinaron por el jazz se encuentra Arthur Dove, que en 1927 realizó una serie de seis obras que hacen referencia a piezas musicales concretas. Pintada dentro del barco en el que vivía con la artista Helen Torr en Long Island, Orange Grove in California, *de Irving Berlin* [cat. 126] es una de ellas. Gracias a su hijo William sabemos que escuchó la melodía a la que alude el título «una y otra vez en su fonógrafo mientras pintaba este lienzo, experimentando conscientemente para ver qué efecto tendría esto en su trabajo»[51]. El resultado es una composición de líneas sinuosas que remiten a la energía de los ritmos sincopados del jazz. Como ha señalado Harry Cooper, se trata de obras inusuales, incluso anómalas dentro de la carrera del pintor, tanto por su total independencia del mundo visible como por su aproximación al automatismo, por lo que puede considerarse un precedente de lo que haría Jackson Pollock años más tarde[52].

Exponentes de la pintura estadounidense por antonomasia, las obras de Pollock han sido puestas en relación con el jazz desde mediados de la década de 1940 tanto por su libertad creativa y su énfasis en la improvisación, como por su búsqueda de lo originario e inconsciente[53]. Esta conexión ha llevado a especular sobre la posibilidad de que sus pinturas, como *Marrón y plata I*, de hacia 1951 [cat. 127], fueran realizadas con esta música de fondo. Sin embargo, a pesar de que el pintor podía pasarse días enteros escuchando su colección de discos[54] y consideraba que era «la única otra cosa creativa que estaba ocurriendo en el país»[55], su estudio de The Springs no tuvo electricidad hasta 1953 y la artista Lee Krasner negó categóricamente en una entrevista televisada en 1964 que las obras de su marido hubieran sido ejecutadas en tales circunstancias[56].

También Stuart Davis afirmó que «el jazz había sido una fuente de inspiración en su obra desde el principio»[57]. En *Pochade* [cat. 128] representó un piano de cola en posición vertical (en la mitad izquierda del lienzo) sobre el que aparecen las letras «cat» y muy cerca de ellas una «s», en referencia a las llamadas *scat*, improvisaciones vocales de una *jam session*[58]. Davis, que comparaba su método de trabajo con la acción de un músico que «toma una secuencia de notas y hace muchas variaciones en torno a ella»[59], utilizaba una y otra vez los mismos elementos en sus composiciones pero metamorfoseándolos. Sus obras, precedentes del pop art, traducen visualmente la alegría, velocidad y ritmo del jazz.

51 Palabras de William, hijo de Dove, a Theodore E. Stebbins, Jr., en agosto de 1982, recogidas en Stebbins y Troyen 1983, p. 24. Citado en Cooper 2005, p. 73.
52 *Ibid.*
53 Cassidy 1997, pp. 151-152.
54 O'Doherty 1973, p. 89.
55 Palabras de Krasner sobre Pollock citadas en Du Plessix y Gray 1967, p. 51. La otra cosa a la que se refería Pollock era evidentemente su pintura y la de sus colegas expresionistas abstractos.
56 Helen A. Harrison, «Jackson Pollock and Jazz: Inspiration or Imitation?», en Academia.edu (https://www.academia.edu/10164140/Jackson_Pollock_and_Jazz_Inspiration_or_Imitation, consultado por última vez el 24 de septiembre de 2021.
57 Cassidy 1997, p. 69.
58 Damos las gracias a Paloma Alarcó y a Alba Campo Rosillo por su ayuda en la interpretación iconográfica de esta obra.
59 Palabras de Stuart Davis citadas en Seckler 1953. Sobre el método de trabajo de Davis, véase Cooper y Haskell 2016, p. 12.

ESPACIO URBANO/ LA CIUDAD

87

Max Weber
Bialystok, Polonia, 1881-Great Neck, 1961

Estación terminal Grand Central
1915

Óleo sobre lienzo, 152,5 × 101,6 cm
Museo Nacional Thyssen-Bornemisza,
Madrid, inv. 782 (1973.57)

MAX WEBER

88 ←

Georgia O'Keeffe

Sun Prairie, 1887-Santa Fe, 1986

Calle de Nueva York con luna

1925

Óleo sobre lienzo, 122 × 77 cm
Colección Carmen Thyssen,
inv. CTB.1981.76

89

Oscar Bluemner

Prenzlau, Alemania, 1867-South Braintree, 1938

Rojo y blanco

1934

Temple sobre papel, 58,5 × 81,5 cm
Thyssen-Bornemisza Collections,
inv. 1974.1

90

Charles Sheeler
Filadelfia, 1883-Dobbs Ferry, 1965

Cañones
1951

Óleo sobre lienzo, 63,5 × 56 cm
Museo Nacional Thyssen-Bornemisza, Madrid, inv. 757 (1973.6)

91 →

Charles Sheeler
Filadelfia, 1883-Dobbs Ferry, 1965

De mineral a hierro
1953

Temple sobre plexiglás, 23 × 17,2 cm
Thyssen-Bornemisza Collections, inv. 1973.8

92

Ralston Crawford

Saint Catharines, Canadá, 1906-Nueva York, 1978

Autopista de ultramar

1939

Óleo sobre lienzo, 45,7 × 76,2 cm
Thyssen-Bornemisza Collections,
inv. 1978.60

93

John Marin

Rutherford, 1870-Cape Split, 1953

Bajo Manhattan
1923

Acuarela sobre papel, 67,5 × 54,5 cm
Museo Nacional Thyssen-Bornemisza,
Madrid, inv. 661 (1977.82)

94

Josef Albers

Bottrop, Alemania, 1888-New Haven, 1976

Casa Blanca B

1947-1954

Óleo sobre lienzo adherido a masonita, 41,3 × 60,7 cm
Museo Nacional Thyssen-Bornemisza, Madrid,
inv. 450 (1977.90)

95

Richard Estes

Kewanee, 1932

Cabinas telefónicas

1967

Acrílico sobre masonita, 122 × 175,3 cm
Museo Nacional Thyssen-Bornemisza,
Madrid, inv. 539 (1977.93)

R·H·MACY
TELEPHONE
TELEPHONE
TELEPHONE
DIRECTORIES

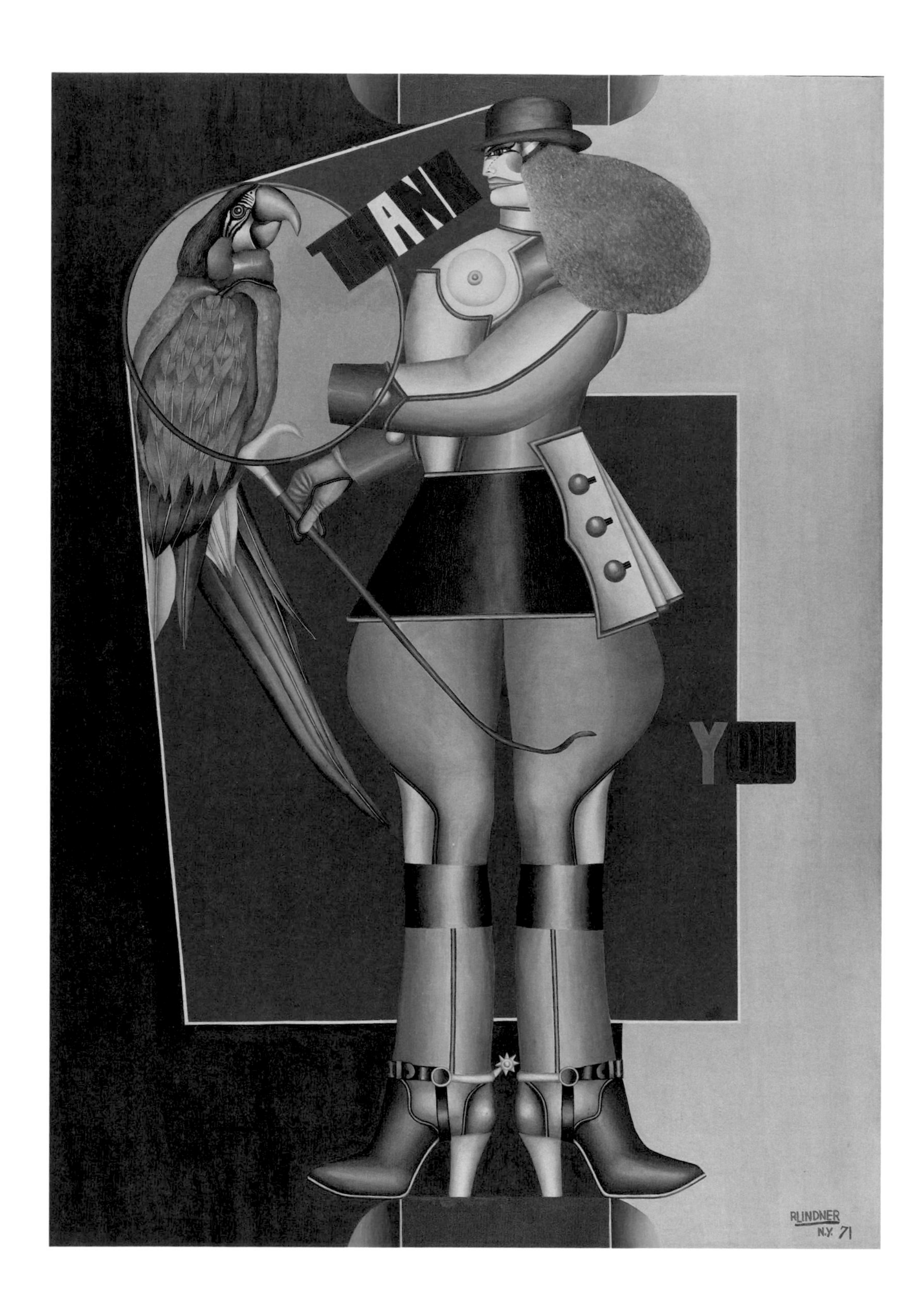

96

Richard Lindner

Hamburgo, Alemania, 1901-Nueva York, 1978

Thank You
1971

Óleo sobre lienzo, 194 × 137 cm
Colección Carmen Thyssen,
inv. CTB.1993.11

97 →

Richard Lindner

Hamburgo, Alemania, 1901-Nueva York, 1978

Luna sobre Alabama
1963

Óleo sobre lienzo, 204 × 127,7 cm
Museo Nacional Thyssen-Bornemisza,
Madrid, inv. 649 (1974.33)

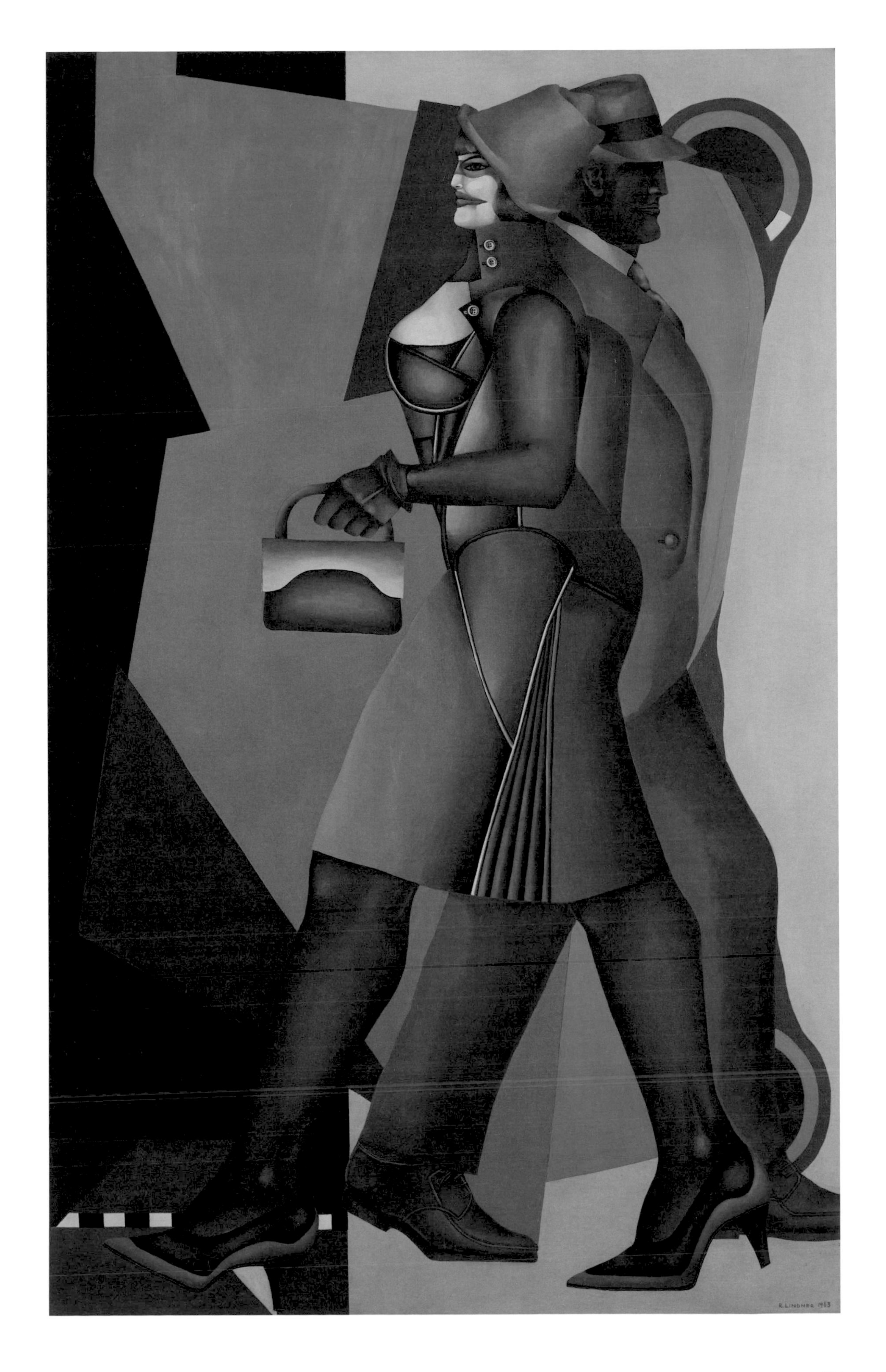
R. LINDNER 1963

ESPACIO URBANO/
SUJETO MODERNO

98

Winslow Homer

Boston, 1836-Prouts Neck, 1910

Retrato de Helena de Kay
hacia 1872

Óleo sobre tabla, 31 × 47 cm
Museo Nacional Thyssen-Bornemisza,
Madrid, inv. 591 (1983.25)

99

Eastman Johnson

Lovell, 1824-Nueva York, 1906

Chica en la ventana
hacia 1870-1880

Óleo sobre tabla, 67,3 × 55,9 cm
Thyssen-Bornemisza Collections,
inv. 1980.23

100

Edward Hopper
Nyack, 1882-Nueva York, 1967

Muchacha cosiendo a máquina
hacia 1921

Óleo sobre lienzo, 48,3 × 46 cm
Museo Nacional Thyssen-Bornemisza, Madrid, inv. 595 (1977.49)

101 →

Raphael Soyer
Borisoglebsk, Rusia, 1899-Nueva York, 1987

Chica con sombrero rojo
hacia 1940

Óleo sobre lienzo, 76,8 × 43,2 cm
Colección Carmen Thyssen, inv. CTB.1980.81

102

George Bellows
Columbus, 1882-Nueva York, 1925

Una abuela
1914

Óleo sobre tabla, 94 × 74,5 cm
Museo Nacional Thyssen-Bornemisza, Madrid, inv. 466 (1980.69)

103 →

Edward Hopper
Nyack, 1882-Nueva York, 1967

Habitación de hotel
1931

Óleo sobre lienzo, 152,4 × 165,7 cm
Museo Nacional Thyssen-Bornemisza, Madrid, inv. 594 (1977.110)

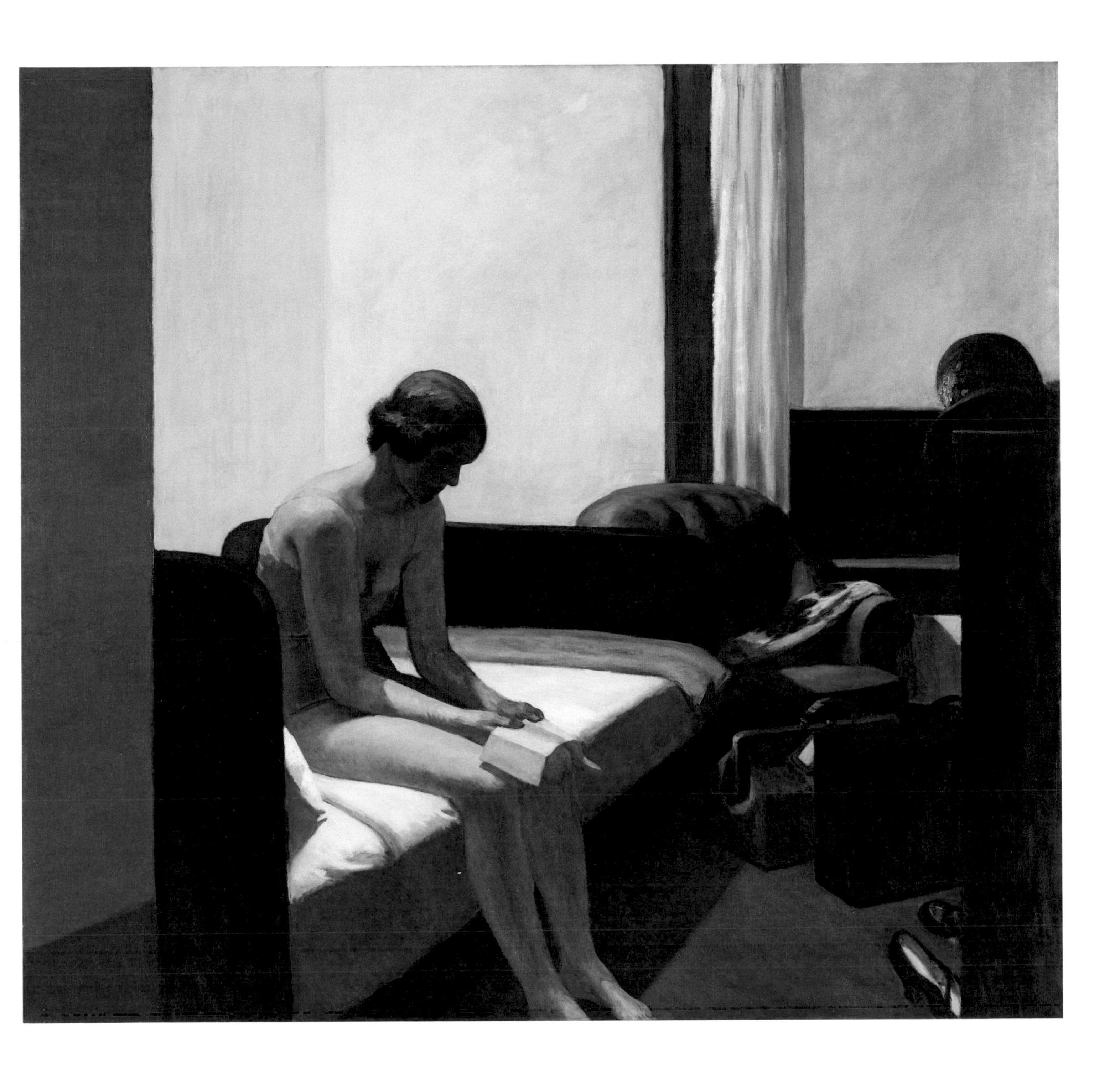

104

John Marin

Rutherford, 1870-Cape Split, 1953

Figuras en una sala de espera
1931

Óleo sobre lienzo, 56 × 68,5 cm
Museo Nacional Thyssen-Bornemisza,
Madrid, inv. 662 (1981.46)

105

Charles Demuth
Lancaster, 1883-1935

Love, Love, Love. Homenaje a Gertrude Stein
1928

Óleo sobre tabla, 51 × 53 cm
Museo Nacional Thyssen-Bornemisza,
Madrid, inv. 521 (1973.56)

106

John Frederick Peto
Filadelfia, 1854-Nueva York, 1907

Toms River
1905

Óleo sobre lienzo, 68 × 58,3 cm
Museo Nacional Thyssen-Bornemisza, Madrid, inv. 700 (1980.80)

Toms River: las letras aparentemente grabadas en la superficie del cuadro de Peto identifican un río de Nueva Jersey, un pueblo y el hogar del artista durante las dos últimas décadas de su corta vida. ¿Qué más nos dicen esas letras sobre el apego del artista hacia este lugar?

Peto, nacido en Filadelfia, se trasladó a la costa de Jersey en 1889 y a partir de entonces Toms River le sirvió de escenario e inspiración para varias de sus obras. Se construyó una casa y un estudio en Island Heights, una pequeña localidad cercana a la ciudad de Toms River. Como ávido fotógrafo, Peto documentó el tiempo libre que pasaba paseando en barca y relajándose con su familia en el río o cerca de él. Su amigo Samuel Callan rememoró el vínculo del pintor con la zona tras su muerte en 1907 a causa de una operación relacionada con la enfermedad de Bright: «Allí donde el sinuoso Toms se desliza suavemente hacia la bahía,/ puede verse una cabaña en Island Heights./ Allí, de manera discreta, vivía el artista./En el acogedor retiro conocía los placeres serenos»[1].

Desde su «acogedor retiro», Peto pintó un hermoso paisaje fluvial que se encuentra en la colección Thyssen-Bornemisza, *Navegación al atardecer* [cat. 42], y un *trompe l'oeil* en homenaje al comodoro del Toms River Yacht Club (1906, Pennsylvania Academy of the Fine Arts, Filadelfia). Sin embargo, a diferencia de estas obras, *Toms River* no revela de forma inmediata el significado de su título o del lugar. En lugar de eso, invita a reflexionar sobre la naturaleza de la representación artística.

A primera vista, *Toms River* cataloga algunos de los motivos iconográficos preferidos de Peto, ya que recicla numerosos objetos de imágenes anteriores, como el cartel, la cuerda, los números grabados o los clavos, y evoca cuadros conocidos que representan composiciones similares de alacenas, como *La tienda del pobre* (1885, Museum of Fine Arts, Boston). Sin embargo, en lugar de puertas abiertas, *Toms River* presenta un panel de madera enfáticamente cerrado. El «marco» es igualmente desconcertante. Se asemeja al marco de un cuadro por la forma en que cuatro delgadas láminas aparecen unidas a inglete para delinear un objeto en el centro: la representación de una plancha de madera. Sin embargo, esta plancha no es tanto un cuadro como una superficie de representación: vemos imágenes impresas (una fotografía y trozos de papel) y texto escrito a mano (las letras «HH», «Toms River» y «1905»), que parecen estar pegados, clavados y grabados. El tablero, sostenido a duras penas por unas bisagras oxidadas, recuerda la práctica de reutilizar paneles de madera, como el fondo de los cajones de una cómoda, como soportes de pinturas. Peto reutilizó en varias ocasiones sus paletas con este propósito[2].

¿Qué oculta, si es que oculta algo, la puerta cerrada de Peto? Es una pregunta arriesgada: es bien sabido que los trampantojos ponen trampas visuales que atraen al espectador con falsas promesas de secretos por descubrir. Eso es exactamente lo que hacía Peto en sus primeras *rack pictures*, que están llenas de referencias a personas y lugares que nunca existieron[3].

No obstante, es posible entender *Toms River* como una alusión a un escándalo local. El hombre de la *carte-de-visite* —un detalle que no ha sido analizado en la bibliografía académica hasta la fecha— se parece a las imágenes reproducidas en los periódicos de la época de Frank Brouwer, un médico de Toms River. Las letras «HH», que a menudo se interpretan como una alusión al abuelo de Peto, podrían referirse a otro médico, H. H. Cate[4]. Merece la pena destacar que ambos personajes se vieron envueltos en un misterioso incidente que tuvo gran difusión en la prensa relacionado con la muerte de la esposa de Brouwer, posiblemente a causa de la enfermedad de Bright, la misma dolencia renal que padecía Peto[5].

¿Son estas las personas a las que Peto hace referencia en *Toms River*, pintado mientras el escándalo era noticia nacional? La ambigüedad de estos detalles redobla las estratagemas de representación del cuadro. *Toms River* nos presenta objetos gastados y desgarrados, pero también evoca el mundo contemporáneo más allá del estudio de Peto, una pequeña ciudad convertida en gran noticia por los medios absolutamente modernos de la prensa y la fotografía.

Wendy Bellion

1 Samuel Callan, «In Memoriam: John Frederick Peto», noviembre de 1907. John Frederick Peto and Peto family papers, 1850-1983, en Archives of American Art, https://www.aaa.si.edu/collections/john-frederick-peto- and-peto-family-papers-11165/series-1/box-1-folder-7.

2 La radiografía de *Toms River*, realizada recientemente por los conservadores del museo, ha revelado *pentimenti* que sugieren que Peto podría haber reutilizado un lienzo más antiguo, como hizo en numerosas ocasiones a lo largo de su carrera. Sobre esta cuestión, véase Bolger 1996, pp. 59-81.

3 *Ibid.*, esp. pp. 63-64.

4 John Wilmerding sugirió que las iniciales «HH» aludían al abuelo materno de Peto, Hoffman Ham, en Wilmerding 1983, p. 185.

5 Brouwer fue acusado, y luego absuelto, del asesinato de su esposa en un juicio que atrajo la atención de la prensa nacional. Para un ejemplo de los muchos artículos que reprodujeron la imagen de Brouwer, con y sin bigote, véase «Brouwer on Trial Shows Great Composure», en *New Jersey Courier* (Toms River, Nueva Jersey), 11 de octubre de 1906.

HH
TOMS RIVER
1905

107

Arshile Gorky

Khorkom, Turquía, 1905-Sherman, 1948

Good Hope Road II. Pastoral
1945

Óleo sobre lienzo, 64,7 × 82,7 cm
Museo Nacional Thyssen-Bornemisza,
Madrid, inv. 563 (1977.94)

108

Arshile Gorky

Khorkom, Turquía, 1905-Sherman, 1948

Última pintura (El monje negro)
1948

Óleo sobre lienzo, 78,6 × 101,5 cm
Museo Nacional Thyssen-Bornemisza,
Madrid, inv. 564 (1978.72)

109

Hans Hofmann

Weissenberg, Alemania, 1880-Nueva York, 1966

Sin título (Serie Renate)
1965

Óleo sobre lienzo, 121,9 × 91,4 cm
Museo Nacional Thyssen-Bornemisza, Madrid, inv. 587 (1981.10)

110 →

Willem de Kooning

Róterdam, Países Bajos, 1904-Nueva York, 1997

Hombre rojo con bigote
1971

Óleo sobre papel adherido a lienzo, 186 × 91,5 cm
Museo Nacional Thyssen-Bornemisza, Madrid, inv. 631 (1984.17)

111

Robert Rauschenberg

Port Arthur, 1925-Captiva Island, 2008

Express
1963

Óleo, serigrafía y *collage* sobre lienzo,
184,2 × 305,2 cm
Museo Nacional Thyssen-Bornemisza,
Madrid, inv. 721 (1974.34)

Robert Rauschenberg llevaba apenas unos meses utilizando la serigrafía en sus pinturas cuando acometió *Express*, una virtuosa demostración de la rapidez con la que había adaptado la técnica comercial a sus necesidades artísticas[1]. La composición es casi elegante en su claridad, con una cuadrícula flexible y sincopada que se estructura en columnas[2] y presenta pares de imágenes contrapuestas en las esquinas y en la parte central. En el conjunto de la obra, el artista juega con contrastes emparejados: luz y sombra, positivo y negativo fotográfico y pintura aplicada tanto en trazos gestuales como en formas de contornos bien definidos, una de las cuales, de un intenso color rojo, contrasta vivamente con la paleta general en blanco y negro.

Esta sensación de equilibrio va acompañada de una tensión considerable. El caballo aún no ha superado la valla; la pose de los bailarines sigue dependiendo de que permanezcan agarrados por las manos, y la sensación de caída del escalador parece ser el resultado de la impresión deliberada y repetida de la misma imagen con un giro de noventa grados. Cerca de la parte superior del lienzo, con los brazos levantados, aparece la pequeña figura del amigo de Rauschenberg, el bailarín y coreógrafo Merce Cunningham.

Express es una reflexión rica en matices sobre la masculinidad, que comprende desde las expectativas sociales y culturales o las diferencias generacionales, hasta las relaciones entre personas del mismo sexo y la raza. El conflicto principal se establece en el centro del cuadro mediante el contraste que Rauschenberg plantea entre bailarines y escaladores. El artista tomó estas últimas figuras de un anuncio publicado en la revista *Life* como parte de una campaña de reclutamiento del ejército estadounidense que llevaba la leyenda: «¿Cuánto vale sentirse hombre?»[3]. Este texto no aparece en *Express*, pero resulta útil para retratar el descarnado enfoque hacia la definición de la masculinidad que era común en esa época. Además de la caída del recluta, *Express* sugiere otras posibilidades de comportamiento masculino y de relaciones entre hombres, muy especialmente mediante la inclusión de Cunningham y sus bailarines, ambos a partir de fotografías del propio Rauschenberg. Cunningham aparece en el cuadro por encima de los bailarines, como una distante figura paterna, pero Rauschenberg, que, al igual que Cunningham, era al menos una generación mayor que la mayoría de los miembros del grupo, estaba desarrollando una relación más íntima con ellos como director de iluminación y director de escena de la compañía. El bailarín que aparece en la fotografía de Rauschenberg, apartando su peso de sus compañeras como si fuera la curva exterior de un paréntesis, es Steve Paxton, con quien Rauschenberg había iniciado una relación sentimental. Situado por encima de una imagen que muestra hombres asumiendo riesgos peligrosos, la figura de Paxton, una persona fundamental en la vida personal y creativa de Rauschenberg, ocupa una posición clave en el cuadro.

La fotografía de la mujer desnuda a la derecha de *Express* también vincula a Rauschenberg con generaciones anteriores de hombres que compartían sus inquietudes creativas. Gjon Mili había hecho la fotografía como homenaje al *Desnudo bajando una escalera, nº 2* de Marcel Duchamp, un artista de inmensa importancia para Rauschenberg[4]. Al emparejar la foto de Mili con la imagen cuádruple del caballo y el jinete, Rauschenberg dio un salto histórico hacia los propios antecedentes de Duchamp, que se encuentran en la fotografía *stop-motion* de Étienne-Jules Marey y Eadweard Muybridge. A través de su manipulación de las serigrafías, Rauschenberg situó sus propios precursores creativos entre los fotógrafos, además de entre los artistas, en un momento en el que el uso de la cámara fotográfica había vuelto a ocupar un lugar central en su arte.

En este contexto, la imagen de la esquina inferior derecha de *Express* es especialmente llamativa: una reproducción de la obra de Louis Mathieu Didier Guillaume, *La rendición del general Lee ante el general Grant, 9 de abril de 1865*, después de la batalla de Appomattox, un acontecimiento que marcó el final de la Guerra Civil estadounidense. Rauschenberg pintó *Express* antes de los dramáticos acontecimientos de 1963, como la Campaña de Birmingham, pero la imagen de distensión civilizada de Guillaume seguía siendo relevante en ese momento: a principios de la década de 1960,

1 Rauschenberg comenzó a utilizar serigrafías en sus pinturas en octubre de 1962; tanto *Express* como *Cove* debieron de estar terminadas a principios de febrero de 1963, ya que ese mismo mes se incluyeron en la exposición individual de Rauschenberg celebrada en la Beaumont-May Gallery, Hopkins Center, Dartmouth College, Hanover, New Hampshire (según la cronología de Joan Young y Susan Davidson en Hopps y Davidson 1997, actualizada por Davidson y Kara Vander Weg para Rauschenberg 2010, y revisada de nuevo para la web de la Robert Rauschenberg Foundation por el personal de la fundación con la ayuda de Amanda Sroka: https://www.rauschenbergfoundation.org/artist/chronology).

2 Rauschenberg utilizó un enfoque compositivo similar en sus primeros «combinados» (*combine paintings*); véase, por ejemplo, *Collection* (1954/1955) y *Charlene* (1954). La comisaria Nan Rosenthal solía referirse al método compositivo de Rauschenberg con la expresión «cuadrícula sincopada».

3 El anuncio se publicó en *Life* el 8 de junio de 1962, p. R2, según Feinstein 1990, p. 96, n. 19.

4 La fuente que utilizó Rauschenberg para la serigrafía fue probablemente la ilustración que apareció en «The Workings of the Incomparable Human Body», en *Life*, 26 de octubre de 1962, pp. 76-77.

Estados Unidos conmemoró el centenario de su Guerra Civil en medio de un movimiento nacional por los derechos civiles que demostraba lo mal que le había ido a la nación en ese sentido desde el final de la guerra. De hecho, cuando Guillaume pintó su cuadro y este fue instalado en el palacio de justicia de Appomattox hacia 1880, la Reconstrucción había llegado a su fin, y los logros alcanzados por los negros estadounidenses en el sur estaban empezando a retroceder.

Rauschenberg era muy consciente de la lucha por la igualdad en el Sur de su país ya que había nacido y se había criado en Texas. Apoyó el movimiento por los derechos civiles y ocasionalmente incluyó referencias al tema en sus obras, especialmente en sus dibujos por transferencia. Pero el uso de la imagen de Appomattox en *Express* parece tener otro propósito. La obra de Guillaume presenta las negociaciones sobre la rendición al final de una larga y sangrienta guerra, una imagen que suspende la acción como un punto fijo en una habitación cerrada y parece pedir al espectador que suspenda el juicio sobre el apuesto y sereno general Lee, elemento central de la composición de Guillaume.

Sentados a ambos lados de una pequeña mesa, él y Grant se comportaron de acuerdo con los códigos de honor masculinos que se esperaban de los hombres de su poder, estatus y raza. El hecho de que Rauschenberg incluyera esta imagen en una obra de arte como un posible ejemplo de conducta masculina sugiere no solo que puede haber muchas formas diferentes de «sentirse hombre», sino que las posibilidades pueden implicar formas de privilegio no reconocidas ni siquiera por el artista.

Catherine Craft

112

Andrew Wyeth
Chadds Ford, 1917-2009

Mi joven amiga
1970

Temple sobre masonita, 81,3 × 63,5 cm
Museo Nacional Thyssen-Bornemisza,
Madrid, inv. 787 (1978.74)

113

Raphael Soyer

Borisoglebsk, Rusia, 1899-Nueva York, 1987

Autorretrato
1980

Óleo sobre lienzo, 61 × 50,8 cm
Museo Nacional Thyssen-Bornemisza,
Madrid, inv. 762 (1981.41)

ESPACIO URBANO/ OCIO Y CULTURA URBANA

114

Winslow Homer

Boston, 1836-Prouts Neck, 1910

Waverly Oaks
1864

Óleo sobre papel adherido a tabla,
33,6 × 25,4 cm
Museo Nacional Thyssen-Bornemisza,
Madrid, inv. 589 (1980.87)

115

William Merritt Chase
Nínive, 1849-Nueva York, 1916

En el parque (Un camino)
hacia 1889

Óleo sobre lienzo, 35,5 × 49 cm
Colección Carmen Thyssen,
inv. CTB.1979.15

116

Childe Hassam

Dorchester, 1859-East Hampton, 1935

Día lluvioso. Columbus Avenue, Boston
hacia 1885

Óleo sobre lienzo, 38 × 46 cm
Thyssen-Bornemisza Collections,
inv. 1989.3

117

Maurice Prendergast
Saint John's, Canadá, 1858-Nueva York, 1924

El hipódromo (Piazza Siena, jardines Borghese, Roma)
1898

Acuarela sobre papel, 35,6 × 46,6 cm
Museo Nacional Thyssen-Bornemisza,
Madrid, inv. 718 (1982.6)

118

John Sloan

Lock Haven, 1871-Hanover, 1951

Surtidor en Madison Square
1907

Óleo sobre lienzo, 66 × 81,5 cm
Museo Nacional Thyssen-Bornemisza,
Madrid, inv. 761 (1979.2)

119

Winslow Homer
Boston, 1836-Prouts Neck, 1910

Escena de playa
hacia 1869

Óleo sobre lienzo adherido a cartón,
29,3 × 24 cm
Colección Carmen Thyssen,
inv. CTB.1985.12

120

Samuel S. Carr

[Reino Unido], 1837-Brooklyn, 1908

Escena de playa con teatrillo de títeres
hacia 1880

Óleo sobre lienzo, 15,2 × 25,4 cm
Colección Carmen Thyssen,
inv. CTB.1982.15

121

Milton Avery
Altmar, 1885-Nueva York, 1965

Ensenada canadiense
1940

Óleo sobre lienzo, 81,2 × 121,9 cm
Museo Nacional Thyssen-Bornemisza,
Madrid, inv. 457 (1980.30)

122

Ben Shahn

Kaunas, Lituania, 1898-Nueva York, 1969

Parque de atracciones
1946

Temple sobre masonita, 56 × 75,5 cm
Museo Nacional Thyssen-Bornemisza,
Madrid, inv. 756 (1979.71)

123

Ben Shahn

Kaunas, Lituania, 1898-Nueva York, 1969

Orquesta de cuatro instrumentos
1944

Temple sobre masonita, 45,7 × 60,1 cm
Museo Nacional Thyssen-Bornemisza, Madrid, inv. 754 (1977.42)

124

Marsden Hartley
Lewiston, 1877-Ellsworth, 1943

Tema musical n.º 2 (Preludios y fugas de Bach)
1912

Óleo sobre lienzo adherido a masonita, 61 × 50,8 cm
Museo Nacional Thyssen-Bornemisza, Madrid,
inv. 575 (1983.2)

125 →

John Marin
Rutherford, 1870-Cape Split, 1953

Abstracción
1917

Acuarela sobre papel, 68 × 55,5 cm
Museo Nacional Thyssen-Bornemisza,
Madrid, inv. 663 (1982.11)

128

Stuart Davis

Filadelfia, 1892-Nueva York, 1964

Pochade

1956-1958

Óleo sobre lienzo, 132,1 × 152,4 cm
Museo Nacional Thyssen-Bornemisza,
Madrid, inv. 514 (1977.38)

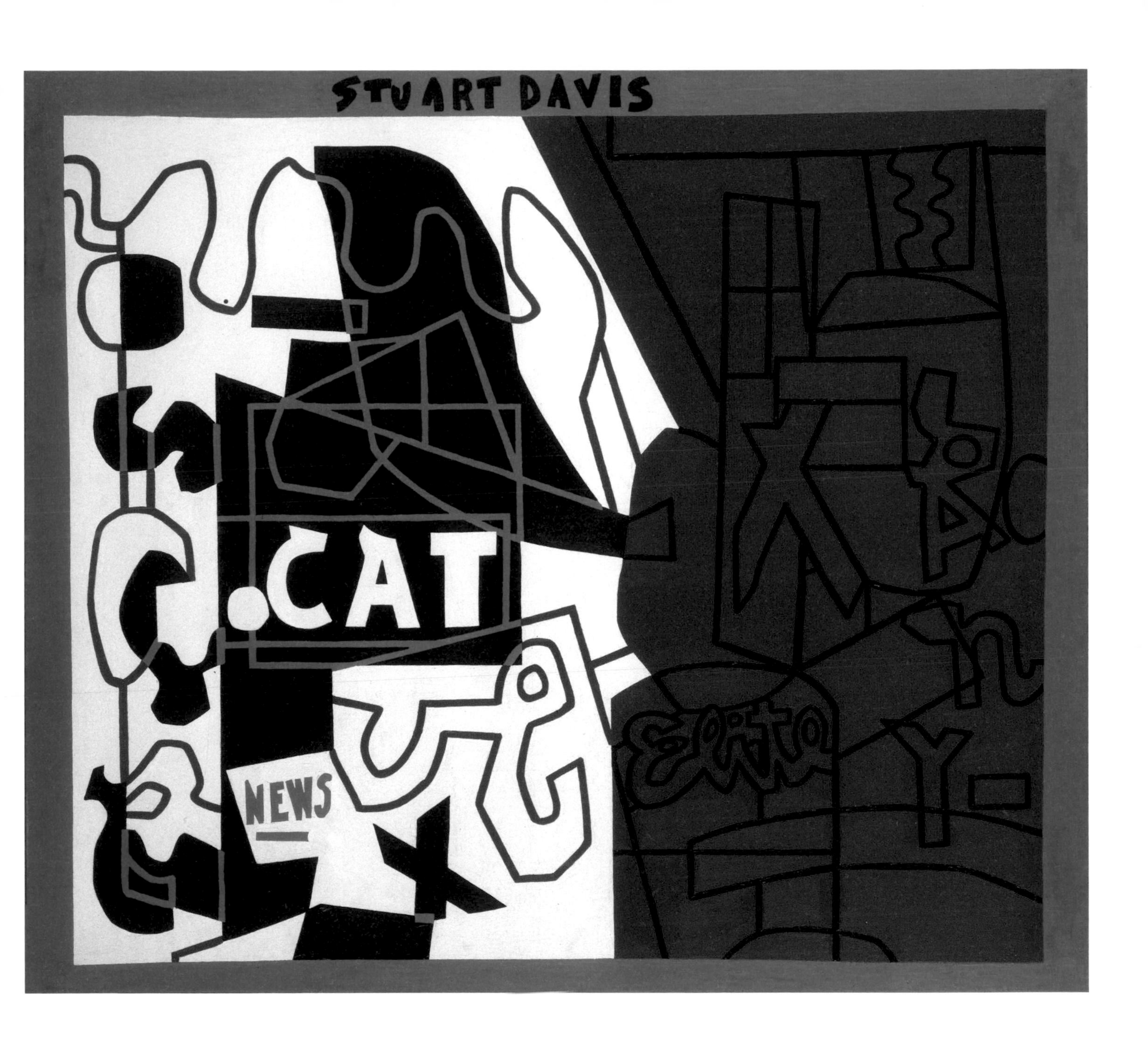
STUART DAVIS
.CAT
NEWS

4/CULTURA MATERIAL

Alba Campo Rosillo

James Rosenquist
Vidrio ahumado
1962

[detalle de cat. 140]

VOLUPTUOSIDAD

> Guante, polen, rata, tapón, palo. Cuando me encontraba con estos elementos, fluctuaban entre ser desechos y ser cosas, entre ser, por un lado, algo que ignorar [...] y, por otro, algo que llamaba la atención por sí mismo, que existía más allá de su asociación con significados, hábitos o proyectos humanos[1].

La teórica política Jane Bennett expresa con su evocadora prosa la experiencia de ver objetos desechados y cómo estos actúan para conseguir que alguien se fije en ellos[2]. Esta comprensión del efecto recíproco que tienen las cosas y las personas constituye una celebración de la vida y los sentidos, encapsulada en el término latino *voluptas*.

Una imagen recurrente en la pintura de bodegones es la combinación de objetos y comida, como en el arreglo frutal sin fecha de Paul Lacroix [cat. 129]. El foco de luz que ilumina intensamente la composición desde la izquierda destaca el brillo de las uvas y las frambuesas, la redondez de las manzanas y las formas rizadas de las vides. Estas cualidades táctiles reverberan en la efervescencia sonora de la copa de sidra. La imagen ensalza la fertilidad de la tierra americana y la calidad de sus productos. También funciona como documento de las costumbres y la política de la época. Para evitar envenenarse con aguas impuras, los americanos bebían alcohol, por ejemplo sidra, durante el día[3]. La presencia de la mazorca de maíz hace referencia al cultivo que unía a las naciones indígenas americanas y que los indios enseñaron a cultivar a los colonos[4]. La rodaja de sandía hace referencia, a su vez, a los orígenes de esta fruta en África, donde los comerciantes europeos almacenaban mercancías y cautivos para abastecer al Nuevo Mundo[5]. Así pues, la representación aparentemente inocente de unas frutas se convierte en un ensayo visual sobre la historia colonial y sus legados. Miguel Luciano completa este relato en su serie «*Plataino*» *puro* [fig. 47], donde presenta una versión chapada en platino de un plátano verde (de ahí el humorístico título), una fruta parecida al plátano pero de una pulpa almidonada que es un símbolo de los productos latinoamericanos y adquiere aquí connotaciones sexuales y una estética hip hop que conectan el pasado colonial con la actualidad.

Igualmente reveladora es la visión moderna del género de la naturaleza muerta que ofrece Stuart Davis en *Bolsas de té Tao y tetera*, de 1924 [cat. 134] donde el artista crea áreas de bloques de color alrededor de las figuras de una tetera, un vaso con una rodaja de limón, una lata y tres bolsas de té, en una composición claramente inspirada en el cubismo. La obra alude a dos aspectos de la época: la comercialización del té en bolsitas o «bolas», en contraposición a hojas sueltas, y la prohibición nacional de producir y vender bebidas alcohólicas. La Ley Seca (1920-1933) reorientó los hábitos de la población estadounidense hacia el consumo de té y alimentó el furor por los salones de té, donde las mujeres se convirtieron en los principales clientes y, a menudo, en las propietarias de los negocios[6]. El cuadro de Davis parece hacer una declaración sobre la renovada modernidad de esta bebida. Quizá también apuntaba hacia su dimensión metafísica, ya que el Tao es un concepto fundamental de la filosofía china: es la esencia de la vida, el camino natural y espontáneo en oposición al orden y la cultura humanos[7]. *Bolsas de té Tao y tetera* es una naturaleza muerta particularmente carente de vida, salvo por las dos rodajas de limón que se muestran. En un gesto claramente jocoso, el té no ha sido servido y la escena solo ofrece un bocado ácido.

Davis pertenecía a una generación de artistas estadounidenses de alrededor de la década de 1920 que aspiraban a crear un arte nacional moderno a través de la representación de lo cotidiano[8]. La pionera escritora moderna y *queer* Gertrude Stein (1874-1946) abrió el camino con sus «poemas realistas» que contemplaban lo cotidiano desde una perspectiva nueva. En «Una sustancia en un cojín» la escritora construye un drama mientras habla de este objeto sin vida:

> «What is the use of a violent kind of delightfulness if there is no pleasure in not getting tired of it. [...] A sight a whole sight and a little groan grinding makes a trimming. [...] The disgrace is not in carelessness nor even in sewing it comes out out of the way»[9].

Estos artistas, inspirados por la estética experimental, los temas familiares y la apertura erótica de Stein, expresaban en sus bodegones la necesidad de una regeneración espiritual que rechazaba el mundo industrializado[10]. En *La prímula*, de 1916-1917 [cat. 130], Charles Demuth representó esta planta en una maceta vista desde detrás de una ventana, jugando con la

1 Bennett 2010, p. 4.
2 *Ibid.*
3 Barter 2013, p. 107.
4 Roxanne Dunbar-Ortiz llama a esta red de naciones indígenas «pueblos del maíz», en Dunbar-Ortiz 2019, p. 49. Véase Zukas 2018.
5 La fuente que analiza los orígenes tanto del maíz como de la sandía es Barter y Madden 2013, pp. 60 y 62.
6 Whitaker 2002.
7 Matt Stefon, «Dao», en *Encyclopedia Britannica*, 14 de abril de 2016, disponible en https://www.britannica.com/topic/dao.
8 Costello 2011, pp. 185-186.
9 «De qué sirve un gozo violento si no existe el placer de no cansarse de él. [...] Una vista, toda una vista y un pequeño gemido moliendo hace un adorno. [...] La desgracia no está en el descuido ni siquiera en la costura que se sale del camino». Stein 1914.
10 Doss 1991, p. 33. La autora habla de Benton y menciona a Frank Lloyd Wright, Gustav Stickley y Gustav Klimt para demostrar que la suya era una preocupación generacional.

fig. 47

Miguel Luciano
«Plataino» puro, 2006
Plátano verde chapado en platino con cadena

geometría de los listones blancos de la ventana sobre el fondo oscuro. Así logra subrayar la extensión horizontal de los pecíolos con una fuerza eléctrica. Esta disposición hace que las flores, las hojas y los tallos parezcan más vivos. En *Bodegón con florero* de 1967 [cat. 131], Thomas Hart Benton, animado por el dinamismo barroco del arte de Miguel Ángel, pintó una escena en la que los pliegues de la cortina del fondo, las hojas que envuelven las flores e incluso el mantel de la mesa representan cualquier cosa menos una «naturaleza detenida» . En una línea similar, Georgia O'Keeffe se centró en objetos individuales para ayudar a los habitantes de las ciudades a «ver» realmente los elementos naturales y fundirse con ellos[11]. La flor de *Lirio blanco n.° 7* de 1957 [cat. 132], se abre al espectador revelando sus órganos reproductores ocultos. Está claro que, aunque practicaran estilos diferentes, estos artistas transmitieron la vida que recorre los cuerpos no humanos y que Jane Bennett denomina el «poder de las cosas»[12].

Este interés moderno por las naturalezas muertas fomentó un tratamiento formal estilizado de los componentes del cuadro. O'Keeffe estaba en comunión con la naturaleza mientras recogía conchas y tablones que encontraba, entre otras cosas, durante sus largos paseos[13]. Luego los reducía a superficies planas en las que experimentaba con el volumen y la luz, como en *Concha y viejo tablón de madera V*, de 1926 [cat. 133]. Al igual que O'Keeffe, Lee Krasner trabajaba en series a partir de la propia naturaleza. En composiciones como *Rojo, blanco, azul, amarillo, negro*, de 1939 [cat. 135], la artista representa versiones esencializadas de la realidad, reduciéndola a los tres colores primarios y eliminando la sombra[14]. Patrick Henry Bruce pintaba bodegones poblados de figuras geométricas con aspecto de bloques o «formas» [cat. 136]. Las formas se amontonan de forma lúdica, y su variación cromática le añade ritmo a la ya de por sí animada composición. Frank Stella continuaría la tendencia hacia la abstracción pintando formas puramente geométricas y acentuando la materialidad de sus lienzos en obras basadas en la realidad [cat. 137]. En sus propias palabras:

> Mi pintura se basa en el hecho de que solo existe lo que se puede ver. Es realmente un objeto. Cualquier pintura es un objeto y cualquiera que se dedique a esto tiene que enfrentarse al final a la objetualidad de lo que está haciendo. Está haciendo una cosa[15].

La insistencia de Stella en la objetualidad buscaba distanciar su obra de las tradiciones pictóricas anteriores creando obras de arte que encontraran y confrontaran a los espectadores en su propio mundo espacial y psicológico, un mundo de seres humanos y cosas con poder de actuación[16].

La interacción de lo humano y lo no humano es un motivo recurrente en la pintura de bodegones que los artistas pop explotaron para reflexionar sobre la cultura de consumo[17]. En *Desnudo n.° 1*, de 1970, de Tom Wesselmann [cat. 139], una mujer desnuda aparece tumbada y rodeada de una disposición típica de un bodegón: un florero con rosas, una naranja y un retrato fotográfico del artista. La repetición de líneas onduladas hace que la sensualidad del desnudo reverbere en toda la composición. *Mujer en el baño* de 1963 de Roy Lichtenstein [cat. 138], muestra igualmente una sugerente serie de curvas, acentuadas por la geometría de la pared de azulejos que hay detrás de la figura. La composición utiliza la imagen de una mujer tomada de un anuncio y la sitúa en el centro para reflexionar sobre la euforia comercial en Estados Unidos en la década de 1960. Manuel Rivas percibe en la sonrisa de la mujer el convencimiento de que el futuro había llegado y era estadounidense[18]. Las atractivas mujeres

11 Georgia O'Keeffe, citada en «Women Artists of America», *The Illustrated Weekly of India*, 4 de agosto de 1963, s. p.
12 Bennett 2010, pp. 2-4.
13 Ruiz del Árbol 2021, pp. 33-36.
14 Robertson 1986, s. p., y Hobbs 1999, p. 49.
15 Glaser 1966.
16 Véase Fried 1998.
17 Aunque tradicionalmente la pintura de bodegones no incluía personas, insinuaba la presencia humana mostrando alimentos mordidos o migajas y cubiertos dejados a la vista del espectador, entre otros ejemplos.
18 Rivas 1998, p. 46.

fig. 48

Carrie Mae Weems
Sin título (Mujer e hija con maquillaje), 1990
Gelatina de plata, 69,1 × 69,1 cm
Museum of Modern Art, Nueva York, donación de Helen Kornblum en honor de Roxana Marcoci, 71.2020

de la obra de Lichtenstein representan el ideal femenino de una década anterior, observa Diane Waldman, una imagen que proliferó en el momento en que los soldados americanos regresaron a casa para ocupar su lugar en la sociedad[19]. Una lógica inversa aparece en la obra en blanco y negro *Sin título (Mujer e hija con maquillaje)*, en la que Carrie Mae Weems [fig. 48] muestra a una madre y a su hija pintándose los labios frente a un espejo. Ellas controlan la representación y el embellecimiento de su cuerpo, hasta el punto de negar al espectador su reflejo en el espejo. La intrincada conexión entre la cultura material de consumo y el cuerpo femenino reaparece en la obra de James Rosenquist. En *Vidrio ahumado* [cat. 140], el artista muestra otro ejemplo de representación femenina sensual, en este caso en yuxtaposición con la imagen de un cigarrillo encendido y el faro de un coche. David McCarthy considera que la figura de la *pin-up* de los años treinta, objeto de las fantasías sexuales estadounidenses, se convirtió en un reclamo visual para vender cualquier cosa[20]. De hecho, esta obra constituye un mosaico de posibilidades publicitarias en el que la boca abierta de la mujer fija la composición y exhala el deseo de poseer los elementos adyacentes que aparecen en la naturaleza muerta.

TEMPUS FUGIT

El hecho de que todas las criaturas mueren es un concepto común de la pintura de bodegones («naturalezas muertas»), donde, un conjunto de lúgubres elementos iconográficos yuxtapuestos a objetos más alegres, insisten en recordarle al espectador su mortalidad. Vistas bajo este prisma sombrío, las tres representaciones sensuales de la mujer que acabamos de mencionar empiezan a aparecer como retratos sarcásticos, quizá como comentarios críticos sobre la cultura comercial de mediados del siglo pasado. El desnudo reclinado de Wesselmann funciona ahora como una mesa en la que colocar cosas, y su representación sin rostro la deshumaniza[21]; la mujer exhalante de Rosenquist se convierte en otro producto comercial por asociación. Representa la muerte de la mujer y el nacimiento de la *playmate* brillante que aparece en la revista *Playboy*[22]. La artista y activista mexicano-estadounidense Margarita Cabrera se suma a este sombrío panorama con sus esculturas blandas de electrodomésticos. Con artículos banales como una *Batidora rosa* [fig. 49], no solo parodia las esculturas de Claes Oldenburg, sino que expone el mundo consumista estadounidense que se aprovecha del trabajo de los mexicanos que fabrican las piezas más tóxicas en las *maquilas* del lado mexicano de la frontera. Los utensilios de cocina de Cabrera son inútiles y lúcidos, ya que su blandura encarna la deflación de la mencionada euforia comercial.

Merece la pena subrayar que la pintura de Rosenquist destaca dos productos comerciales fundamentes, a la par que mortales, de la cultura material en Estados Unidos: el tabaco y el automóvil. El tabaco es una planta autóctona de América Latina y la cuenca del Caribe que las comunidades nativas consumieron durante siglos como artículo medicinal y ritual[23]. La gran demanda mundial de tabaco y el régimen de esclavitud permitieron a los colonos estadounidenses ganar fortunas que ayudaron a financiar su guerra por la independencia[24]. De hecho, las hojas de tabaco sirvieron de moneda en la América colonial. El tabaco llegó a encarnar el producto americano por antonomasia, tal y como reflejó Stuart Davis en su búsqueda de la «obra americana realmente original» a través del uso de estos productos

19 Waldman 1993, pp. 13-21.
20 McCarthy 1998, p. 83.
21 Más sobre esta idea en Lobel 2016, p. 107. El desnudo como mesa fue explorado por los artistas surrealistas, como Salvador Dalí y René Magritte. Sobre la tendencia de Wesselmann y de los artistas pop en general a reutilizar y desdibujar géneros pictóricos tradicionales como la naturaleza muerta, el paisaje y el retrato, véase Alarcó 2014.
22 Hugh Hefner fundó *Playboy* en 1953.
23 Gilman y Zhou 2004, p. 9.
24 Véase Brandt 2009.

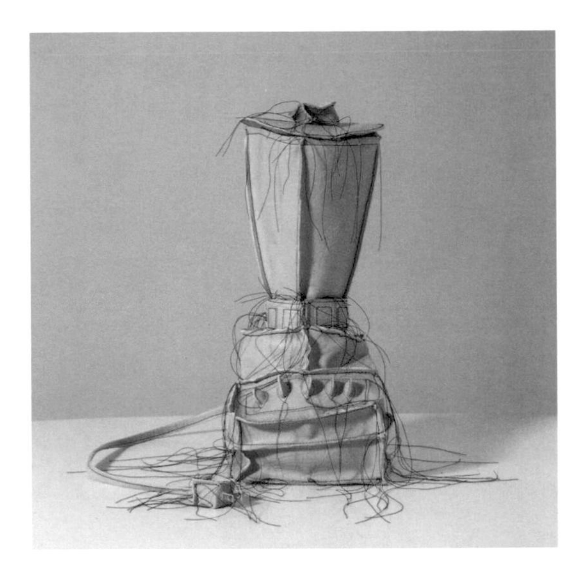

fig. 49

Margarita Cabrera
Batidora rosa, 2002
Vinilo, hilo y piezas de aparatos,
35,6 × 17,8 × 48,3 cm
Colección privada

fig. 50

Betye Saar
Los tiempos extremos requieren heroínas extremas, 2017
Técnica mixta y figura de madera sobre tabla de lavar vintage con reloj, 54,6 × 21,9 × 3,8 cm
New-York Historical Society, Nueva York. Cortesía de la artista y Roberts Projects

tratados con el estilo de la modernidad [cat. 143][25]. Ya en la década de 1880 se normalizó la producción y distribución de tabaco, y su publicidad ganó protagonismo. Los cuadros aquí presentados de John Frederick Peto y William Michael Harnett muestran bodegones con prominentes pipas de fumar que reflejan el ocio masculino según las pinturas holandesas de *tabakje* del siglo XVII [cats. 141 y 142]. Ross Barrett explica que fumar tabaco se publicitaba en la época como una experiencia escapista de contemplación. Reflexionando sobre la combinación de superficies táctiles con las intangibles estelas del humo, Barrett sostiene que fumar se presentaba como un placer burgués que transportaba a los fumadores de lo material a lo inefable[26].

Fumar establecía una asociación evidente con el paso del tiempo y la mortalidad en las pinturas de *memento mori*. La evanescencia del humo recordaba al espectador la transitoriedad de la vida, tanto como las migajas de galleta o las cerillas quemadas en el cuadro de Harnett. Asimismo el periódico *Bells Life in London and Sporting Chronicle*, con fecha del 3 de mayo de 1879, es un claro indicio del paso del tiempo. En su *assemblage* titulado *Cacatúa Juan Gris n.º 4*, de hacia 1953-1954 [cat. 145], Joseph Cornell también incluye el nombre de un periódico, *Le Soir*, que es en sí mismo una referencia temporal. El artista presenta el *collage* de un pájaro en una jaula, un ser no vivo inserto en un espacio para animales vivos. Dentro de la tradición de la pintura de bodegones, la inclusión de insectos o artículos en descomposición denotaba mortalidad, y la cacatúa plana de Cornell parece reflejar lo efímero de la vida. Para este artista, la mortalidad era un tema recurrente. En *Burbuja de jabón azul*, de 1949-1950 [cat. 144], plasmó el universo (la caja representa el mar con agua azul, arena y estrellas de mar, y cada lado interior de la caja muestra las constelaciones), su familia (cada cilindro suspendido personifica a un pariente) y el origen de la vida (con las dos copas); el anillo metálico suspendido es una herramienta para fabricar jabón, y las pompas de jabón se han asociado tradicionalmente con la fragilidad de la vida humana, que acaba tan fácilmente como explota una burbuja. La artista afroamericana Betye Saar reunió tablas de lavar en su serie *Mantenlo limpio* para denunciar la opresión racial. En *Los tiempos extremos requieren heroínas extremas* [fig. 50], una caricaturesca y racista figura vintage de una mujer negra se erige como superviviente del sistema de trabajo reglamentado identificado por el reloj que corona el objeto. Las pompas de jabón y la medición de tiempo lanzan gritos políticos en esta obra.

25 Haskell 2016, p. 4.
26 Barrett 2019, pp. 74-75. Para una historia más general de las representaciones visuales del uso del tabaco, véase Tempel 2004.

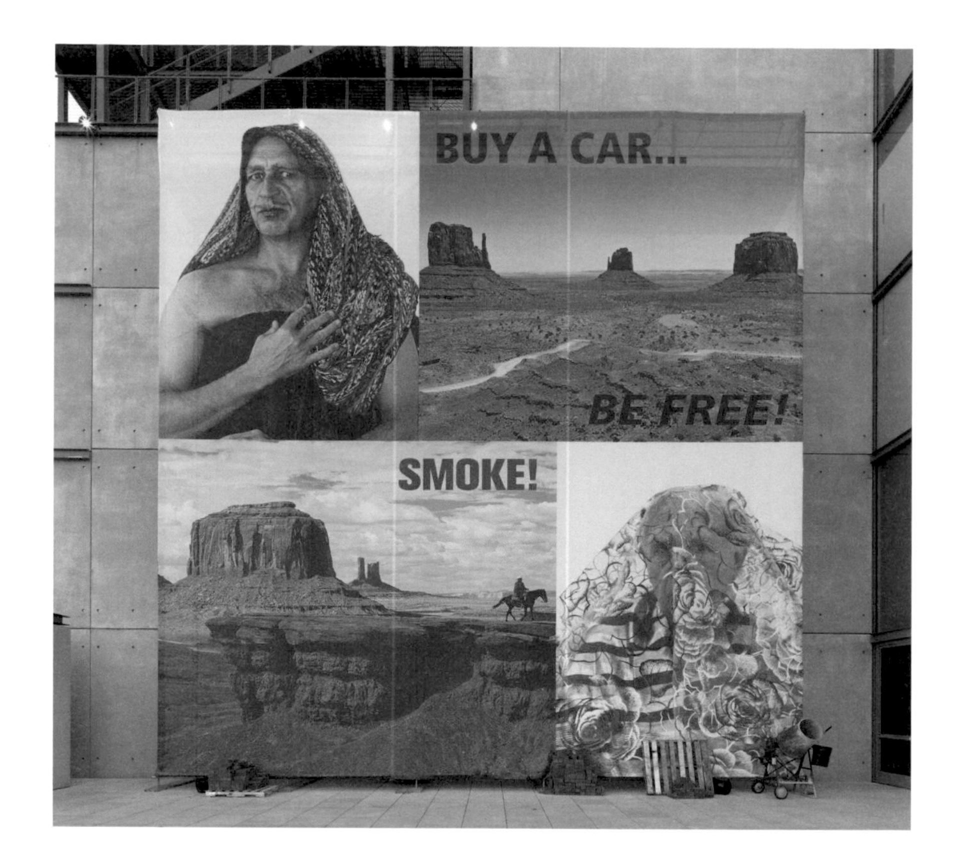

fig. 51

Jimmie Durham
Los libres y valientes, 2017
Andamio de tubos metálicos, malla de PVC impresa a medida, ladrillos, cubos de plástico y hormigonera. Instalación específica para el Whitney Museum of American Art, Nueva York, 3 de noviembre de 2017-28 de enero de 2018. Colección del artista, cortesía de kurimanzutto, Ciudad de México

El automóvil, el otro gran producto del consumismo estadounidense, está íntimamente relacionado con el tema de la fugacidad al ofrecer la posibilidad de la velocidad y el escapismo. El faro del coche de Rosenquist constituye una superficie sensual de brillantes reflejos, y representa a través de un fragmento el conjunto de la automoción en Estados Unidos. Cotton Seiler sostiene que entre 1895 y 1961 Estados Unidos experimentó la «era del automóvil», en la que «la automovilidad surgió como moldeadora de la política pública y del paisaje, como metáfora prescriptiva de las relaciones sociales y como forja de ciudadanos», donde «los horizontes de la ciudadanía llegaron a parecerse mucho a los de la conducción»[27]. El escultor, ensayista, poeta y activista Jimmie Durham ofrece una visión sarcástica del tema en *Los libres y valientes* [fig. 51]. Durham yuxtapone retratos de hombres emulando a mujeres seductoras y fotografías del desierto americano. Los eslóganes: «Compra un coche», «Sé libre» y «¡Fuma!» contrastan con el cabello y rostro velados, quizá en referencia a la opresión que sufren las mujeres en regiones petrolíferas de Oriente Medio. La obra denuncia la toma de las tierras ancestrales indígenas para la explotación petrolífera y parodia las fantasías de los hombres blancos estadounidenses sobre el desierto como lugar de libertad, y los automóviles y el tabaco como medios para conseguirla.

La cultura de la velocidad y de hacer las cosas en marcha se desarrolló al mismo tiempo que la proliferación de restaurantes de comida rápida por todo el país. En el cuadro *Nedick's* de Richard Estes, de 1970 [cat. 146], los edificios de enfrente se reflejan en el cartel redondo de Coca-Cola de un restaurante de comida rápida, auténticos iconos de la cultura material estadounidense. Curiosamente, John Wilmerding señala que el tema de los reflejos y las superficies acristaladas sirve para definir y curvar el espacio. Podría decirse que este cuadro también define y curva el tiempo, presentando la industria de la comida rápida en una imagen que requiere un examen pausado para aprehender todos sus detalles[28]. Como ilustra este texto, la cultura material es un aspecto crucial para entender la cultura, la historia, la economía y la política estadounidenses. Los motivos y las combinaciones son infinitos, pero expresan aspectos reveladores del momento en el que fueron pintados. Estes aporta la reflexión definitiva que conecta la cultura material con la realidad vivida: «Estando el mundo entero lleno de naturalezas muertas ¿no es ridículo componerlas?»[29].

27 Seiler 2008, p. 3.
28 Wilmerding 2006, p. 9.
29 Arthur 1978, p. 19.

RITUALES

La poeta y música muscogee Joy Harjo, primera escritora indígena estadounidense en obtener la distinción de Poeta Laureada, ha tendido un puente entre la cultura material dominante en Estados Unidos y la cultura expresiva indígena:

> RED-Each of us is a wave in the river of humanity. If we break we bleed out. If we move forward together, we are bound together by scarlet waters of belief. One side is war. One side feeds the generations. We are bright with the need for life[30].

Harjo expone con lucidez la interconectividad entre los seres y afirma con fuerza su impulso bifronte: violencia y cuidados. De hecho, la idea de un mundo complejo y lleno de vida es algo que se siente y se proclama claramente en la cultura expresiva indígena, que abarca desde la danza, los abalorios y la joyería hasta la alfarería, la cestería y la pintura, entre otras formas[31]. Artistas foráneos como el mencionado Karl Bodmer prestaron mucha atención a estas manifestaciones culturales[32]. En *Utensilios y armas indígenas I* [cat. 148], Bodmer captó el mundo artesanal de las culturas de las llanuras estadounidenses[33]. Extendido por toda la página para permitir un estudio detallado, Bodmer ofrece un inventario visual de instrumentos que representan los ámbitos del juego y de la guerra. Esta selección refleja el interés personal del artista, al igual que sucede en un segundo grabado que reproduce su fijación por tales objetos [cat. 149]. En este último, el artista colocó en el centro una piel de bisonte pintada por el jefe mandan Mató-Tópe (Cuatro Osos). La pieza recoge en viñetas descriptivas las exitosas hazañas bélicas del jefe contra sus oponentes assiniboin y cheyenne. Esta manifestación visual de la guerra se centra en las armas utilizadas y en el número de flechas y disparos efectuados en un lenguaje pictográfico de gran especificidad.

La precisión con la que Bodmer reprodujo los objetos indígenas contrasta con su descuidada selección. Por un lado, el artista mezcló en un solo inventario imágenes de artefactos producidos por las distintas naciones indígenas de los assiniboin, cheyenne, crow, fox, hidatsa, mandan y sauk, algunas de ellas en guerra contra las otras; el único factor aglutinador de todas estas naciones eran los viajes del propio artista por sus tierras ancestrales. Por otro lado, Bodmer pasó por alto artefactos de igual importancia y belleza, como las vasijas y las cestas fabricadas para almacenar y transportar mercancías. Aunque los hombres eran los principales usuarios de los objetos representados, estos eran en su mayor parte producidos por las mujeres[34], algo extensivo a gran parte de las naciones indígenas.

De todas las naciones que Bodmer visitó, pasó el periodo más largo entre los mandan, habitantes de la actual Dakota del Norte a lo largo de las aguas del río Misuri. *Interior de la cabaña de un jefe mandan* [cat. 150], en la aldea de Mih-Tutta-Hang-Kusch presenta los objetos mencionados anteriormente y algunos otros situándolos en su contexto. La escena doméstica muestra a varias personas sentadas en el centro, además de algunos lobos y caballos. El cesto que cuelga del poste de la izquierda exhibe los adornos geométricos abstractos característicos del trabajo femenino. Junto con la cazuela al pie del poste, la pala apoyada en él y otros utensilios cercanos en el suelo forman un arreglo temático. Esta agrupación de objetos define la esfera femenina y se opone al conjunto de artículos de guerra masculinos del lado contrario. Los mandan se organizaban según un sistema matrilineal y matrilocal en el que las mujeres construían y gestionaban las cabañas en las que convivían varias familias[35]. Era la cultura expresiva femenina la que sistematizaba la vida en la aldea nativa.

Fuera del poblado, el paisaje estaba salpicado de santuarios y recintos funerarios. En *Ídolos mandan*, de las mismas fechas [cat. 151], Bodmer captó a una persona frente a dos grandes postes, ambos envueltos con pieles en la parte superior y dispuestos para parecer seres humanos. Una de estas figuras representa al «Primer Hombre», la deidad que lo creó todo. La otra efigie es la «Anciana que Nunca Muere», una divinidad objeto de culto para asegurar la lluvia y las buenas cosechas, así como el éxito en la medicina y la guerra. Los mandan eran semisedentarios: cultivaban sus campos, donde cosechaban varios tipos de maíz, y cazaban bisontes, cuya carne comían y cuyas pieles empleaban para vestirse, entre otros usos. También utilizaban los cráneos de bisonte para proteger los recintos funerarios que contenían los restos de sus antepasados y las ofrendas rituales [cat. 152]. No es de extrañar, pues, que los mandan celebrasen durante todo el año rituales para atraer, acorralar y asegurarse un gran número de bisontes[36].

30 «ROJO-Cada uno de nosotros es una onda en el río de la humanidad. Si nos separamos nos desangramos. Si avanzamos juntos estamos unidos por las aguas escarlatas de la creencia. Un lado es la guerra. Un lado alimenta a las generaciones. Brillamos con la necesidad de la vida» en Harjo 2019, p. 27.

31 Para saber más sobre el concepto de cultura expresiva, véase Feintuch 2003.

32 Véanse las pp. 19-20 del ensayo de Paloma Alarcó, y el capítulo «Interacciones» (pp. 111-113) en esta misma publicación.

33 Las fuentes para la iconografía y la identidad de los personajes de los grabados son Goetzam et al. 1984 y Gallagher y Tyler 2004.

34 Stolle 2017, p. 14.

35 Bowers 1950, p. 37.

36 *Ibid.*, pp. 9, 108 y 305.

fig. 52

Wendy Red Star
Otoño, de la serie *Las cuatro estaciones*, 2012
Impresión con pigmento perdurable
sobre papel, 53,3 × 61 cm
Minneapolis Museum of Art, Mineápolis,
legado de Virginia Doneghy, por intercambio,
2012.69.1

El uso de cráneos de bisonte como protección se extendió a otras naciones, como los assiniboin, cuyo sistema de vida giraba en torno a este animal[37]. Los niños y las agrupaciones sociales recibían nombres de bisonte, y tanto los curanderos como los jefes confiaban en el Espíritu Bisonte[38]. En *Monumento mágico assiniboin* [cat. 153], Bodmer representó un cráneo de bisonte sobre varias rocas dispuestas para formar un cuerpo, ilustrando la importancia del bisonte en la cosmología indígena.

Sin embargo, la población de bisontes empezó a disminuir en las Grandes Llanuras a principios del siglo XIX. La llegada de grupos indígenas de la costa este multiplicó el número de cazadores en la región, que competían con los cazadores blancos profesionales que masacraron la especie para vender sus pieles en el mercado internacional de la moda. Por último, las políticas federales de Estados Unidos arrinconaron a los indios en reservas (1850-1887) para apropiarse de las tierras indígenas. La práctica extinción del bisonte americano en torno a 1900 y la pérdida de los derechos de pastoreo y de acceso al agua amenazaron la subsistencia de los vaqueros, abriendo la puerta a la idea de que los espacios salvajes de la frontera occidental habían sido domesticados[39]. A esto le siguió la nostalgia por ese mundo perdido, cuyas representaciones proliferaron. En la actualidad, la artista apsáalooke (crow) Wendy Red Star crea fotografías de escenas muy artificiales para burlarse de las idealizaciones románticas de la cultura indígena, como sucede en *Otoño* de la serie *Las cuatro estaciones* (2012) [fig. 52]. Sentada en una hierba falsa frente a un fondo de estudio, la artista posa con trajes tradicionales junto a animales hinchables, flores de plástico y una calavera, parodiando los dioramas de animales del neoyorkino National History Museum con humor y un serio mensaje político: los nativos no son simples ni están más cerca de la naturaleza, pero conviven a diario con el legado colonial del despojo de sus tierras.

Red Star responde a imágenes e ideas como las que constituyen la obra de Frederic Remington, en la que se idealiza la cultura indígena. Este artista visual y escritor afincado en el norte del estado de Nueva York dedicó su carrera a retratar una idea romántica del Oeste. Su escultura *La señal del bisonte*, de 1902 [cat. 155], presenta la imagen de un indígena

37 Originarios de las Grandes Llanuras del norte de Norteamérica, los assiniboin se encuentran actualmente en la región canadiense de Saskatchewan. Para más información, véase la entrada de David Reed Miller, «Nakota (Assiniboine)», disponible en https://teaching.usask.ca/indigenoussk/import/nakota_assiniboinc.php.
38 Kennedy 1961, p. 63.
39 Zontek 2007, pp. 25-27 y 53. Véase Besaw 2013, p. 27.

fig. 53

Luis Jiménez
Vaquero, modelado en 1980/fundido en 1990
Uretano acrílico, fibra de vidrio y armadura de acero, 505,5 × 289,6 × 170,2 cm
Smithsonian American Art Museum, Washington, donación de Judith y Wilbur L. Ross, Jr., Anne y Ronald Abramson, y Thelma y Melvin Lenkin, 1990.44

montado a caballo que agita al aire una piel de bisonte con la mano derecha mientras sostiene un rifle con la izquierda. El gesto de la mano derecha era un mensaje que enviaban los exploradores a sus aliados, posiblemente soldados estadounidenses, para indicarles que podían avanzar sin ser víctimas de una emboscada. Pero la escultura es una ficción: en 1902 ya escaseaban los bisontes y las relaciones entre los nativos y los oficiales estadounidenses eran tensas[40]. *El trampero*, de 1903 [cat. 154], es otra figura muy improbable[41]. La figura va montada a caballo y lleva todo tipo de artilugios necesarios para la caza de animales. Inclina la parte superior del cuerpo hacia atrás y se sujeta al caballo a la altura de la grupa del animal. La aparente despreocupación del trampero contrasta vivamente con el paso imposible que el caballo está a punto de dar en un terreno muy escarpado. Mediante su tensión interna, ambas esculturas sugieren la precariedad de los mundos que representan. En la actualidad, Luis Jiménez ofrece una imagen opuesta del hombre de las montañas en *Vaquero* [fig. 53], una interpretación de un vaquero mexicano-americano que destaca las raíces españolas y mexicanas de la figura. La composición es un alarde de diseño escultórico, con un sólido equilibrio que se consigue armonizando el hombre y el caballo.

Las fuerzas antagónicas que subyacen a la relación entre los colonos estadounidenses y las comunidades indígenas se manifiestan teatralmente en *La negociación*, de hacia 1903, de Frederic Remington [cat. 156]. El cuadro recrea un encuentro entre un hombre de la frontera y un jinete indígena en un lugar indeterminado del Oeste. El colono, identificado por su atuendo occidental y su prominente bigote rubio, está de pie con el brazo derecho en jarras. Su mano derecha está ostensiblemente cerca del revólver, mientras que en la izquierda sostiene agresivamente un rifle en posición horizontal; el humo de la hoguera se eleva hasta el rifle, y desde allí gira en dirección al indio. Este está tranquilamente sentado a horcajadas en su caballo blanco y levanta la mano derecha en señal de paz. Curiosamente, la paleta amarilla y lila es tanto un préstamo de las tonalidades del impresionismo como el resultado del trabajo comercial del artista para las revistas ilustradas. La tecnología de reproducción fotomecánica en cinco tintas que se utilizaba en estas publicaciones producía bloques de color[42]. En la pintura, este recurso le confiere una cualidad irreal a la escena, cuyo carácter onírico y la falta de especificidad geográfica sirven para «descontextualizar y estetizar el conflicto fronterizo», en palabras de Alan Braddock[43]. Esta lucha tan seria como real por la tierra y la supervivencia estaba mediatizada por la cultura material y expresiva de las distintas partes implicadas, lo que pone de manifiesto una vez más el poder de las cosas.

40 Sharp 2012, pp. 253-254.
41 Clark 2012, p. 186.
42 Neff 2000, p. 90.
43 Braddock 2006, p. 40.

CULTURA MATERIAL/ VOLUPTUOSIDAD

129

Paul Lacroix
[Francia], 1827-Nueva York, 1869

La abundancia del verano
s. f.

Óleo sobre lienzo, 64 × 76,5 cm
Colección Carmen Thyssen,
inv. CTB.1991.9

130

Charles Demuth
Lancaster, 1883-1935

La prímula
1916-1917

Temple sobre cartulina, 42,5 × 31,7 cm
Museo Nacional Thyssen-Bornemisza,
Madrid, inv. 522 (1981.42)

131

Thomas Hart Benton

Neosho, 1889-Kansas City, 1975

Bodegón con florero
1967

Óleo sobre temple sobre masonita, 63,5 × 41 cm
Colección Carmen Thyssen, inv. CTB.1996.24

132 ←

Georgia O'Keeffe
Sun Prairie, 1887-Santa Fe, 1986

Lirio blanco n.º 7
1957

Óleo sobre lienzo, 102 × 76,2 cm
Museo Nacional Thyssen-Bornemisza, Madrid, inv. 697 (1979.36)

133

Georgia O'Keeffe
Sun Prairie, 1887-Santa Fe, 1986

Concha y viejo tablón de madera V
1926

Óleo sobre lienzo, 76,2 × 46 cm
Museo Nacional Thyssen-Bornemisza, Madrid, inv. 698 (1980.10)

134

Stuart Davis

Filadelfia, 1892-Nueva York, 1964

Bolsas de té Tao y tetera
1924

Óleo sobre tabla, 46 × 61 cm
Thyssen-Bornemisza Collections,
inv. 1983.3

135

Lee Krasner

Nueva York, 1908-1984

Rojo, blanco, azul, amarillo, negro
1939

Collage y óleo sobre papel, 63,5 × 48,6 cm
Thyssen-Bornemisza Collections,
inv. 1978.9

136

Patrick Henry Bruce
Campbell, 1881-Nueva York, 1936

Pintura. Naturaleza muerta
hacia 1923-1924

Óleo y lápiz sobre lienzo, 64,5 × 80,6 cm
Museo Nacional Thyssen-Bornemisza,
Madrid, inv. 481 (1980.31)

137

Frank Stella

Malden, 1936

Sin título
1966

Acrílico sobre lienzo, 91,5 × 91,5 cm
Museo Nacional Thyssen-Bornemisza, Madrid, inv. 765 (1983.31)

138

Roy Lichtenstein
Nueva York, 1923-1997

Mujer en el baño
1963

Óleo y Magna sobre lienzo, 173,3 × 173,3 cm
Museo Nacional Thyssen-Bornemisza,
Madrid, inv. 648 (1978.92)

139

Tom Wesselmann

Cincinnati, 1931-Nueva York, 2004

Desnudo n.º 1

1970

Óleo sobre lienzo, 63,5 × 114,5 cm
Museo Nacional Thyssen-Bornemisza,
Madrid, inv. 783 (1974.53)

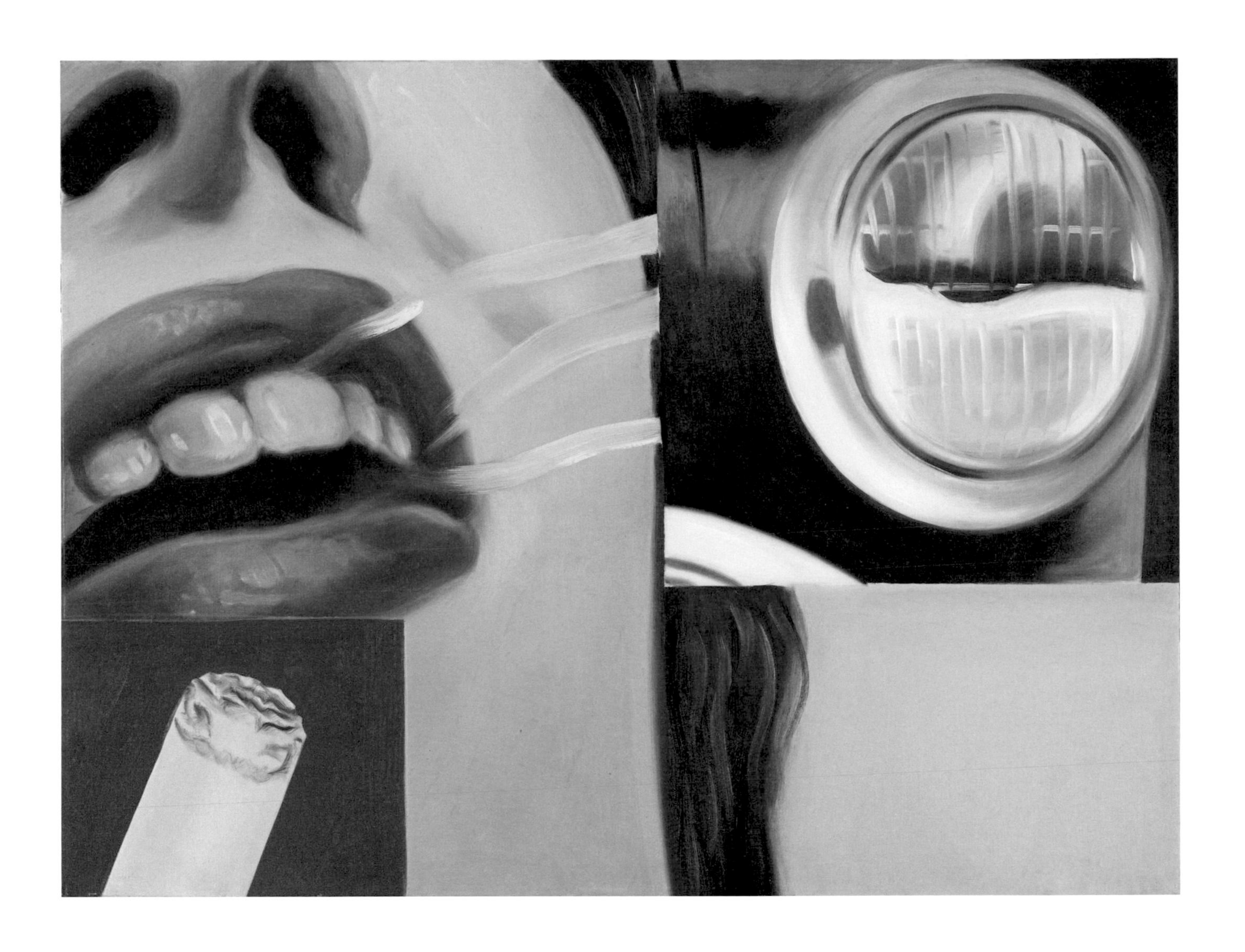

140

James Rosenquist

Grand Forks, 1933-Nueva York, 2017

Vidrio ahumado

1962

Óleo sobre lienzo, 61 × 81,5 cm

Museo Nacional Thyssen-Bornemisza, Madrid, inv. 728 (1977.20)

CULTURA MATERIAL/
TEMPUS FUGIT

141

William Michael Harnett

Clonakilty, Irlanda, 1848-Nueva York, 1892

Objetos para un rato de ocio
1879

Óleo sobre lienzo, 38 × 51,5 cm
Museo Nacional Thyssen-Bornemisza,
Madrid, inv. 574 (1979.69)

142

John Frederick Peto

Filadelfia, 1854-Nueva York, 1907

Libros, jarra, pipa y violín
hacia 1880

Óleo sobre lienzo, 63,7 × 76,1 cm
Museo Nacional Thyssen-Bornemisza,
Madrid, inv. 702 (1982.19)

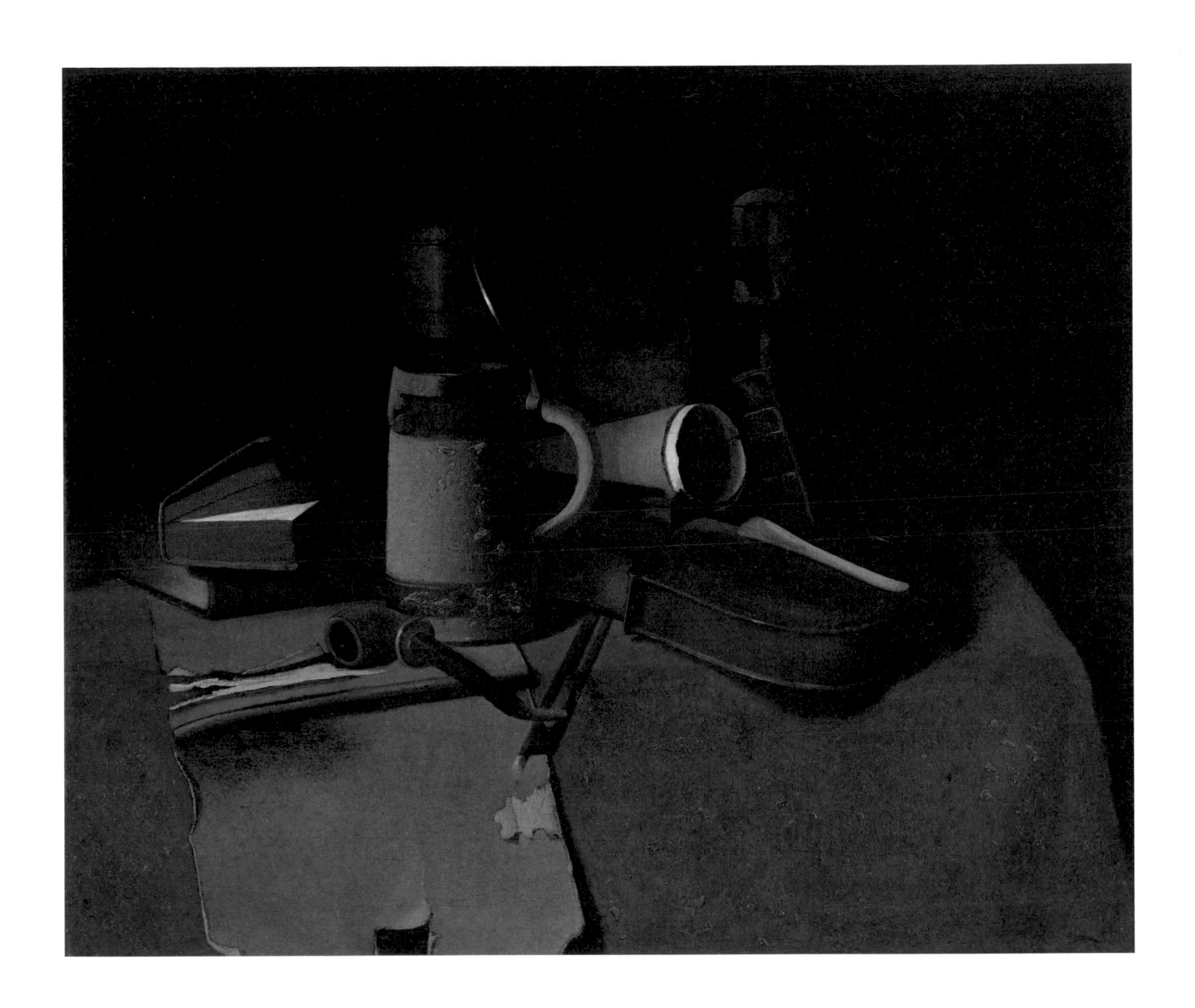

143

Stuart Davis

Filadelfia, 1892-Nueva York, 1964

Sweet Caporal

1921

Óleo y acuarela sobre cartón entelado, 51 × 47 cm
Museo Nacional Thyssen-Bornemisza, Madrid,
inv. 513 (1973.55)

A primera vista, *Sweet Caporal* de Stuart Davis parece pregonar su presunta americanidad sin complejos. Adopta un esquema de color rojo, blanco y azul; incluye una referencia a «U. S. America», tomada del paquete de cigarrillos que da título al cuadro; y conecta con las tendencias en materia de imagen de marca y empaquetado que llegaron a identificarse con la cultura de consumo estadounidense a principios del siglo XX. Sin embargo, cualquier alegato que pueda hacer el cuadro en favor de un enfoque artístico alineado con la identidad nacional resulta tan provisional como la posición de Estados Unidos en el escenario mundial en esa misma época, varias décadas antes de la declaración del editor Henry Luce sobre un «siglo americano» triunfal.

Hay una cierta indecisión o indefinición en varios aspectos de la pintura, que pertenece a la serie de los llamados «cuadros de tabaco» de Davis, imágenes de marcas de cigarrillos que el artista creó a principios de la década de 1920. Por ejemplo, las influencias artísticas en las que se basa son numerosas y geográficamente variadas. Si, por un lado, su interés en un objeto común (y posiblemente desechado) remite a la visión urbana cotidiana de los artistas estadounidenses de la Ashcan School (literalmente, Escuela del Cubo de Basura), una generación anterior que Davis conocía bien, también adopta la sensibilidad del *collage* tomada del cubismo francés. En sus escritos de esa época, Davis se identificaba también con los esfuerzos de los dadaístas, tanto de los que se habían quedado en Europa, como Kurt Schwitters (1887-1948), como de los que emigraron a Nueva York, como Marcel Duchamp (1887-1968) y Francis Picabia (1879-1953). Aún más equívoco resulta su tratamiento general del paquete de cigarrillos. Algunas secciones aparecen representadas con un cuidadoso y detallado *trompe l'oeil*, como el borde superior rasgado que proyecta una sombra ilusionista. Otros elementos, por el contrario, reciben un tratamiento más abstracto y estilizado, como la sección de la parte inferior derecha, que parece contener líneas de texto plasmadas esquemáticamente, lo que implica un punto de vista más distanciado o remoto. El cuadro de Davis parece preguntar: «¿Quiénes somos —y dónde estamos— los observadores? ¿Estamos cerca o lejos? ¿Atentos y concentrados, o desinteresados y desconectados?

Junto a los mencionados emblemas de la identidad nacional, las diversas referencias marciales del cuadro, como los cascos militares y el nombre del producto que alude al término francés para cabo, invitan a una lectura política. Los críticos han detectado en esta combinación de elementos un vínculo con la Primera Guerra Mundial, acabada apenas unos años antes[1]. En ese contexto, una cierta dosis de provisionalidad resultaba adecuada. Estados Unidos había entrado en la guerra con no pocas vacilaciones, que siguieron marcando su actuación en el periodo de posguerra, por ejemplo, en su negativa a ingresar en la Sociedad de Naciones. En 1922 el expresidente estadounidense William Howard Taft, en un discurso pronunciado en Londres sobre la alianza de Estados Unidos con las naciones del mundo tras la Gran Guerra, advirtió a su audiencia europea de que el progreso del país sería más lento de lo que algunos desearían[2]. Si el enfoque geopolítico de Estados Unidos en esa época podía considerarse mesurado, exploratorio y tentativo, estos mismos calificativos sirven para describir el desarrollo de un lenguaje visual moderno por parte de sus artistas, entre ellos el propio Davis.

Michael Lobel

1 Véase, por ejemplo, Zabel 1991, p. 63.

2 «Taft Asks Britons Not to Be Misled by Factions Here», en *New York Times*, 20 de junio de 1922, p. 1.

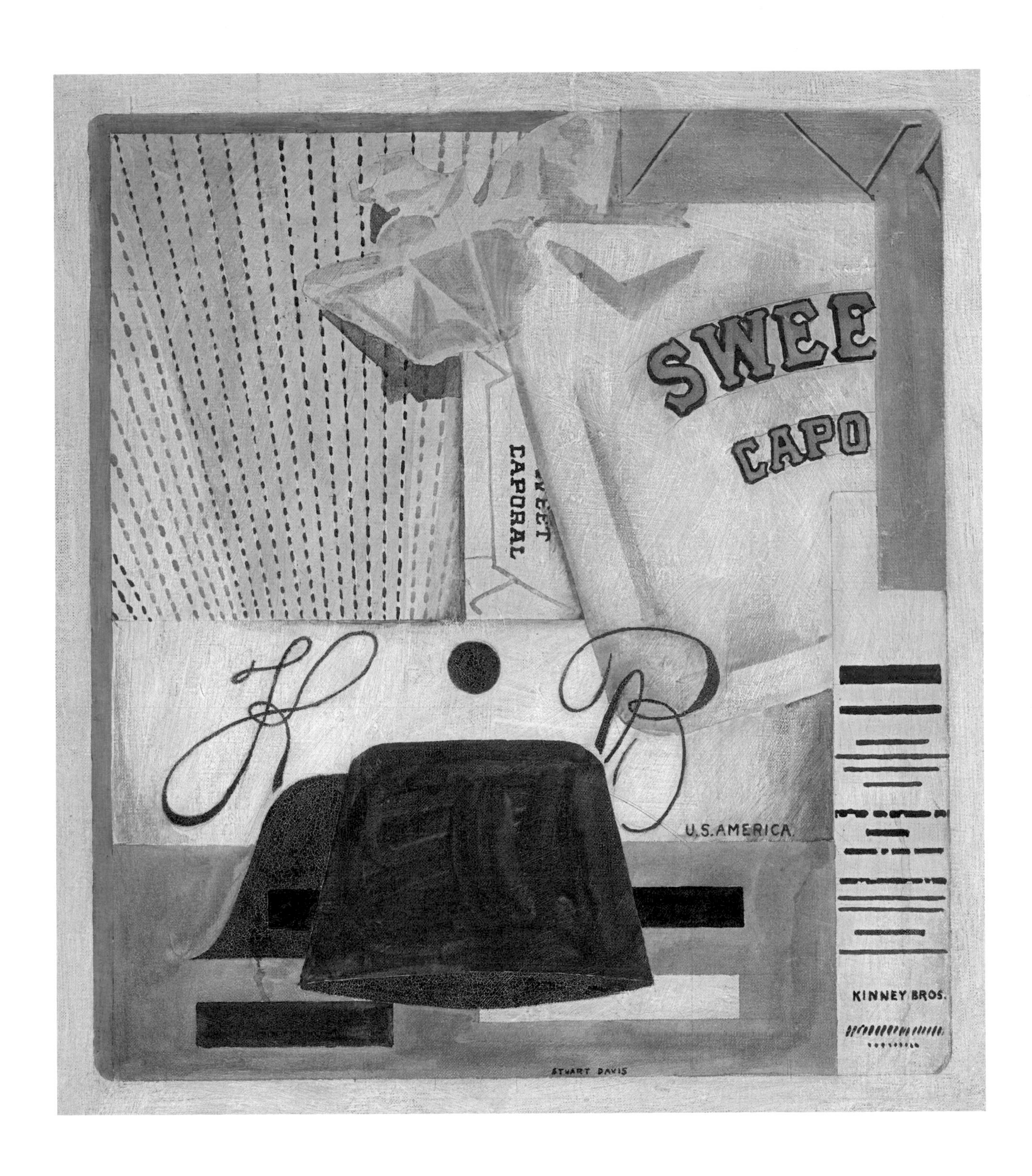
SWEE
CAPO
CAPORAL
U.S.AMERICA.
KINNEY BROS.
STUART DAVIS

144

Joseph Cornell
Nyack, 1903-Flushing, 1972

Burbuja de jabón azul
1949-1950

Construcción, 24,5 × 30,5 × 9,6 cm
Museo Nacional Thyssen-Bornemisza, Madrid, inv. 492 (1978.11)

145 →

Joseph Cornell
Nyack, 1903-Flushing, 1972

Cacatúa Juan Gris n.º 4
hacia 1953-1954

Construcción y *collage*, 50 × 30 × 11,5 cm
Museo Nacional Thyssen-Bornemisza, Madrid, inv. 491 (1976.77)

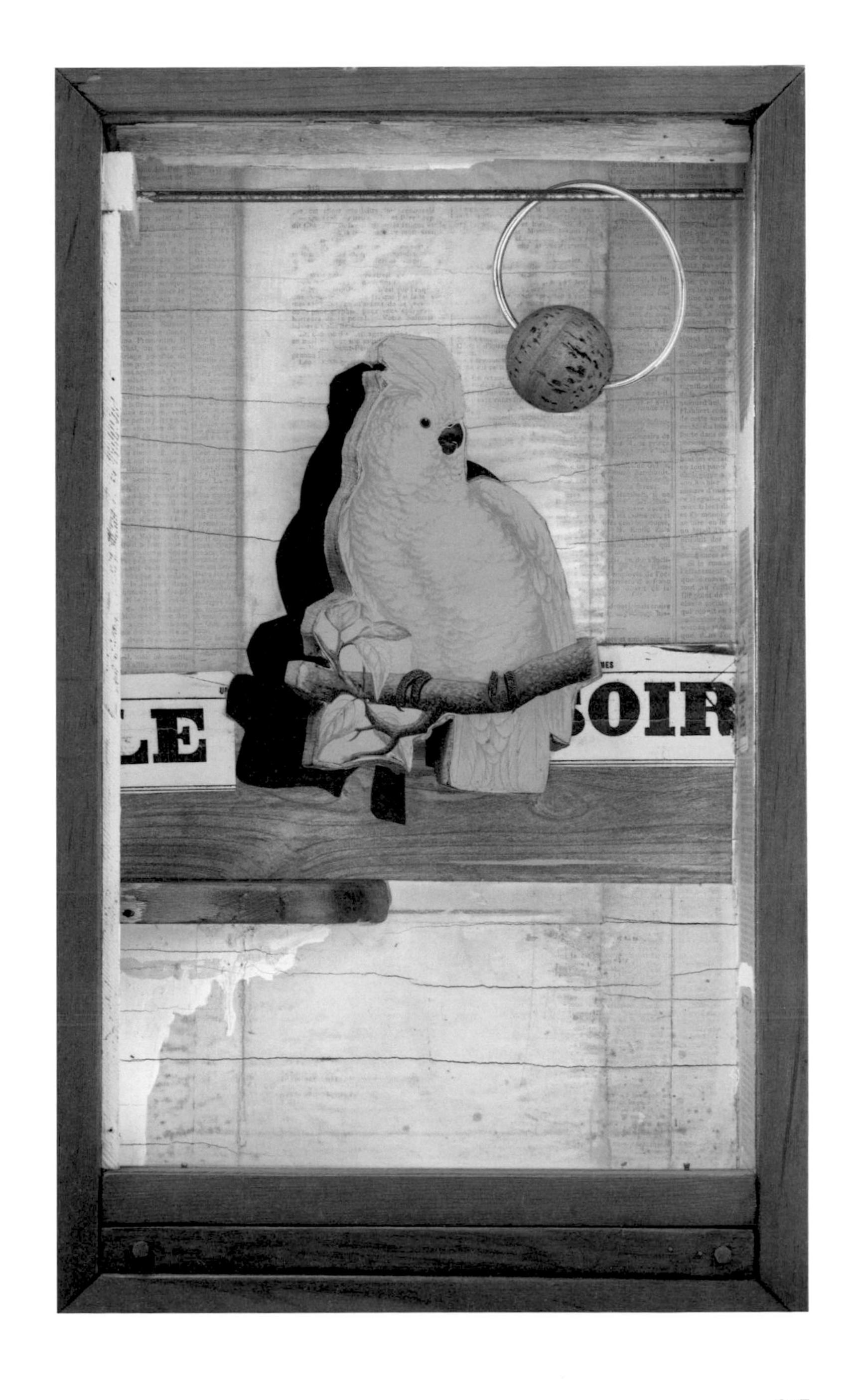
LE
SOIR

146

Richard Estes
Kewanee, 1932

Nedick's
1970

Óleo sobre lienzo, 121,9 × 167,6 cm
Colección Carmen Thyssen,
inv. CTB.1993.10

147 →

Richard Estes
Kewanee, 1932

People's Flowers
1971

Óleo sobre lienzo, 162,6 × 92,7 cm
Colección Carmen Thyssen,
inv. CTB.1975.24

PEOPLE'S F
PEOPLE'S FLOWERS
PEOPLE'S
FLOWERS
r Market
VE. N.Y.C.

CULTURA MATERIAL/ RITUALES

Karl Bodmer

Zúrich, Suiza, 1809-Barbizon, Francia, 1893

148

Utensilios y armas indígenas I
1832-1834

Grabado coloreado a mano, 44 × 60,5 cm
Colección Carmen Thyssen

149

Utensilios y armas indígenas II
1832-1834

Grabado coloreado a mano, 44 × 60,5 cm
Colección Carmen Thyssen

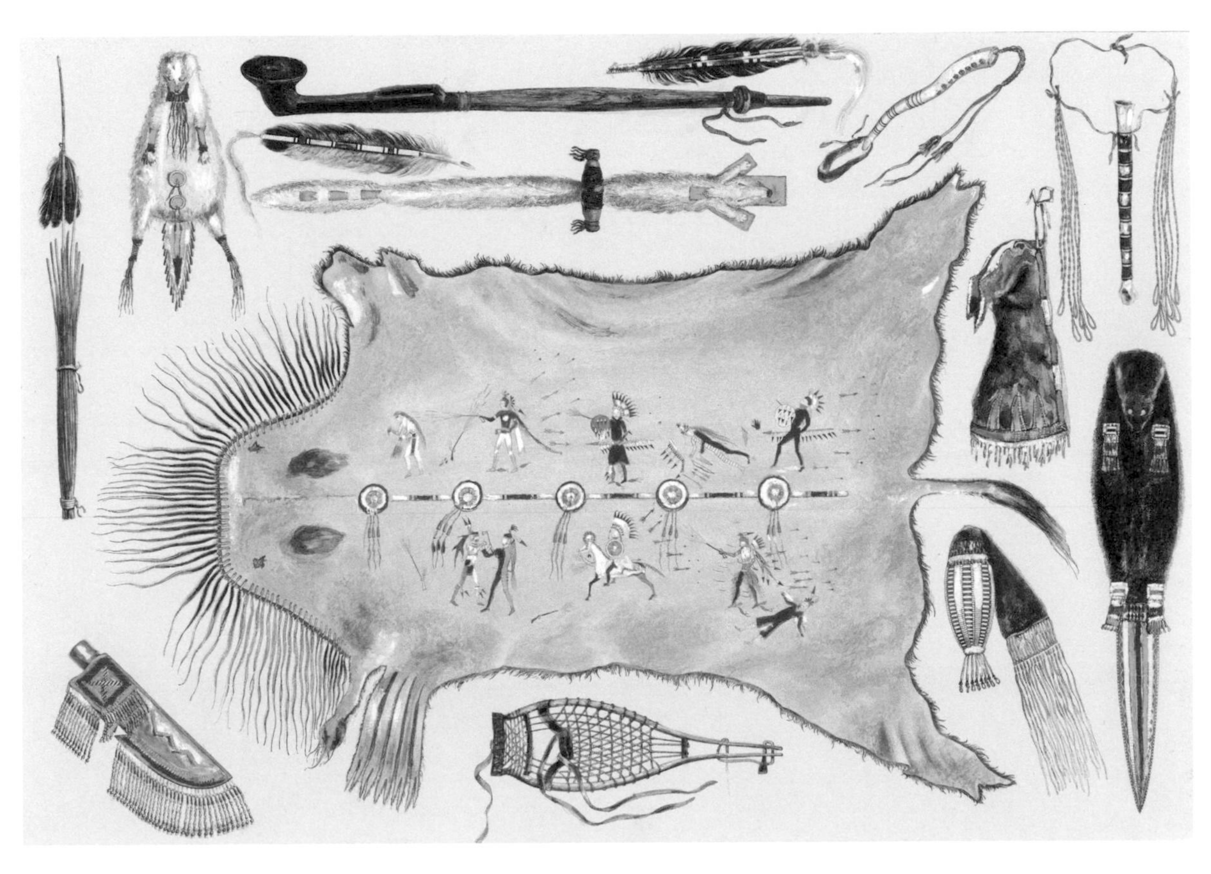

Karl Bodmer

Zúrich, Suiza, 1809-Barbizon, Francia, 1893

150

Interior de la cabaña de un jefe mandan
1832-1834

Grabado coloreado a mano, 39 × 57 cm
Colección Carmen Thyssen

Karl Bodmer
Zúrich, Suiza, 1809-Barbizon, Francia, 1893

151 →

Ídolos mandan
1832-1834

Grabado coloreado a mano, 57,2 × 39,3 cm
Colección Carmen Thyssen

152 ←

Santuario de los mandan
1832-1834

Grabado coloreado a mano, 43 × 60 cm
Colección Carmen Thyssen

153 ←

Monumento mágico assiniboin
1832-1834

Grabado coloreado a mano, 27 × 36,3 cm
Colección Carmen Thyssen

Frederic Remington
Canton, 1861-Ridgefield, 1909

154

El trampero
1903

Bronce pavonado, 73 × 49 × 30 cm
Colección Carmen Thyssen,
inv. CTB.2014.182

Frederic Remington
Canton, 1861-Ridgefield, 1909

155

La señal del bisonte
1902

Bronce pavonado, 92 × 62 × 27 cm
Colección Carmen Thyssen,
INV. CTB.2014.183

156

Frederic Remington
Canton, 1861-Ridgefield, 1909

La negociación
hacia 1903

Óleo sobre lienzo, 68,5 × 102 cm
Thyssen-Bornemisza Collections,
inv. 1981.7

PROCEDENCIAS Y CRONOLOGÍA DE ADQUISICIONES

BIBLIOGRAFÍA Y EXPOSICIONES

Procedencias y cronología de adquisiciones

Las obras aparecen por orden de entrada a la colección Thyssen y precedidas por el número de acceso.

1963.1
Jackson Pollock
Marrón y plata I, hacia 1951
[cat. 127]

A la muerte del pintor el 11 de agosto de 1956, *Marrón y plata I* queda en manos de la artista Lee Krasner, su mujer, que la pone a la venta a través de Marlborough Fine Art [Londres 1961, n.º 57] [etiqueta al dorso]. En 1962, Romeo Toninelli la expuso en una muestra de Pollock en su galería de Milán [Milán 1962, n.º 56], [etiqueta al dorso]. Fue Robert Bouyeure quien le propuso al barón adquirir el cuadro [Carta de Robert Bouyeure a Hans Heinrich Thyssen-Bornemisza, Milán, 17 de mayo de 1962, en Archivo Duisburgo, TB/2706]. Entró en la colección Thyssen en 1963, a través de Toninelli Arte Moderna de Milán.

1968.13
Mark Tobey
Ritmos de la tierra, 1961
[cat. 33]

El artista instaló su residencia en la ciudad suiza de Basilea a comienzos de la década de 1960 y esta obra fue adquirida por Albert Turrettini, coleccionista de Ginebra. Tras pasar por una colección americana, está documentada su venta el 14 mayo de 1963 por la Galerie Beyeler de Basilea a un coleccionista suizo. Subastada en Sotheby's Londres en *Impressionist and Modern Paintings, Drawings and Sculpture*, el 4 de diciembre de 1968 (lote 90), fue adquirida por el barón Thyssen a través de la Galleria Internazionale de Milán.

1973.5
Georgia O'Keeffe
Abstracción. Resplandor I, 1921
[cat. 11]

Abstracción. Resplandor I permaneció en poder de O'Keeffe durante tres décadas. Posteriormente la artista la depositó en The Downtown Gallery de Nueva York, sala que la representó desde 1950. Perteneció a Harry Spiro (1924-2001), un promotor inmobiliario que atesoró una significativa colección de arte moderno en Nueva York y posteriormente regresó a las manos de Edith Gregor Halpert (1900-1970), fundadora de The Downtown Gallery, que desde 1926 representaba a artistas americanos vivos, algo poco habitual en la época. A su vez daba visibilidad a creadores judíos, inmigrantes o mujeres con menos acceso a los circuitos artísticos, que eran parte esencial de la diversidad y modernidad de Estados Unidos. A la muerte de la galerista se incluyó en la venta de su colección privada celebrada el 14 y 15 de marzo de 1973 en Sotheby Parke Bernet de Nueva York *Highly Important 19th and 20th Century American Paintings, Drawings, Watercolors and Sculpture from the Estate of the Late Edith Gregor Halpert (The Downtown Gallery)* [Nueva York 1973a] (lote 49), donde la adquirió el barón Thyssen-Bornemisza.

1973.6
Charles Sheeler
Cañones, 1951
[cat. 90]

1973.8
Charles Sheeler
De mineral a hierro, 1953
[cat. 91]

Cañones y *De mineral a hierro* pertenecieron a The Downtown Gallery de Edith Halpert. A la muerte de la galerista ambas obras fueron vendidas junto al resto de los fondos de The Downtown Gallery en la subasta del 14 y 15 de marzo de 1973 de Sotheby Parke Bernet, Nueva York [lotes 26 y 28]. *Cañones* se reprodujo en la portada del catálogo de la subasta [véase fig. 13] y Hans Heinrich Thyssen pujó con éxito por las dos obras, además de adquirir otras dos más para su colección.

1973.55
Stuart Davis
Sweet Caporal, 1921
[cat. 143]

Sweet Caporal permaneció en la colección del artista más de cuarenta años, hasta que falleció en 1964. Sus herederos la conservaron hasta 1973, cuando el barón Thyssen la compró a través de la galería de Andrew Crispo (1945-).

1973.56
Charles Demuth
Love, Love, Love. Homenaje a Gertrude Stein, 1928
[cat. 105]

En 1929, Demuth regaló su «póster de la máscara blanca» a su amigo Robert Locher (1888-1956) [Demuth 2000], dedicándosela al dorso [«For R. E. Locher,/ Charles Demuth/ 12-07-'29»]. Este diseñador de interiores y escenógrafo, que se convertiría en el heredero del pintor tras el fallecimiento de su madre, conservó la obra toda su vida. En 1958, tras ser propiedad de su pareja, Richard C. Weyand, quien murió solo unos meses después, se subastó en las Parke Bernet Galleries de Nueva York [*Watercolors and Paintings by Charles Demuth, Part Two of Artist's Own Collection Belonging to the Estate of the Late Richard W.C. Weyand, Lancaster, Pennsylvania, Sold by Order of The Fulton National Bank of Lancaster*, 5 de febrero de 1958, lote 3]. En aquella ocasión Edith Halpert lo adquirió para su colección. A la muerte de la dueña de The Downtown Gallery, la obra formó parte de su sucesión y apareció de nuevo en el mercado del arte en 1973 en Sotheby Parke Bernet de Nueva York en la venta *Highly Important 19th and 20th Century American Paintings, Drawings, Watercolors and Sculpture from the Estate of the Late Edith Gregor Halpert (The Downtown Gallery)*, celebrada el 14 y 15 de marzo de 1973 (lote 47). El barón Thyssen-Bornemisza, muy interesado en esta subasta, la adquirió para su colección a través de Andrew Crispo.

1973.57
Max Weber
Estación terminal Grand Central, 1915
[cat. 87]

Max Weber conservó esta obra hasta su muerte en 1961. Hacia 1969 *Estación terminal Grand Central* entró en el mercado artístico a través de las Bernard Danenberg Galleries. El barón Thyssen la adquirió en 1973, año de la muestra *Pioneers of American Abstraction* en la Andrew Crispo Gallery [Nueva York 1973b, n.º 148, s. p.].

1974.1
Oscar Bluemner
Rojo y blanco, 1934
[cat. 89]

James Graham & Sons es el primer propietario conocido de *Rojo y blanco*. Esta galería de Nueva York, que en sus inicios a mediados del siglo XIX vendía antigüedades, comenzó en la década de 1940 a reivindicar a artistas modernos americanos caídos en el olvido, entre los que se encontraba Oscar Bluemner. Tras pasar por la colección de Harry Spiro, el barón Thyssen vio la obra en la exposición de 1973 *Pioneers of American Abstraction*, en la Andrew Crispo Gallery [Nueva York 1973b, n.º 12a, s. p.], donde la adquirió un año después.

1974.33
Richard Lindner
Luna sobre Alabama, 1963
[cat. 97]

Luna sobre Alabama entró en la galería Cordier and Ekström poco después de ser pintada. Al igual que Lindner, nacido en Alemania, este proyecto común de Daniel Cordier (1920-2020), con sede en París, y Arne Ekström (1908-1996), un galerista de origen sueco activo en Nueva York desde finales de la década de 1950, tendía puentes entre Europa y Estados Unidos. Al menos desde 1970 la obra perteneció a Charles B. Benenson (1913-2004), un destacado promotor inmobiliario de Nueva York cuyo interés por el arte africano dio lugar a la creación de una galería en el Metropolitan Museum of Art con su nombre y un departamento de arte africano en la Universidad de Yale. El barón Thyssen compró *Luna sobre Alabama* en la subasta de Sotheby Parke Bernet *Important Post-War and Contemporary Art* (lote 545) del 3 y 4 de mayo de 1974.

1974.34
Robert Rauschenberg
Express, 1963
[cat. 111]

Express fue una de las obras que se presentaron en el pabellón americano de la Bienal de Venecia de 1964, en la que Rauschenberg se convirtió en el primer artista norteamericano galardonado con el Gran Premio. Tras pasar por la galería de Leo Castelli (1907-1999) en Nueva York, la obra fue adquirida por los coleccionistas Frederick R. Weisman (1912-1994) y su mujer Marcia Simon Weisman (1918-1991), hermana del coleccionista Norton Simon (1907-1993). Posteriormente, fue propiedad de Charles B. Benenson [etiqueta al dorso]. En 1974 el barón Thyssen adquirió esta obra en la subasta *Important Post-War and Contemporary Art* celebrada en Sotheby Parke Bernet de Nueva York el 3 y 4 de mayo de 1974 (lote 540).

1974.53
Tom Wesselmann
Desnudo n.º 1, 1970
[cat. 139]

El mismo año en que fue pintado se expuso en una muestra sobre pinturas recientes del artista en la Sidney Janis Gallery [Nueva York 1970]. Esta galería neoyorquina, fundamental en el desarrollo del pop art desde que en 1962 mostrara la obra de los *New Realists*, representó al artista desde 1966 hasta 1999, cuando cerró sus puertas definitivamente. Más tarde el lienzo fue propiedad de una colección privada. En 1974 la Andrew Crispo Gallery de Nueva York se la vendió a Hans Heinrich Thyssen-Bornemisza.

1974.55
Willem de Kooning
Abstracción, 1949-1950
[cat. 5]

El director de cine y artista Jerome Hill (1905-1972) fue el primer propietario de *Abstracción*. Tras su muerte en 1972, la Camargo Foundation, que había sido creada cinco años antes por Hill, la incluyó en la subasta de Christie's en Londres el 3 de diciembre de 1974 (lote 111). El barón Thyssen-Bornemisza la compró con la intermediación de Andrew Crispo.

1975.10
Charles Sheeler
Viento, mar y vela, 1948
[cat. 43]

La primera propietaria fue la coleccionista y marchante de arte Edith Halpert [etiqueta al dorso]. Tras pertenecer por un tiempo a la colección de Harold S. Goldsmith volvió a manos de Edith Halpert y se expuso como parte de su colección [Washington 1960, n.º 71 y Washington-Utica 1962]. En 1973 se vende en la subasta *Highly Important 19th and 20th Century American Paintings, Drawings, Watercolors and Sculpture from the Estate of the Late Edith Gregor Halpert (The Downtown Gallery)* de Sotheby Parke Bernet, Nueva York, celebrada el 14 y 15 de marzo de 1973 (lote 64). Adquirida por las Kennedy Galleries de Nueva York, que la exponen en 1974 [Nueva York 1974, n.º 28], [etiqueta al dorso], entra en la colección Thyssen en 1975 a través de la Andrew Crispo Gallery de Nueva York [etiqueta al dorso].

1975.23
Arthur Dove
U. S., 1940
[cat. 29]

El mismo año de su creación, la pintura fue expuesta en la monográfica del pintor en An American Place [Nueva York 1940, n.º 3], la tercera galería que abrió Alfred Stieglitz (1864-1946) en Nueva York, activa entre 1929 y 1946 [etiquetas al dorso]. En 1946 fue adquirida por el coleccionista residente en Washington, Duncan Phillips (1886-1966) y un año después se expuso en una retrospectiva en The Phillips Memorial Art Gallery, el museo que él y su madre habían creado en la ciudad de Washington (hoy denominado Phillips Collection) [Washington 1947]. Duncan Phillips se la regaló en 1950 a la artista Bernice Cross (1912-1996) y en 1975 pasa a los fondos de la Terry Dintenfass Gallery, Nueva York [etiqueta al dorso]. Tras pertenecer brevemente a la colección del abogado y coleccionista de Nueva York Carl D. Lobell (1937-), en 1975 la adquiere el barón Thyssen-Bornemisza en la Andrew Crispo Gallery de Nueva York.

1975.24
Richard Estes
People's Flowers, 1971
[cat. 147]

Tras su paso por la Allan Stone Gallery de Nueva York y una colección privada, la obra entró en la colección del barón Thyssen en 1975 a través de Andrew Crispo.

1975.28
Jackson Pollock
Número 11, 1950
[cat. 32]

Los primeros propietarios de *Número 11* fueron el financiero y filántropo Robert W. Dowling (1895-1973) y el doctor Stuart Bartle (1924-2015). En 1975 se expuso en la Andrew Crispo Gallery [Nueva York 1975, n.º 44] donde la adquirió el barón Thyssen.

1975.34
Ben Shahn
Obreros franceses, 1942
[cat. 84]

Del artista pasó a la galerista Edith Halpert. Shahn trabajó con Halpert desde 1930 hasta 1961 y presentó once exposiciones individuales en The Downtown Gallery. La obra apareció en un catálogo monográfico en cuya versión internacional se mencionaba a The Downtown Gallery como propietaria [Soby 1963, n.º 27 y Soby 1964, p. 63, lám]. Más adelante, el cuadro fue adquirido por el marchante de arte, editor y coleccionista Lee A. Ault (1915-1996) de Nueva York. Ault había fundado Quadrangle Press en Nueva York, una editorial que publicaba lujosas monografías de artistas modernos ilustradas en color, entre ellas un catálogo de Shahn que reproducía la pintura de su colección [Prescott 1973, n.º 143, p. 122]. El barón compró el óleo en 1975 en la Andrew Crispo Gallery de Nueva York.

1975.52
Arthur Dove
Orange Grove in California, *de Irving Berlin*, 1927
[cat. 126]

La obra fue expuesta poco después de ser pintada en una muestra monográfica en The Intimate Gallery [Nueva York 1927]. Alfred Stieglitz, el dueño de la galería, que llevaba exhibiendo la obra de Dove desde 1912, regaló la pintura en 1930 al crítico de arte del *New York Times*, Edward Alden Jewell (1888-1947), que a su vez la incluyó en la portada de su publicación *Modern Art: Americans* de 1930 [Jewell 1930]. Posteriormente perteneció a Henry Bluestone (1916-1997) de Mount Vernon (NY), antes de pasar a la Andrew Crispo Gallery, donde en 1975 la compró Hans Heinrich Thyssen-Bornemisza.

1976.4
Arthur Dove
Mirlo, 1942
[cat. 130]

Edith Halpert adquirió esta obra a la Sucesión del artista en 1947 para su galería The Downtown Gallery de Nueva York. Posteriormente perteneció al artista y coleccionista de cerámica de la misma ciudad Robert A. Ellison Jr. (1932-2021). En 1975 aparece en los fondos de la Andrew Crispo Gallery de Nueva York [etiqueta al dorso] y entra en la colección Thyssen en 1976.

1976.77
Joseph Cornell
Cacatúa Juan Gris n.º 4, hacia 1953-1954
[cat. 145]

Cacatúa Juan Gris n.º 4 formó parte de la Sucesión de Joseph Cornell tras su fallecimiento en 1972. En 1976 entró en la colección del barón Thyssen-Bornemisza.

1976.86
Edward Hopper
Árbol seco y vista lateral de la casa Lombard, 1931
[cat. 47]

En 1931 el artista envía la acuarela a las Frank K. M. Rehn Galleries de Nueva York, que representó al pintor desde 1921 hasta su muerte. En 1950 fue adquirida por Clifford Frondel (1907-2002), de Cambridge (MA), profesor de Harvard hasta 1977. Se puso a la venta a través de las Kennedy Galleries de Nueva York en 1976, donde fue adquirida por el barón Thyssen.

1977.6
Charles Burchfield
Orión en invierno, 1962
[cat. 19]

A la muerte del pintor en 1967 pasa a la Sucesión del artista. En 1977 fue adquirida por el barón Thyssen-Bornemisza a través de las Kennedy Galleries, de Nueva York [etiqueta al dorso].

1977.7
Winslow Homer
Isla de Gallow, Bermudas, hacia 1899-1901
[cat. 68]

Esta vista de las islas Bermudas formó parte de la colección de la familia O'Donnell Iselin. Es muy posible que su primer propietario fuera Columbus O'Donnell Iselin (1851-1933), un financiero y filántropo de Nueva York que heredó, junto a su hermano Adrian Iselin Jr., el banco de inversión paterno A. Iselin and Co., fundado en 1854 y ubicado en el número 36 de Wall Street. Iselin dirigió a lo largo de su vida múltiples empresas en el sector ferroviario, del carbón y de suministro de agua. Uno de sus nietos, Columbus O'Donnell Iselin (1904-1971) fue un renombrado oceanógrafo, director de la institución Woods Hole Oceanographic, y profesor de Oceanografía Física en Harvard y en el Massachusetts Institute of Technology, fue quizá el heredero de la acuarela. En 1972 la casa de subastas neoyorquina Sotheby Parke Bernet le vendió el cuadro a las Kennedy Galleries, que lo expusieron en 1973 [Nueva York 1973c, n.º 45]. El barón Thyssen-Bornemisza adquirió el cuadro en esta galería en 1977.

1977.20
James Rosenquist
Vidrio ahumado, 1962
[cat. 140]

La Green Gallery de Nueva York, donde Rosenquist celebró su primera exposición individual en 1962, fue la primera propietaria de *Vidrio ahumado* [sello sobre el bastidor]. Posteriormente la obra estuvo en la Galerie Rudolf Zwirner de Colonia, y en 1973 era propiedad de Helmut Klinker (1925-2010), un coleccionista alemán pionero en su pasión por el arte contemporáneo. El 3 de diciembre de 1974 se subastó en la sala Christie's de Londres (lote 174). El barón Thyssen la adquirió en 1977 en The Mayor Gallery de Londres [etiqueta sobre el marco].

1977.36
Georgia O'Keeffe
Desde las llanuras II, 1954
[cat. 12]

En 1955 Edith Halpert adquiere la obra a la artista y la expone en su galería neoyorquina, The Downtown Gallery [etiqueta al dorso, n.º 215]. En 1961 pasa a la colección de Susan y David Workman, de Nueva York [etiqueta al dorso], documentada al menos hasta 1976. Entra en los fondos de las Kennedy Galleries de Nueva York [etiqueta al dorso «stock n.º 20788-1»] y posteriormente en la galería de Andrew Crispo [etiqueta al dorso], quien se la vende al barón Thyssen en 1977.

1977.38
Stuart Davis
Pochade, 1956-1958
[cat. 128]

En 1958 Edith Halpert expuso *Pochade* en su galería The Downtown Gallery [Nueva York 1958] y posteriormente, el 6 de septiembre de 1961, la adquirió para su colección personal [Boyajian y Rutkoski 2007, vol. 3, n.º 1711, pp. 432-434, lám.]. Cuando la galerista falleció, en 1970, el lienzo pasó a ser gestionado por su Sucesión y en 1973 formó parte de la gran subasta *Highly Important 19th and 20th Century American Paintings, Drawings, Watercolors and Sculpture: From the Estate of the Late Edith Gregor Halpert (The Downtown Gallery)* que tuvo lugar en Sotheby Parke Bernet de Nueva York el 14 y 15 de marzo de 1973 (lote 45). Después entró en las Kennedy Galleries de Nueva York, que se la vendieron al barón Thyssen en 1977.

1977.42
Ben Shahn
Orquesta de cuatro instrumentos, 1944
[cat. 123]

En 1944, el mismo año en que fue pintada, *Orquesta de cuatro instrumentos* se expuso en una muestra dedicada a Ben Shahn en The Downtown Gallery de Nueva York. Cuando en 1947 se incluyó en la monográfica que organizó el Museum of Modern Art de Nueva York [Nueva York 1947, n.º 22, p. 4, lám.], su propietario era el humorista y guionista Sidney J. Perelman (1904-1979). En 1977 fue subastada en Sotheby Parke Bernet de Nueva York en la venta *American 19th and 20th Century Paintings, Drawings, Watercolors & Sculptures* del 21 de abril de 1977 (lote 195), donde fue adquirida por el barón Thyssen-Bornemisza. En esta ocasión, las Kennedy Galleries de Nueva York actuaron como intermediario [etiqueta al dorso].

1977.49
Edward Hopper
Muchacha cosiendo a máquina, hacia 1921
[cat. 100]

Un sello en la trasera confirma que *Muchacha cosiendo a máquina* estuvo en las Frank K. M. Rehn Galleries, que representó al pintor desde 1924. Los siguientes propietarios fueron John C. Clancy (1897-1981), asistente de la galería Rehn y su director desde 1953. En 1977 fue adquirida por las Kennedy Galleries para, poco después, pasar a la colección del barón Thyssen-Bornemisza.

1977.82
John Marin
Bajo Manhattan, 1923
[cat. 93]

Gracias a una etiqueta que la obra conserva en su trasera sabemos que *Bajo Manhattan* pasó por la Intimate Gallery, regentada por Alfred Stieglitz entre 1925 y 1929, y que su propietario era George F. Of (1876-1954), a quien la obra debía de ser devuelta. Este fabricante de marcos, cuyas creaciones eran muy apreciadas por el propio Stieglitz o Georgia O'Keeffe, se dedicó también a la pintura y a coleccionar la obra de sus contemporáneos, que más tarde donaría a grandes museos como el Whitney Museum of American o el Brooklyn Museum. *Bajo Manhattan* pasó a The Downtown Gallery, y a continuación a la colección de Howard N. Garfinkle (1934-1980). El barón Thyssen la adquirió en 1977 en las Kennedy Galleries.

1977.83
Ben Shahn
Identidad, 1968
[cat. 85]

Shahn presentó *Identidad* en la muestra anual de la Pennsylvania Academy of Fine Arts de 1969 [etiqueta al dorso]. Según la publicación sobre el pintor escrita por su mujer, la también pintora Bernarda Bryson Shahn, en 1972 la obra era propiedad del matemático y profesor de la Universidad de Illinois, Howard S. Levin († 1989) y su mujer Sydell R. Kraft [Shahn 1972, pp. 85, 272]. En 1975 las Kennedy Galleries de Nueva York exhibían el cuadro como parte de sus fondos y dos años más tarde lo vendían a la colección Thyssen-Bornemisza.

1977.84
Andrew Wyeth
Malamute, 1976
[cat. 69]

El productor cinematográfico Joseph Edward Levine (1905-1987) y su mujer fueron los primeros propietarios de esta acuarela. Levine era de ascendencia judía y nació en Boston (MA), aunque residió en su madurez en Greenwich (CT). En 1942 fundó Embassy Pictures para distribuir películas extranjeras en Estados Unidos. Aparte de *Malamute* de Andrew Wyeth, Levine poseía un retrato que le había pintado el hijo del artista, Jamie Wyeth (1946). En 1977 el barón adquirió esta obra a través de las Kennedy Galleries de Nueva York.

1977.88
Charles Burchfield
Sol de sequía en julio, 1949-1960
[cat. 18]

Tras pasar por las Frank K. M. Rehn Galleries, en 1970 aparece citada como propiedad de Mr y Mrs Charles S. Trattler de Kings Point (NY) [Trovato 1970, n.º 1213 p. 282]. Posteriormente pertenece a Harry Spiro de Nueva York, a una colección privada de Detroit, y entra en la Andrew Crispo Gallery de Nueva York, donde en 1976 se expone en *Charles Burchfield Watercolors*. En 1977, a través de Andrew Crispo, pasa a formar parte de la colección Thyssen.

1977.90

Josef Albers

Casa Blanca B, 1947-1954

[cat. 94]

Casa Blanca B pasó por la Sidney Janis Gallery de Nueva York, fundada en 1948, antes de entrar en la colección de Arnold H. Maremont (1904-1978), en la que está documentada ya en 1961 [Chicago 1961, n.º 4]. Este industrial y filántropo reunió y expuso en la década de 1960 un importante conjunto de obras del siglo XX [Washington 1964]. El 1 de mayo de 1974 *Casa Blanca B* fue subastada en Sotheby Parke Bernet de Nueva York (lote 52) junto al resto de su colección de arte moderno para dar prioridad al arte precolombino. El barón Thyssen adquirió la obra en la Andrew Crispo Gallery en 1977.

1977.93

Richard Estes

Cabinas telefónicas, 1967

[cat. 95]

Como indica la inscripción al dorso, *Cabinas telefónicas* estuvo en los fondos de la Allan Stone Gallery. Fundada en 1960, esta sala fue pionera en acoger exposiciones de los nuevos realistas como César, Wayne Thiebaud y el propio Richard Estes. A continuación, entró en la colección de Haigh Cudney y su mujer, de Nueva Jersey. El barón Thyssen la compró en la exposición *20th Century American Painting and Sculpture* de la Andrew Crispo Gallery en 1977.

1977.94

Arshile Gorky

Good Hope Road II. Pastoral, 1945

[cat. 107]

En 1946, Julien Levy (1906-1981) y su segunda mujer, Jean Farley McLaughlin, se convirtieron en los primeros propietarios de *Good Hope Road II. Pastoral* al adquirir la obra directamente del artista. El galerista neoyorquino, que había sido el primero en exponer en solitario a Gorky en su Julien Levy Gallery en 1945, conservó este lienzo hasta 1965, un año después publicó su monografía dedicada al pintor [Levy 1966]. Ese mismo año, el lienzo pasó a la colección del galerista Sidney Janis (1896-1989), que poco después, en 1967, la incluyó en su donación de 103 obras al Museum of Modern Art de Nueva York [etiqueta al dorso: n.º 604.67]. Tras participar en numerosas exposiciones internacionales del MoMA durante la década siguiente, fue puesta a la venta por dicho museo [Asher 1999, p. 9] y expuesta en la Andrew Crispo Gallery en 1977, donde la adquirió el barón Thyssen.

1977.110

Edward Hopper

Habitación de hotel, 1931

[cat. 103]

En sus detalladas notas Jo Hopper, mujer del pintor, dejó constancia de que, tras estar depositada durante años en la Frank K. M. Rehn Galleries, fue devuelta al artista el 30 de junio de 1949 [Hopper 1913-1963, p. 80]. También gracias a ella sabemos que la obra pasó después a los coleccionistas Nate B. Spingold (1886-1958), empresario cinematográfico, y su mujer Frances Schwartzburg Spingold (1881-1976), una exitosa diseñadora de moda conocida como Madame Frances. En 1976 formó parte de la subasta *Collection of Watercolors and Drawings by Charles Demuth; American 19th and 20th Century Paintings and Sculpture* celebrada en Sotheby Parke Bernet de Nueva York el 28 de octubre de 1976 (lote 175), donde fue adquirida por las Kennedy Galleries [etiqueta al dorso]. En 1977 entró en la colección Thyssen-Bornemisza.

1978.8

Romare Bearden

Domingo después del sermón, 1969

[cat. 86]

Del artista pasa a la Cordier and Ekström Gallery (fundada en 1960) de Nueva York, documentada allí en 1973. Daniel Cordier, historiador y marchante de arte francés, se inició en el negocio del arte operando como espía del bando de la resistencia francesa, labor por la que recibió múltiples distinciones, entre ellas la Gran Cruz de la Legión de Honor y el nombramiento de Miembro Honorario de la Orden del Imperio Británico. En el año 1944, tras la liberación francesa, Cordier comenzó su propio negocio de compraventa de arte, abriendo en 1956 la galería Daniel Cordier en París y en 1958 en Frankfurt. Fue miembro fundador del Centre Pompidou de París, al que cedió más de mil obras de arte, convirtiéndose en una de las grandes donaciones de la historia francesa. Se asoció con el marchante de arte francés Michael Warren y con el diplomático sueco Arne Ekström, y crearon la Cordier and Ekström Gallery de Nueva York, donde Romare Bearden aceptó exponer su obra en la inauguración de la galería. La exposición relanzó la carrera de Bearden, y el artista entabló una gran amistad con Ekström trabajando estrechamente con la galería durante años [Campbell 2018, pp. 198-200]. Pasó por la colección de Mr y Mrs Hoyt de Nueva York, y más tarde se expuso como colección privada en la galería neoyorquina de Andrew Crispo [Nueva York 1977, n.º 8] donde la compró el barón Thyssen en 1978.

1978.9

Lee Krasner

Rojo, blanco, azul, amarillo, negro, 1939

[cat. 135]

Rojo, blanco, azul, amarillo, negro continuó en posesión de la artista como mínimo hasta 1963, fecha en la que se abrió la Marlborough Gallery en Nueva York. Esta galería expuso la obra de Krasner en 1973 [Nueva York 1973d], y quizá fue entonces cuando la adquirió la Pace Gallery (fundada en Boston en 1960 y trasladada a Nueva York en 1963). La Corcoran Gallery of Art organizó una exposición retrospectiva titulada *Lee Krasner: Collages and Works on Paper, 1933-1974* en 1975 [Washington-University Park-Waltham 1975, n.º 16] y la muestra viajó al Pennsylvania State University Museum of Art y al Rose Art Museum de Brandeis University de Massachusetts. Esta exposición debió provocar una atención renovada a la producción de Krasner, ya que la Andrew Crispo Gallery incluyó esta obra en la exposición colectiva *Twelve Americans: Masters of Collage* [Nueva York 1977, n.º 101], para vendérsela poco después, en 1978, al barón Thyssen-Bornemisza.

1978.11

Joseph Cornell

Burbuja de jabón azul, 1949-1950

[cat. 144]

A la muerte de Cornell en 1972, *Burbuja de jabón azul* pasó a manos de la Sucesión del artista. Tras formar parte de una colección privada, el galerista neoyorquino Andrew Crispo se la vendió al barón Thyssen en 1978.

1978.60

Ralston Crawford

Autopista de ultramar, 1939

[cat. 92]

Tras pertenecer a una colección privada, el barón Thyssen compró *Autopista de ultramar* en la Andrew Crispo Gallery en 1978, en la muestra *20th Century American Painting and Sculpture*.

1978.72

Arshile Gorky

Última pintura (El monje negro), 1948

[cat. 108]

La obra fue encontrada en el estudio de Gorky tras su muerte en 1948, momento en que pasó a la Sucesión del artista. Durante los años siguientes la obra estuvo depositada en la Sidney Janis Gallery (1957), en la M. Knoedler Gallery (1967) y en Xavier Fourcade Gallery (1978) [etiquetas al dorso]. En 1978 Andrew Crispo la adquirió para inmediatamente después vendérsela al barón Thyssen-Bornemisza.

1978.74

Andrew Wyeth

Mi joven amiga, 1970

[cat. 112]

Al igual que otras obras de Andrew Wyeth de la colección del barón Thyssen, *Mi joven amiga* fue propiedad del productor cinematográfico Joseph E. Levine (1905-1987) y su mujer Rosalie Harrison Levine (1938-1987), quienes la adquirieron directamente al artista el año en que fue pintada. En 1978 entró en la colección Thyssen-Bornemisza a través de la Andrew Crispo Gallery de Nueva York.

1978.92

Roy Lichtenstein

Mujer en el baño, 1963

[cat. 138]

Mujer en el baño fue adquirida por la Leo Castelli Gallery de Nueva York directamente al artista [etiqueta al dorso]. Tras pasar por la sala de Ileana Sonnabend en París [etiqueta al dorso], recaló en la colección de E. J. Power (1899-1993), un coleccionista británico pionero en su apuesta por el arte contemporáneo, en especial estadounidense, durante las décadas de 1950 y 1960. Posteriormente formó parte de una colección privada antes de ser comprado por el barón Thyssen en la galería Thomas Ammann Fine Art de Zúrich.

1979.2

John Sloan

Surtidor en Madison Square, 1907

[cat. 118]

Surtidor en Madison Square formó parte de los fondos de las Kraushaar Galleries de Nueva York, que representaron al artista desde la década de 1920 hasta su muerte. La obra pasaría después de 1951 a la Cowie Gallery de Los Ángeles, donde fue expuesta en 1961. En la costa oeste perteneció a dos actores de Hollywood, primero a Thomas Gomez (1905-1971), y más tarde a Eugene Iglesias (1926-), hasta que entró en la colección de Hans Heinrich Thyssen-Bornemisza a través de la Coe Kerr Gallery de Nueva York en 1979.

1979.15
William Merritt Chase
En el parque (Un camino), hacia 1889
[cat. 115]

El primer propietario fue el banquero neoyorquino George I. Seney (1826-1893). Sin embargo, antes de comprarla, se había visto obligado a vender gran parte de su colección de arte en 1885, al declararse en bancarrota. Con el tiempo logró rehacer su fortuna y pudo comprar este óleo pintado hacia 1889, si bien en 1891 fue incluido en una nueva subasta de sus bienes. La adquirió el abogado y hombre de negocios Samuel Untermeyr (1858-1940), que en la década de 1890 llevó a cabo importantes compras en el mercado artístico. Otra de sus pasiones, la horticultura, le llevó a crear un cuidado y reconocido jardín en su mansión de Yonkers que todavía se conserva y lleva su nombre. A la muerte de Untermeyr, *En el parque* se subastó junto al resto de su colección en las Parke Bernet Galleries el 16 de mayo de 1940 (lote 522) y se mantuvo en manos privadas hasta que Andrew Crispo la vendió al barón Thyssen en 1979.

1979.24
William Merritt Chase
Joven con vestido japonés. El quimono, hacia 1887
[cat. 81]

El artista intentó subastar el cuadro en una venta de sus obras celebrada el 2 y 3 de marzo de 1887 en las Moore's Art Galleries de Nueva York (lote 73). Ese mismo año Chase se lo vende al marchante y coleccionista James S. Inglis († 1908), a cargo de la sucursal estadounidense de la galería británica Cottier & Co, abierta en Nueva York en 1874. A su muerte, se pone a la venta en la subasta de la Sucesión de James S. Inglis en las American Art Galleries de Nueva York, celebrada el 11 y 12 de marzo de 1909 (lote 62). Pasa a la colección de A. F. Brady, y más tarde a la de Angeline Garvan, quien se lo intercambia con su hermana Agnes Garvan Cavanaugh (1876-1957), casada con John J. Cavanaugh (1865-1957), ambos de Hartford (CT). El hijo de la pareja Carroll John Cavanaugh (1914-1978) y su mujer heredaron la pintura en 1957. Algún tiempo después, la galería Irma Rudin de Nueva York recibe el cuadro. En 1979 lo expone Andrew Crispo en sus salas y ese mismo año se incorpora a la colección Thyssen-Bornemisza.

1979.30
William Merritt Chase
Las colinas de Shinnecock, 1893-1897
[cat. 28]

El primer propietario fue Arthur E. Smith de Nueva York (adquirida al artista). En 1979 entró en la colección Thyssen a través de la Andrew Crispo Gallery de Nueva York.

1979.34
Martin Johnson Heade
Pantanos en Jersey, 1874
[cat. 37]

Desde una colección particular de Denver *Pantanos en Jersey* pasó en 1976 a los fondos de las Kennedy Galleries de Nueva York. Fue adquirido por el barón Thyssen en la subasta de Christie's, Nueva York del 23 de mayo de 1979 (lote 58).

1979.36
Georgia O'Keeffe
Lirio blanco n.º 7, 1957
[cat. 132]

La Robert Miller Gallery, fundada en 1977 en Nueva York para promover el arte moderno y contemporáneo, adquirió *Lirio blanco n.º 7* y se lo vendió a una colección privada en 1979. Ese año la obra regresó a la misma galería, y junto a las Kennedy Galleries de Nueva York se la vendieron al barón Thyssen-Bornemisza.

1979.44
Martin Johnson Heade
Orquídea y colibrí cerca de una cascada, 1902
[cat. 64]

El primer propietario de la pintura fue el comerciante y hermanastro del artista Joseph Bradley Heed (1851-?), casado en 1876 con Virginia A. Rittenhouse. La heredaron sucesivamente su hijo Charles Rittenhouse Heed (1879-1954) de Filadelfia (PA) y su nieto, Charles Heed de Devon (PA). A continuación, la obra pasó a la colección de la marchante Sally Ann Turner (1934-) de Plainfield (NJ). Entró en la colección Thyssen-Bornemisza en 1979 a través de la Andrew Crispo Gallery de Nueva York.

1979.45
Martin Johnson Heade
Puesta de sol en el mar, hacia 1861-1863
[cat. 53]

Su primer propietario fue Herbert W. Plimpton, el coleccionista americano de arte realista de Brookline (MA). Plimpton donó pinturas a los Five Colleges and Historic Deerfield Museum Consortium (MA) en la década de los ochenta, y al Rose Art Museum, Waltham (MA) en 1995. En 1972 la obra se exponía en la *Amherst Sesquicentennial Exhibition* de las neoyorquinas Hirschl & Adler Galleries [Nueva York 1972, n.º 21, lam.]. Al año siguiente *Puesta de sol en el mar* pasaba por las Vose Galleries de Boston, las cuales se lo vendieron a una colección privada de Massachusetts. La neoyorquina Andrew Crispo Gallery expuso el lienzo en la muestra *Nineteenth- and Twentieth-Century American Art* de 1979 y se lo vendió al barón Thyssen ese mismo año.

1979.56
John Singer Sargent
Vendedora veneciana de cebollas, hacia 1880-1882
[cat. 82]

John Singer Sargent pintó este cuadro para Abel M. Lemercier (1819-1893) e incluyó una dedicatoria en la zona inferior derecha: «à Monsieur Lemercier / souvenir amicale / John S. Sargent». Lemercier fue doctor en derecho, registrador, y miembro de la Sociedad Estadística de París desde 1882. Fue nombrado caballero de la Legión de Honor francesa. La obra quedó en manos de su hija Louise Lemercier (1856-1936), después de la hija de ésta, Noémie Thil (1879-1930), y por último, su nieto, el barón Henri Guespereau (1904-1980). Perteneció después al artista japonés Kamesuke Hiraga (1889-1971), activo en París y en California. El polaco L. Dlugosz poseía el cuadro en París en 1951, y en febrero de 1952 está documentado en el Hall of Art de la Quinta avenida de Nueva York. Pasa a ser propiedad del artista y escritor Harold Sterner (1895- 1976), y luego de la también artista Jessie Ansbacher (1880-1964), pintora, escultora y grabadora, además de directora de la Ansbacher Art School y miembro de la National Association of Women Artists. A continuación, el cuadro entró en la colección de Sam Baraf, luego en la de Arthur Rocke, y después en la de Victor D. Spark (1898-1991), un importante marchante de arte neoyorquino. El barón adquirió la pintura a través de la Andrew Crispo Gallery de Nueva York en 1979.

1979.67
Hans Hofmann
Hechizo azul, 1951
[cat. 31]

En 1966, tras la muerte de Hofmann, su segunda esposa Renate Schmitz se hizo cargo de la Sucesión del artista [inv. de la Sucesión M-1125, al dorso del lienzo]. En abril de 1976 la obra se presenta en la André Emmerich Gallery de Nueva York [Nueva York 1976, en cubierta], [etiqueta al dorso]. Entre 1976 y 1979 se encuentra en la colección del abogado y coleccionista de Nueva York Carl D. Lobell (1937-) y es adquirida en 1979 por el barón Thyssen en la Andrew Crispo Gallery de Nueva York [etiqueta al dorso].

1979.69
William Michael Harnett
Objetos para un rato de ocio, 1879
[cat. 141]

La obra formó parte de la colección de Mrs Lemoine Skinner, de San Luis (MI), al menos desde 1948. A continuación, pasó a las Kennedy Galleries, donde el barón Thyssen la adquirió en 1979.

1979.71
Ben Shahn
Parque de atracciones, 1946
[cat. 122]

Poco después de ser pintada, esta obra estaba en la The Downtown Gallery, sala en la que el artista había expuesto su obra por primera vez en 1930. Cuando en 1947 la obra se incluyó en la exposición monográfica que organizó el Museum of Modern Art de Nueva York, figuraba como propiedad de Benjamin Tepper y su mujer [Nueva York 1947, n.º 26, lám.] [etiqueta al dorso]. Tras pasar por otra colección privada, fue adquirida por las Kennedy Galleries que, en 1979, se la vendieron a Hans Heinrich Thyssen-Bornemisza.

1980.8
Albert Bierstadt
Las cataratas de San Antonio, hacia 1880-1887
[cat. 61]

Pintado en la década de 1880, Albert Bierstadt envió el cuadro a las Holland Galleries de Nueva York para su venta, y en 1920 pasó a pertenecer a C. Farina, de esa misma ciudad. Posteriormente, estuvo en dos colecciones privadas, en la primera está documentada en 1926, y la segunda estaba situada en Englewood, Nueva Jersey. En 1976 la Knoedler Gallery de Nueva York puso la obra a la venta justo el año del bicentenario de la fundación de los Estados Unidos, cuando se organizaron múltiples exposiciones para poner en valor el arte y la cultura estadounidenses. Esta obra se expuso en el Walker Art Center [Mineápolis 1976]. En 1979, el cuadro entraba en las Kennedy Galleries de Nueva York para pasar a la colección Thyssen-Bornemisza un año más tarde.

1980.9

Albert Bierstadt

Puesta de sol en Yosemite, hacia 1863

[cat. 8]

La pintura se incorpora a la colección Thyssen-Bornemisza en 1980 a través de las Kennedy Galleries de Nueva York.

1980.10

Georgia O'Keeffe

Concha y viejo tablón de madera V, 1926

[cat. 133]

La pintura perteneció durante años a la artista, quien la expuso en las galerías de su marido, el fotógrafo y marchante de arte Alfred Stieglitz, en The Intimate Gallery en 1927 y en An American Place en 1934. La galerista Edith Halpert comenzó a representar a O'Keeffe en su galería The Downtown Gallery de Nueva York en 1950, el mismo año en el que el hijo del artista John Marin entró a trabajar con Halpert. Es posible que éste último comprase la obra entonces. En 1979 John Marin Jr (1915-1988) y su mujer, Norma Boom Marin, con residencia en Maplewood (NJ), donaron el cuadro a una colección privada de Orano (ME), y al año siguiente *Concha y viejo tablón de madera V* pasaba a manos del barón Thyssen-Bornemisza a través de las Kennedy Galleries de Nueva York.

1980.14

Thomas Cole

Expulsión. Luna y luz de fuego, hacia 1828

[cat. 1]

El primer propietario de *Expulsión. Luna y luz de fuego* fue Alexander D. Butler, residente en Cold Spring Harbor, Long Island (NY) y lo heredó su hijo Alexander D. Butler Jr Tras pertenecer a una colección privada de Rhinebeck (NY), colgó durante varios años en la sala dedicada a la Escuela del río Hudson del restaurante Stouffer's de Nueva York, que abrió sus puertas en 1957 en el edificio Tishman, situado en n.º 666 de la Quinta Avenida. En 1979 se expone como propiedad de la Alexander Gallery de Nueva York [Tampa 1979, n.º 33, p. 53] y en 1980 es adquirido por el barón Thyssen-Bornemisza en la Andrew Crispo Gallery de Nueva York.

1980.15

Thomas Cole

Cruz al atardecer, hacia 1848

[cat. 2]

En 1963, en una exposición del Minneapolis Institute of Arts, el óleo aparece documentado como propiedad de la galería Durlacher Brothers [Mineápolis 1963]. Esta sala, fundada en Londres en 1843 por los hermanos Henry y George Durlacher, poseía una sede en Nueva York desde 1927 dirigida por R. Kirk Askew (1903-1974), que pasó a ser propietario de la firma en 1937. Tras pertenecer a dos colecciones privadas, pasó al marchante de Nueva York Victor D. Spark (1898-1991). En 1980 Andrew Crispo se lo vende al barón Thyssen-Bornemisza.

1980.21

Sanford Robinson Gifford

Playa de Manchester, 1865

[cat. 52]

Al fallecer el pintor en 1880, la pintura queda en la Sucesión del artista [inv. de la Sucesión: 98]. Margaret Chapman, de Rhinebeck (NY), la adquiere algún tiempo después, pasando luego a manos de sus descendientes. *Playa de Manchester* no había sido nunca publicada hasta que en 1977 Ila Weiss la incluyó en el catálogo razonado del pintor [Weiss 1977, n.º 265]. El barón compró la pintura en 1980 en la neoyorquina Alexander Gallery por mediación de la Andrew Crispo Gallery también de Nueva York.

1980.22

George Inness

En los Berkshires, hacia 1848-1850

[cat. 21]

En 1876 es propiedad de William H. Webb (1816-1899), armador y filántropo de Nueva York. Más tarde, pasa por las colecciones de Mrs Frederick Lewisohn (Rhoda Seligman, 1888-1978), de Nueva York, de Mrs Maurice Levy, de Larchmont (NY), y una colección privada de Rhinebeck (NY). Fue adquirida por el barón Thyssen en 1980 en la galería neoyorquina de Andrew Crispo.

1980.23

Eastman Johnson

Chica en la ventana, hacia 1870-1880

[cat. 99]

Eastman Johnson conservó esta pintura hasta su muerte en 1906. La obra permaneció en la familia, y las referencias disponibles la sitúan más tarde en la colección del barón Louis van Reigersberg Versluys (1883-1957), que en 1922 se había casado con una nieta del pintor, Muriel Lorillard Ronalds Conkling (1878-1971). Sus familiares la conservaron hasta 1977, cuando *Chica en la ventana* pasó a formar parte de los fondos de las Hirschl & Adler Galleries, donde la adquirió Hans Heinrich Thyssen-Bornemisza en 1980.

1980.30

Milton Avery

Ensenada canadiense, 1940

[cat. 121]

Ensenada canadiense forma parte de las obras que gestionó la Sucesión de Milton Avery tras su muerte en 1965. Tras ser adquirida por Andrew Crispo, pasó a la colección Thyssen-Bornemisza en 1980.

1980.31

Patrick Henry Bruce

Pintura. Naturaleza muerta, hacia 1923-1924

[cat. 136]

Una década después de su creación, esta obra pertenecía al escritor parisino Henri-Pierre Roché (1879-1959), vinculado a la vanguardia francesa y al movimiento dadá. A su muerte, en 1959, la pintura quedaba en manos de su viuda. Entre 1965 y 1967, el cuadro estuvo en posesión de la galería Knoedler de Nueva York, hasta que el marchante de arte y coleccionista Jon Nicholas Streep (1918-1975) lo adquirió en 1967. Es muy posible que Noah Goldowsky, dueño de la homónima Noah Goldowsky Gallery de Nueva York, gestionase el préstamo del cuadro para la exposición de 1967 *From Synchromism Forward: A View of Abstract Art in America*, después de haberlo mostrado en su galería [etiqueta al dorso]. Ya en 1969, Henry M. Reed (1923-2006), y su esposa Mary Ann Griffith Reed (1948-), de Nueva Jersey, adquirieron la pintura y la exhibieron ese mismo año en la muestra *Synchromism from the Henry M. Reed Collection*, del Montclair Art Museum [etiqueta al dorso]. Henry M. Reed participó en múltiples iniciativas del museo y donó una vasta colección de obras de arte en la década de 1980. El lienzo entró en la colección Thyssen-Bornemisza en 1980 por mediación de las Kennedy Galleries de Nueva York [etiqueta al dorso].

1980.36

Charles Willson Peale

Retrato de Isabella y John Stewart, hacia 1773-1774

[cat. 48]

El *Retrato de Isabella y John Stewart* fue un encargo de Anthony Stewart (1738-1791?), uno de los comerciantes más destacados de Annapolis. Su esposa fue Jean Dick (1741/1742-?) y en esta obra aparecen retratados sus hijos, John (1769-?) e Isabella Stewart (1771-1817). Isabella, que en 1802 contrajo matrimonio en Londres con sir Jahleel Brenton (1770-1844), oficial de la marina británica, heredó la pintura en Londres en 1817 y de ella pasó a las manos de Frances Isabella Stewart (casada con su primo Edward Brenton Stewart en 1830) para, tiempo después, ser heredada por Augusta Brenton Stewart (casada con Herman Galton). Hilda Ernestine Galton (1874-1940) fue su propietaria hasta su fallecimiento, y la obra quedó en herencia en la familia Galton, también en Londres. Algún tiempo después entró en la Newhouse Family Collection de Nueva York, fundadores de Advance Publications en 1922, que incluye, entre otras, Condé Nast Publications. Fue en esta ciudad en la que el barón Thyssen la adquirió a través de la Andrew Crispo Gallery en 1980.

1980.52

John Frederick Kensett

Pescador de truchas, 1852

[cat. 22]

Perteneció a la colección de Dana Tillou (1937-), el galerista de arte americano con sede en Buffalo (NY). Estuvo en la colección de Douglas Collins en North Falmouth (MA) y se vendió a través de las Vose Galleries, la centenaria sala de Boston, fundada en 1841, a una colección privada de Ohio. En 1980 entró en la colección Thyssen-Bornemisza a través de la Andrew Crispo Gallery de Nueva York.

1980.69

George Bellows

Una abuela, 1914

[cat. 102]

A la muerte del artista en 1925 la pintura pasó a ser propiedad de su mujer Emma S. Bellows, a la que había conocido cuando ambos estudiaban en la New York School of Art, y que contribuyó durante el resto de su vida a la investigación y conocimiento de la obra de George Bellows. Cuando falleció en 1959 *Una abuela* quedó en manos de sus herederas. La galería H.V. Allison & Co, fundada en 1941 y representante de la sucesión del pintor, custodió la obra hasta que en 1977 fue adquirida por las Kennedy Galleries. En 1980 fue vendida al barón Thyssen.

1980.70

Charles Burchfield

Bosques de cigarras, 1950-1959

[cat. 17]

A la muerte del pintor en 1967 pasa a la Sucesión del artista. Ya en 1970 está documentada como parte de los fondos de las Frank K. M. Rehn Galleries de Nueva York, dedicadas al arte moderno americano, donde había expuesto su obra el pintor [Trovato 1970, n.º 1.179, p. 276]. Esta galería había sido creada en 1918 por Frank K. M. Rehn (1886-1956) y desde 1953 hasta 1981, la mantuvo activa su asistente John Clancy. En 1980 la pintura fue adquirida por el barón Thyssen-Bornemisza a través de las Kennedy Galleries de Nueva York [etiqueta al dorso].

1980.71
Winslow Homer
La señal de peligro, 1890, 1892 y 1896
[cat. 44]

El primer propietario de *La señal de peligro* fue el coronel George C. Briggs († 1912) de Grand Rapids (MI), un viejo amigo de Homer de la época de la Guerra Civil americana que hacia 1896 la adquirió a través de Reichard & Co, Nueva York [Filadelfia 1901, n.º 26]. Perteneció seguidamente al marchante de Chicago J. W. Young, y en 1910 aparece publicada como propiedad del banquero de Filadelfia Edward T. Stotesbury (1849-1938), socio de Drexel & Co. [Buenos Aires 1910, n.º 51, p. 125]. En 1916 formaba parte de la colección del filántropo de Chicago Ralph Cudney y se expuso en 1929 y 1930 como parte de su colección [Chicago 1929 y Nueva York 1930, n.º 16, p. 22]. De los herederos de Ralph Cudney pasa, en 1936, a través de las Babcock Galleries de Nueva York, a la colección de Mr y Mrs Charles F. Williams, de Cincinnati [Nueva York 1936, n.º 24]. En 1955 llega a manos del empresario y filántropo Cornelius Vanderbilt Whitney (1899-1992) residente en Lexington (KY) y Nueva York (adquirido a través de Wildenstein & Co., Nueva York). Subastada en Sotheby Parke Bernet de Nueva York en *American 18th Century, 19th Century & Western Paintings, Drawings, Watercolors & Sculpture*, el 17 de octubre de 1980 (lote 148), entra en la colección Thyssen ese mismo año a través de las Kennedy Galleries, Nueva York [etiqueta al dorso].

1980.78
John Frederick Kensett
El lago George, hacia 1860
[cat. 50]

Se desconoce su procedencia temprana, pero está documentado su paso por la colección de arte americano del magnate Richard A. Manoogian (1936-) de Detroit (hoy cuatro pinturas de su colección se encuentran en el Museo Nacional Thyssen-Bornemisza). A partir de la década de 1970, Manoogian fue creando una colección de arte, principalmente estadounidense, que actualmente se puede visitar en el Richard and Jane Manoogian Mackinac Art Museum en Mackinac Island (MI). El barón adquirió esta obra a través de la Andrew Crispo Gallery de Nueva York.

1980.79
Asher B. Durand
Un arroyo en el bosque, 1865
[cat. 20]

El primer propietario documentado es Robert Hoe III (1839-1909) de Nueva York, coleccionista de obras de arte, manuscritos y libros raros. Tras pertenecer al abogado de Nueva York Oliver J. Sterling († 1974), en 1972 entró en los fondos de las Hirschl & Adler Galleries de esa ciudad. Fue adquirida por el barón Thyssen en 1980 en la Andrew Crispo Gallery de Nueva York.

1980.80
John Frederick Peto
Toms River, 1905
[cat. 106]

El primer propietario de *Toms River* fue el matrimonio formado por Margaret Porter Bryant y James Moore Bryant de Island Heights (NJ). James, un ilustrador amigo de Peto desde su época de estudiante en Filadelfia, ayudó económicamente al pintor en numerosas ocasiones y adquirió muchas de sus pinturas. La obra permaneció en la familia Bryant hasta 1978, cuando pasó a manos de una colección privada. En 1979, se expuso como propiedad de las Hirschl & Adler Galleries de Nueva York [Nueva York 1979, n.º 38, lám.] y tan solo un año después, en 1980, entró en la galería Andrew Crispo, donde la compró el barón Thyssen-Bornemisza.

1980.81
Raphael Soyer
Chica con sombrero rojo, hacia 1940
[cat. 101]

Tras pertenecer a una colección privada, pasó por la Forum Gallery de Nueva York, donde fue adquirida por un coleccionista anónimo. En 1980 Andrew Crispo se la vendió a Hans Heinrich Thyssen-Bornemisza.

1980.86
Frederic Edwin Church
Otoño, 1875
[cat. 7]

El artista vendió directamente la pintura a su amigo el empresario y filántropo William Henry Osborn (1820-1894), coleccionista de su obra, quien entre 1875 y 1882 fue presidente de la Illinois Central Railroad, también denominada Main Line of Mid-America. Su mujer, Virginia Reed Sturges (1830-1902), era hija de Jonathan Sturges (1802-1874), un renombrado mecenas artístico. *Otoño* y otras pinturas de Church fueron heredadas por el hijo de William Henry Osborn, William Church Osborn (1862-1951), jurista de prestigio, además de coleccionista de arte impresionista y postimpresionista, que llegó a ser presidente del Metropolitan Museum of Art entre 1941 y 1947 [Oaklander 2008, p. 186]. A su muerte, el cuadro quedó en manos de su hija Aileen Hoadley Osborn (1892-1979), casada en 1912 con Vanderbilt Webb, nieto del filántropo William Henry Vanderbilt, y desde 1958, fundadora y patrona del American Craft Council. Posteriormente pasó al empresario y coleccionista de arte americano de Detroit Richard A. Manoogian. En 1980 la pintura se expuso en la Andrew Crispo Gallery y fue adquirida entonces por el barón Thyssen-Bornemisza

1980.87
Winslow Homer
Waverly Oaks, 1864
[cat. 114]

Esta pequeña obra fue pintada durante la Guerra Civil estadounidense, de la que Homer fue cronista con sus pinturas e ilustraciones para *Harper's Weekly*. Tras el conflicto, en 1866, formó parte del grupo de obras que el artista trató de vender en sucesivas subastas para financiar su viaje a Europa. El primer propietario registrado es Robert Moore, de Montclair [Goodrich 2005-2014, vol. 1, n.º 248]. Hasta 1965 reaparece en el mercado a través de Sally Turner, de Plainfield (NJ), que actúa como agente en la venta de otras obras de Homer ese mismo año. Tras pasar por distintas colecciones privadas y galerías, hacia 1979 *Waverly Oaks* estuvo brevemente en la colección de Richard A. Manoogian. En 1980 entró en la colección de Hans Heinrich Thyssen-Bornemisza con el galerista Andrew Crispo como intermediario.

1980.88
Theodore Robinson
El viejo puente, 1890
[cat. 27]

Formó parte de una colección privada de Boulder (CO) y posteriormente entró en los fondos de las Kennedy Galleries de Nueva York y fue vendida al coleccionista de Detroit Richard A. Manoogian. En 1980 se expuso en la Andrew Crispo Gallery, donde fue adquirida por el barón Thyssen.

1981.3
Alfonso Ossorio
Cruz en el Edén, 1950
[cat. 4]

Adquirida por el barón Thyssen-Bornemisza en 1981.

1981.7
Frederic Remington
La negociación, hacia 1903
[cat. 156]

James Ryan Williams y su mujer, de Cincinnati (OH), figuraban como propietarios de *La negociación* en 1967, cuando se expuso en el Paine Art Center de Oshkosh (WI). A continuación, la obra pasó por la colección de S. H. Dupont, de Palm Beach, y en 1981 entró en la colección del barón Thyssen a través de The Ira Spanierman Gallery.

1981.10
Hans Hofmann
Sin título (Serie Renate), 1965
[cat. 109]

Cuando Hans Hofmann falleció en 1966, *Sin título (Serie Renate)*, pintada tan solo unos meses antes, pasó a ser gestionada por su Sucesión [inv. de la Sucesión al dorso: M-273]. En 1980, la André Emmerich Gallery de Nueva York expuso esta pintura en la conmemoración del centenario del artista [Nueva York 1980c, lám.] [sello y etiqueta al dorso]. Tras pasar brevemente por la Andrew Crispo Gallery en 1981 [etiqueta al dorso], el barón Thyssen la compró para su colección.

1981.12
Frederic Edwin Church
Cruz en la naturaleza salvaje, 1857
[cat. 3]

Cruz en la naturaleza salvaje fue un encargo de William Harmon Brown de Flushing (NY) a Church para conmemorar la muerte de uno de sus hijos. La obra fue heredada por otro de sus hijos, Abbott Harmon Brown y en 1939 está documentada como propiedad de Mrs Stewart Brown, San Rafael (CA). En 1971 se expone en las Kennedy Galleries, la galería fundada en 1874 por Hermann Wunderlich y especializada en arte americano. En esta sala de Nueva York, activa entre 1874 y 2005, el barón Thyssen adquirió numerosas obras entre los años 1976 y 1983. En 1981 entró en la colección Thyssen a través de la Andrew Crispo Gallery de Nueva York.

1981.21
William Louis Sonntag
Pescadores en los Adirondacks, hacia 1860-1870
[cat. 51]

Tras pertenecer a una colección privada, en 1981 se expone en las Berry-Hill Galleries de Nueva York. Ese mismo año entra en la colección Thyssen a través de la galería de Andrew Crispo de Nueva York.

1981.28
James Goodwyn Clonney
Pesca en el estrecho de Long Island a la altura de New Rochelle, 1847
[cat. 79]

En 1847, recién terminada la pintura, Clonney la envía a la exposición de la American Academy of Fine Arts de Nueva York y ese mismo año pasa a la colección de John H. Carroll (1799-1856) de Baltimore (MD), casado con Matilda Elizabeth Hollingsworth Carroll (1818-1863). De la colección de Carroll pasó a manos de Walter Booth Brooks (1857-1935), un empresario y filántropo de la misma ciudad. Fue fundador de la Baltimore Assembly junto con su mujer Fannie L. Bonsal (?-1926), y convirtió su residencia en punto de encuentro de la alta sociedad local. Educado en la universidad de Princeton, Brooks lideró empresas del sector maderero y ferroviario entre otros. Heredó el cuadro su hijo Stephen Bonsal Brooks (1888-1959) de Stevenson (MD) y, en 1959, el cuadro pasó al hijo de éste, Stephen Bonsal Brooks Jr (1916-1961) de Baltimore. Posteriormente la pintura entró en una colección privada de Hyde (MD). En 1979 Lucretia H. Giese publica el cuadro en un artículo en la revista de las Kennedy Galleries [Giese 1979] y en 1981 lo adquiere el barón Thyssen a través de la galería de Ira Spanierman de Nueva York.

1981.41
Raphael Soyer
Autorretrato, 1980
[cat. 113]

Este autorretrato tardío fue presentado en 1981 en la Forum Gallery de Nueva York junto a otras obras recientes de Raphael Soyer [Nueva York 1981b]. Sin embargo, según consta en la documentación de adquisición conservada en el archivo del museo, la pintura era entonces propiedad del artista, quien la vendió a la Andrew Crispo Gallery donde ese mismo año la compró el barón Thyssen-Bornemisza.

1981.42
Charles Demuth
La prímula, 1916-1917
[cat. 130]

La prímula perteneció a la Daniel Gallery de Nueva York, fundada en 1913 y dirigida por el marchante Charles Daniel (1878-1971). El 24 de febrero de 1919, el coleccionista de arte moderno y filántropo de Columbus (OH) Ferdinand Howald (1856-1934), obtuvo la obra. Nacido en Suiza, Howald se formó como ingeniero, trabajó en las minas de carbón de West Viriginia y se jubiló en 1906 en Nueva York. Entonces se mudó finalmente a Columbus, en donde contribuyó en la financiación para crear el Columbus Museum of Art. Dicho museo abrió sus puertas en 1931 con una exposición de su colección, y Howald donó esta obra a la institución [etiqueta al dorso]. El cuadro se prestó a la residencia del embajador estadounidense en Copenhague de 1961 a 1964, dentro del programa Art in Embassies gestionado por el neoyorquino Museum of Modern Art [etiqueta al dorso]. Años más tarde el barón Thyssen contribuiría a dicho programa con préstamos de su colección. En 1971-1972, este óleo figuró en la exposición itinerante *Charles Demuth: The Mechanical Encrusted on the Living* [Santa Bárbara-Berkeley-Washington-Utica 1971-1972] y en algún momento después de 1972, las Kennedy Galeries de Nueva York se hicieron con la pintura, vendiéndosela a la colección Thyssen-Bornemisza en 1981.

1981.43
Winslow Homer
Ciervo en los Adirondacks, 1889
[cat. 46]

Esta obra formaba parte de un conjunto de más de treinta acuarelas adquiridas en 1890 a través de la Doll and Richards Gallery de Boston por el célebre coleccionista bostoniano Edward W. Hooper (1839-1901), capitán de la Guerra Civil, patrono del Museum of Fine Arts de Boston y coleccionista de obras del pintor. En 1901, fue heredada por su hija Ellen S. Hooper (1872-1974), Mrs Briggs Potter, residente en Boston, quien se la dejó en herencia a su hija Mary Frances Potter (1911-1989), Mrs John Butler Swann, residente en Cherry Hill (MA). En 1978 se puso a la venta en las Hirschl & Adler Galleries de Nueva York, y fue adquirida por el coleccionista y filántropo Robert H. Smith (1928-2009). Poco después, se expone en las Kennedy Galleries [Nueva York 1980b, n.º 8], que se la venden primero a R. Scudder y en 1981 al barón Thyssen-Bornemisza.

1981.46
John Marin
Figuras en una sala de espera, 1931
[cat. 104]

Figuras en una sala de espera permaneció en poder de John Marin y, tras su muerte, pasó a su Sucesión. En 1981 sus herederos la vendieron a las Kennedy Galleries de Nueva York [etiqueta al dorso], donde el barón Thyssen-Bornemisza la adquirió ese mismo año.

1981.49
Charles Wimar
El rastro perdido, hacia 1856
[cat. 49]

Charles Wimar pintó *El rastro perdido* en San Luis (MO). A su muerte, en 1862, su mujer le vendió la obra al capitán del ejército de la unión estadounidense James Buchanan Eads (1820-1897), ingeniero e inventor de renombre también establecido en San Luis. Lo hereda su hija, Eliza Ann Eads Howe (1846-1915, Mrs James F. Howe), quien a su vez le dejó la obra en herencia a su hijo Louis Howe, con residencia en Nueva York. El óleo regresó a San Luis para ingresar en la colección de Edward Maitager Switzer y pasa a su hijo Edward Maitager Switzer II. Finalmente, el barón Thyssen compra el cuadro en 1981 a través de la galería de Ira Spanierman de Nueva York.

1981.51
Eastman Johnson
El campamento para la fabricación de azúcar de arce. La despedida, hacia 1865-1873
[cat. 36]

Tras su aparición en el mercado artístico el 16 de noviembre de 1914 con motivo de una subasta celebrada en la Fifth Avenue Galleries de Nueva York, *El campamento para la fabricación de azúcar de arce* fue custodiada por las Kennedy Galleries hasta 1958. Ese año fue adquirida por Pauline Stanbury Woolworth (1906-1994), cuya familia política era dueña de las tiendas Woolworth. Entre finales de los años cuarenta y la década de 1950 Woolworth creó una importante colección de arte americano, que se expuso en 1970, incluyendo esta obra de Eastman Johnson, en la Coe Kerr Gallery de Nueva York, propiedad de uno de sus hijos. Entre 1979 y 1981 esta pequeña pintura formó parte de las Hirschl & Adler Galleries, donde el barón Thyssen la adquirió con la intermediación de Andrew Crispo.

1981.52
Henry Lewis
Las cataratas de San Antonio, Alto Misisipi, 1847
[cat. 62]

En 1977 la obra se encuentra en los fondos de las Kennedy Galleries de Nueva York que la venden a un coleccionista de San Luis (MO). Pasaría luego a una colección privada de Chicago y, en 1981, la empresa Arcadia, Inc., establecida en Washington y especializada en materiales de construcción como puertas y ventanas, se la vendió al barón Thyssen.

1981.54
George Catlin
Las cataratas de San Antonio, 1871
[cat. 60]

La primera propietaria fue Adele Marie-Antoinette Gratiot Washburne (1826-1887), natural de Galena (IL), hija de una dama de honor de María Antonieta. Poseyó una valiosa colección de arte en su residencia, en parte gracias a la pasión coleccionista de su marido Elihu B. Washburne (1816-1887), congresista estadounidense por Illinois y embajador en Francia entre 1869 y 1877. Su padre, Henry Gratiot, buen amigo de Catlin, trabajó en Galena como agente federal para obtener tierras indígenas. La pintura continuó en manos de la familia hasta que en 1976 las Hanzel Galleries de Chicago la vendieron a una colección privada de Alabama. En 1979 el conservador de arte americano de la Smithsonian Institution William H Truettner, efectuó el primer estudio riguroso de esta y otras obras de Catlin [Truettner 1979, n.º 321, p. 234]. Dos años después, en 1981, el barón Thyssen adquiría la obra, a cambio de su pintura *Cerca del Louvre (Noche, Campos Elíseos*, 1898), pintada por Childe Hassam, en una transacción conjunta de las galerías neoyorquinas Berry-Hill y Andrew Crispo.

1981.56
Albert Bierstadt
Atardecer en la pradera, hacia 1870
[cat. 9]

Desde la galería neoyorquina M. Knoedler (establecida en 1846) pasa a la colección de Bronson Trevor (1910-2002) de Nueva York, hijo de John B. Trevor Sr (1878-1956), un jurista muy influyente en los debates sobre inmigración que llevaron a la formulación del Immigration Act de 1924. En 1980 formaba parte de los fondos de las Kennedy Galleries de Nueva York y se expuso en la sala en varias ocasiones [Nueva York 1980a, n.º 42 y Nueva York 1981a, n.º 11]. En 1981 la adquirió el barón Thyssen.

1981.57
Frederic Remington
Señal de fuego apache, hacia 1904
[cat. 83]

Señal de fuego apache estuvo durante un tiempo en manos del artista, hasta que hacia 1909 Henry Smith de Nueva York se convirtió en su primer propietario. Pasó por las American Art Galleries de Nueva York, que la expusieron en 1924, y de las Findlay Galleries de Chicago. Lo compró Bruce Arthur Norris (1924-1986), empresario y propietario desde 1955 del Detroit Red Wings, el equipo profesional de hockey sobre hielo. Finalmente, las neoyorquinas Kennedy Galleries vendieron este óleo al barón Thyssen en 1981.

1981.76
Georgia O'Keeffe
Calle de Nueva York con luna, 1925
[cat. 88]

Calle de Nueva York con luna se vendió en la primera ocasión en que fue expuesta al público, en la Intimate Gallery en 1926, junto a otras obras pintadas el año anterior. Los compradores, los neoyorquinos Adolph Meyer y su mujer, la conservaron toda su vida, al igual que sus descendientes hasta al menos 1976. El barón la adquirió en 1981.

1982.6
Maurice Prendergast
El hipódromo (Piazza Siena, Jardines Borghese, Roma), 1898
[cat. 117]

El hipódromo es una de las obras que Maurice Prendergast regaló a su hermano, Charles Prendergast (1863-1948). Charles, que también se dedicó a la pintura, destacó por sus trabajos en madera, entre ellos marcos tallados que fueron apreciados y empleados por artistas como John Singer Sargent. Esta acuarela, que conservó hasta su muerte, perteneció después al doctor Faucett y su mujer, de Darien (CT). El barón la adquirió en 1982 a través de la Andrew Crispo Gallery.

1982.8
John Singleton Copley
Retrato de Catherine Hill, mujer de Joshua Henshaw II, hacia 1772
[cat. 78]

La primera propietaria documentada del retrato es Margarethe L. Dwight (1871-1962), que lo dejó en préstamo al museo de arte de la Rhode Island School of Design. Nacida en Alemania, descendía de las familias más prominentes de Rhode Island: los Crawford, los Allen, los Dorr y los Carrington. Dwight ejerció como voluntaria en un hospital militar de Long Island durante la guerra de 1898, una experiencia que la reafirmó en sus ideales pacifistas. No solo se distinguió por su labor filantrópica, sino que también luchó por los derechos de las mujeres, convirtiéndose en una destacada sufragista. En 1966 el cuadro pertenecía al promotor inmobiliario Frank Mauran III y su mujer de Providence (RI) [etiqueta al dorso]. Las Kennedy Galleries de Nueva York lo vendieron a la colección Thyssen-Bornemisza en 1982.

1982.9
John Singleton Copley
Retrato de Miriam Kilby, mujer de Samuel Hill, hacia 1764
[cat. 77]

El cuadro perteneció a la bisnieta de la retratada, Mrs Thomas W. Phillips de Boston. En 1896 estaba en la colección de Sarah Perkins Cabot Wheelwright (Mrs Andrew C. Wheelwright) (1834-1917), [etiqueta al dorso], y en 1919 en la del jurista de Boston Henry Bromfield Cabot (1861-1932), miembro de los Boston Brahmins, nombre con el que se conocía a las familias de clase alta de la ciudad. A su muerte, fue heredado por su primogénito Henry B. Cabot (1894-1974), de Dover (MA) y en 1938 aparece como propietaria su mujer [Boston 1938, n.º 45, etiqueta al dorso, «Mrs Henry B. Cabot»]. En 1966 entraba en los fondos de las Kennedy Galleries de Nueva York [etiqueta al dorso], el mismo año en que el retrato aparecía publicado en la monografía de Jules David Prown [Prown 1966, pp. 56, 109, 219]. La obra se incorporó de dicha galería a la colección Thyssen-Bornemisza en 1982.

1982.11
John Marin
Abstracción, 1917
[cat. 125]

Abstracción formó parte de la Sucesión de John Marin tras su muerte en 1953 y fue posteriormente vendida a las Kennedy Galleries de Nueva York [etiqueta al dorso], donde el barón Thyssen-Bornemisza la adquirió en 1982.

1982.15
Samuel S. Carr
Escena de playa con teatrillo de títeres, hacia 1880
[cat. 120]

La información sobre esta obra es escasa hasta que en 1975 aparece en el mercado artístico a través de las Berry Hill Galleries de Nueva York, tras haber formado parte de una colección privada de Florida. Ese mismo año es adquirida por Arthur J. Phelan Jr (1934-2015), cuya colección de arte fue objeto de exposiciones en torno a temas como el Oeste americano o la costa de Connecticut. El barón Thyssen la incorporó a su colección en 1982 con la mediación de la Andrew Crispo Gallery.

1982.18
John Frederick Peto
Navegación al atardecer, hacia 1890
[cat. 42]

Al morir Peto en 1907 esta obra queda en manos de la Sucesión del artista. En 1982 fue adquirida por el barón Thyssen a través de las Kennedy Galleries de Nueva York.

1982.19
John Frederick Peto
Libros, jarra, pipa y violín, hacia 1880
[cat. 142]

El primer propietario de la obra fue James Moore Bryant, amigo de Peto. Ambos se conocieron en 1875 cuando estudiaban en la Pennsylvania Academy of the Fine Arts y mantendrían un contacto estrecho en la década de 1890, puesto que fueron vecinos de la pequeña localidad de Island Heights (NJ). Gracias a la fortuna familiar, que tenía su origen en la industria cervecera, Bryant apoyó a numerosos artistas, entre ellos Peto, comprando sus obras y proporcionándoles materiales para su trabajo. La obra se mantuvo en la colección de la familia durante dos generaciones más, hasta que pasó a formar parte de los fondos de las Kennedy Galleries en 1979, donde Hans Heinrich Thyssen-Bornemisza la adquirió en 1982.

1982.25
Thomas Moran
Aguas termales del lago Yellowstone, 1873
[cat. 26]

Tras pertenecer a una colección privada de Willingboro (NJ), fue adquirida por el barón Thyssen en 1982 en la Ira Spanierman Gallery de Nueva York.

1982.36
Clyfford Still
1965 (PH-578), 1965
[cat. 16]

De la colección del artista pasó a la Marlborough Gallery de Nueva York [inv. de la galería: NOS 20.487, etiqueta al dorso]. En 1982 la adquirió el barón Thyssen-Bornemisza en esta sala.

1982.40
Frederic Edwin Church
Bote abandonado, 1850
[cat. 13]

En 1851 Church presenta la pintura en la exposición anual de la prestigiosa National Academy of Design de Nueva York [n.º 166], de la que era académico desde 1849. Más adelante, pertenece sucesivamente a una colección privada de Catskill (NY), a la colección de John Donnelly de Marblehead (MA) y a la de Paul Cherkas, Rowayton (CT). En 1982 se expone en la Robert Rice Gallery de Houston (TX) y es adquirida por el barón Thyssen.

1982.43
Fitz Henry Lane
El fuerte y la isla Ten Pound, Gloucester, Massachusetts, 1847
[cat. 40]

En 1964 aparece como propiedad de Bertha Pearce, Gloucester (MA) [Wilmerding 1964, n.º 124, p. 65]. En 1979 es adquirida por una colección privada (a través de las Kennedy Galleries de Nueva York) y en 1982 entra en la colección Thyssen a través de las Hirschl & Adler Galleries de Nueva York [etiqueta al dorso].

1982.49
John William Hill
Vista de Nueva York desde Brooklyn Heights, hacia 1836
[cat. 38]

Subastado en Sotheby Parke Bernet, Nueva York, el 21 de noviembre de 1980 (lote 67). De 1980 a 1982 perteneció a los fondos de las Hirschl & Adler Galleries de Nueva York y en 1982 entró en la colección Thyssen-Bornemisza.

1982.50
Mark Rothko
Sin título (Verde sobre morado), 1961
[cat. 15]

En septiembre de 1968, dos años antes de morir, Rothko redactó un testamento que designaba a la Mark Rothko Foundation, gestionada por sus herederos, como principal beneficiaria de su legado. A su muerte en 1970, pasa a la Sucesión del artista [inv. de la Sucesión: 5081.61] que firma un acuerdo de venta con Marlborough A.G. de Liechtenstein y la Marlborough Gallery de Nueva York, que habían sido los marchantes del pintor desde 1963, para vender un conjunto de las obras, entre otras *Verde sobre morado*. En 1982 entra en la colección Thyssen-Bornemisza a través de esta sala.

1983.2
Marsden Hartley
Tema musical n.º 2 (Preludios y fugas de Bach), 1912
[cat. 124]

Una inscripción en la trasera de un amigo de Mardsen Hartley, el también artista Carl Sprinchorn (1887-1971), nos informa de que la obra estaba registrada en el American Art Research Council del Whitney Museum of American Art de Nueva York en 1956. Esta institución, fundada en 1942 a propuesta del Whitney Museum, tenía el propósito de establecer una organización colaborativa para la investigación del arte estadounidense y la nota de Sprinchorn es una suerte de autentificación de la obra. Posteriormente, en 1963, pasó por The Downtown Gallery [etiqueta al dorso] y por una colección privada antes de ser vendida al barón Thyssen por Andrew Crispo en 1983.

1983.3
Stuart Davis
Bolsas de té Tao y tetera, 1924
[cat. 134]

Esta pintura pasó del artista a la pionera Esther Robles Gallery (activa entre 1947 y 1979) de Los Ángeles, especializada en arte moderno y contemporáneo. Más tarde la adquirió la Andrew Crispo Gallery de Nueva York, donde la compró el barón Thyssen en 1983.

1983.4
George Inness
Mañana, hacia 1878
[cat. 14]

La obra la heredó el hijo del artista George Inness, Jr (1854-1926), residente en Montclair (NJ) y autor de una biografía de su padre publicada en 1917. Desde 1879 hasta 1946 fue propiedad del Smith College, en Northampton (MA). Según recoge Michael Quick en el catálogo razonado del pintor, se trata de la primera obra de Inness que entró en una colección pública [Quick 2007, p. 571]. En 1946 es subastada por Kende Galleries en los grandes almacenes Gimbel Brothers de Nueva York. Entre 1946 y 1947 se encuentra en los fondos de las Newhouse Galleries de Nueva York y de 1947 a 1969 en la colección de la benefactora Kay Kimbell Carter Forston (1934-), sobrina y heredera de Kay Kimbell (1886-1964) quien estableció la Kimbell Art Foundation que gestiona el Kimbell Art Museum de Fort Worth (TX). En 1969 vuelve a las Newhouse Galleries y en 1983 la Andrew Crispo Gallery se la vende al barón Thyssen.

1983.12
John Singer Sargent
Retrato de Millicent, duquesa de Sutherland, 1904
[cat. 80]

Una vez terminada esta obra, Sargent la presentó en la exposición anual de la Royal Academy de Londres [Londres 1904, n.º 206] con gran repercusión en la prensa. La retratada y primera propietaria de la obra es Millicent Sutherland-Leveson-Gower, duquesa de Sutherland (1867-1955), ciudadana británica, reformista y miembro de la alta sociedad. Ejerció como escritora y periodista bajo el nombre de Erskine Gower. Su labor de voluntariado organizando servicios hospitalarios en Bélgica y Francia durante la Primera Guerra Mundial le valió numerosas distinciones. Entre 1922 y 1954, el retrato se expuso en el Philadelphia Museum of Art como parte de la Wilstach Collection, la colección donada al museo en 1893 por Anna H. Wilstach (1822-1892) y su marido William P. Wilstach, (h. 1816-1870). Más tarde se vendió gran parte de la esta colección y el cuadro fue subastado en S. T. Freeman & Co. de Filadelfia el 29 y 30 octubre de 1954 (lote 151). Pasa a la colección del relaciones públicas neoyorquino Benjamin Sonnenberg (1901-1978) y su mujer Hilda Sonnenberg. Tras su fallecimiento, en 1979, la pintura se vende en la subasta *The Benjamin Sonnenberg Collection*, celebrada en Sotheby Parke Bernet de Nueva York el 7 de junio de 1979 (lote 690). Las Newhouse Galleries adquieren el retrato y en 1983 lo compra el barón Thyssen a través de la Andrew Crispo Gallery de Nueva York.

1983.15
Frederic Edwin Church
Paisaje sudamericano, 1856
[cat. 66]

Ezra Butler McCagg (1825-1908), abogado y filántropo de Chicago (IL), fue su primer propietario. McCagg fue miembro de la Chicago Historical Society, formó parte del comité ejecutivo y prestó sus cuadros a la primera exposición de arte de la ciudad en 1859 —organizada por el escultor Leonard Wells Volk (1828-1895)—. En 1863 concedió en préstamo obras de su colección a la exposición benéfica para los soldados del ejército estatal de la unión entre las que se encontraba *Paisaje sudamericano* [Chicago 1863, n.º 2]. En septiembre de 1892, McCagg se casó con Theresa Davis (?-1932) de Cincinnati. Ya fallecido su esposo e instalada en Washington, Theresa Davis McCagg depositó la pintura en 1917 en préstamo a la National Collection of Fine Arts (en la actualidad Smithsonian American Art Museum, Washington). Al morir su propietaria, la obra permaneció en el museo, y en 1966 fue incluida en una importante exposición itinerante del artista [Washington-Albany-Nueva York 1966, n.º 68]. Once años más tarde, el marchante de arte James Maroney descubrió que *Paisaje sudamericano* seguía en préstamo en el museo y alertó a los descendientes de Theresa Davis McCagg para que reclamasen el cuadro. Después de una batalla legal, en 1982 los herederos lo recuperaron y lo pusieron a la venta en Christie's Nueva York. Las Kennedy Galleries de Nueva York adquirieron la pintura y se la vendieron al barón Thyssen un año más tarde.

1983.18
Morris Louis
Columnas de Hércules, 1960
[cat. 34]

Propiedad del artista hasta su fallecimiento en 1962. La Sucesión [inv. de la Sucesión: 5-70] la puso en venta en la André Emmerich Gallery de Nueva York [etiqueta y sello al dorso]. La Andrew Crispo Gallery de Nueva York se la vende al barón Thyssen en 1983.

1983.25
Winslow Homer
Retrato de Helena de Kay, hacia 1872
[cat. 98]

Dos años después de retratar a Helena de Kay (1846-1916), Winslow Homer le regaló este pequeño óleo sobre tabla con motivo de su boda con Richard Watson Gilder. La pintura fue conservada por De Kay, también pintora y promotora cultural, y más tarde por sus hijas, hasta que en 1983 la vendieron a Hirschl & Adler Galleries, de Nueva York, donde la adquirió el barón Thyssen.

1983.27
Robert Salmon
Imagen del yate Dream, 1839
[cat. 39]

En 1971 esta obra está documentada como propiedad de Francis Lee Higginson, Rye Beach (NH) [Wilmerding 1971, n.º 27, p. 97]. Fue adquirida por el barón Thyssen en 1983 a través de las Kennedy Galleries de Nueva York.

1983.31
Frank Stella
Sin título, 1966
[cat. 137]

El lienzo posiblemente permaneció en posesión del artista hasta que en 1983 la Knoedler Gallery de Nueva York se lo vendió al barón Thyssen.

1983.39
Jasper Francis Cropsey
El lago Greenwood, 1870
[cat. 24]

Tras la muerte del pintor en 1900 *El lago Greenwood* queda a cargo de su mujer, Mrs Jasper F. Cropsey (Maria Cooley, † 1906), quien se la vende al político y coleccionista de Nueva York Frederick S. Gibbs (1845-1903). Según una carta de Gibbs a Henry Stowell fechada el 8 de abril de 1903, la obra de Cropsey se envía a Seneca Falls (NY), tras ser donada a la Seneca Falls Central School District [archivo del museo]. En 1983 el colegio en el que se había depositado decide vender la pintura y es subastada en Sotheby Parke Bernet, Nueva York, el 2 de junio de 1983 (lote 26) y adquirida por el barón Thyssen-Bornemisza a través de las Hirschl & Adler Galleries de Nueva York.

1983.41
Winslow Homer
La hija del guardacostas, 1881
[cat. 45]

De la Knoedler Gallery, de Nueva York pasa en 1909 a la colección de William J. Curtis (1854-1927) en la misma ciudad. A su muerte la acuarela es propiedad de su mujer, Mrs William J. Curtis (Angeline Sturtevant Riley, 1855-1940). En 1941 la hereda su nieto Henry Hill Pierce, Jr, residente en Clinton (CT). Entró en la colección Thyssen en 1983 a través de las Kennedy Galleries de Nueva York.

1984.3
John Singleton Copley
Retrato del juez Martin Howard, 1767
[cat. 76]

El retratado Martin Howard (1725-1781), primer dueño de la obra, fue un abogado, filósofo y político leal a la corona británica en la colonia de Rhode Island. Con su primera esposa, Ann Howard (?-1764), tuvo una hija, Annie Howard, en 1754. Se casó en segundas nupcias en 1767 con Abigail Greenleaf Howard (1743-1801) de Boston (MA). La familia se exilió en Inglaterra en 1777 y Howard falleció en Londres, pero su mujer y su hija regresaron a Nueva Inglaterra en 1783 y el retrato colgó en su residencia de Franklin Place de Boston. Su hija Annie contrajo matrimonio en 1787 con el comerciante bostoniano Andrew Spooner y tuvieron dos hijos Andrew y Anna. Andrew Spooner heredó el retrato y posteriormente se lo pasó a su hermana Anna Howard Spooner, quien lo regaló a la Social Law Library de Boston en 1829 donde permaneció hasta 1983 [etiqueta al dorso]. La biblioteca dejó el cuadro en depósito en el Museum of Fine Arts de Boston entre 1937 y 1983 [etiqueta al dorso: «S.217.1.1982»]. En 1983 la obra fue puesta a la venta en las Hirschl & Adler Galleries de Nueva York, donde la adquirió el barón Thyssen al año siguiente.

1984.17
Willem de Kooning
Hombre rojo con bigote, 1971
[cat. 110]

El primer propietario de *Hombre rojo con bigote* fue Xavier Fourcade (1927-1987). Este marchante francoamericano conoció a De Kooning cuando trabajaba en la Knoedler Gallery de Nueva York y, a partir de 1971, cuando el artista abandonó la citada galería tras ser comprada por el magante del petróleo y coleccionista Armand Hammer, colaboró con él directamente. La obra participó en gran número de exposiciones en Estados Unidos y Europa durante la década siguiente, en las que se señalaba como propietario a Xavier Fourcade, Inc. [etiquetas al dorso], hasta que en 1984 pasó a la Anthony D'Offay Gallery de Londres [etiqueta al dorso], donde ese mismo año la adquirió el barón Thyssen-Bornemisza.

1985.9
Martin Johnson Heade
Playa de Singing, Manchester, 1862
[cat. 54]

Poco después de su creación, en la década de 1860 —quizá en 1867—, el marchante de arte Seth M. Vose (1803-1867), hijo del fundador de las Vose Galleries de Providence (RI), Joseph Vose, fue intermediario en la venta de la obra al doctor John Hale Mason (1843-1916) de esta ciudad, con motivo de su enlace con Alice Mason Grosvenor. La obra permanece en la familia Mason, establecida en Barrington (RI), y regresa en 1984 a las Vose Galleries, ubicadas en Boston desde 1896, donde la adquiere el barón Thyssen en 1985.

1985.10
Francis A. Silva
Kingston Point, río Hudson, hacia 1873
[cat. 41]

Kingston Point, río Hudson aparece en el mercado artístico en una subasta de Sotheby Parke Bernet, Nueva York y, tras pertenecer a una colección privada, en 1985 es vendida por las Vose Galleries de Boston [etiqueta al dorso] al barón Thyssen-Bornemisza.

1985.12
Winslow Homer
Escena de playa, hacia 1869
[cat. 119]

Winslow Homer conservó esta obra hasta su muerte. Charles S. Homer Jr. (1834-1917), hermano menor del artista y su único heredero, fue su propietario a continuación. Más tarde pasó a la colección de Allan A. Morrill, de Chicago, en cuya familia permaneció al menos una generación más. En 1963 entró en la colección del doctor Wayne P. Bryer (1907-1991), de Hampton (NH), en cuya mansión histórica se podían ver pinturas de enclaves locales. Hacia 1979 la obra volvió a aparecer en el mercado artístico a través de las Vose Galleries de Boston, donde el barón Thyssen la adquirió en 1985.

1985.26
George Inness
Días de verano, 1857
[cat. 23]

Al morir el artista en 1894, la hereda su hijo George Inness, Jr. (1854-1926), residente en Montclair (NJ). Pasó posteriormente a ser propiedad de William Macy Walker y a su muerte pasa a sus herederos hasta alrededor de 1924 en que es propiedad del coleccionista de obras de Inness George H. Ainslie, dueño de las George H. Ainslie Galleries de Nueva York, y más tarde las John Levy Galleries de la misma ciudad. Fue propiedad de Elliott Hyman, residente en Connecticut, hasta al menos 1979, y luego pasó a una colección privada de Nueva York. Fue adquirida por el barón Thyssen en 1985, a través de Neil Morris Fine Paintings de Nueva York.

1987.24
Martin Johnson Heade
Pantanos en Rhode Island, 1866
[cat. 35]

El primer propietario documentado fue Cornelius Moore (1885-1970), banquero y coleccionista de arte americano de Newport (RI). Más tarde, perteneció a la colección de Mrs Julian Armistead de Brooklyn (NY) y fue vendida en la subasta de las Parke Bernet Galleries de Nueva York del 27 y 28 de octubre de 1971 (lote 134). Entró a formar parte de los fondos de las Berry Hill Galleries, la sala de Nueva York especializada en arte americano propiedad de James y Frederick Hill, y de ahí a una colección privada de Nueva York. Posteriormente pasó por la A.C.A. Gallery (American Contemporary Art Gallery), abierta en Nueva York en 1932 por Herman Baron (1892-1961) y los artistas Stuart Davis y Yasuo Kuniyoshi (1889-1953) para promocionar el arte moderno, y más tarde por la Andrew Crispo Gallery. El barón Thyssen la adquirió en la subasta de Sotheby's Nueva York el 3 de diciembre de 1987 (lote 74).

1989.3
Childe Hassam
Día lluvioso, Columbus Avenue, Boston, hacia 1885
[cat. 116]

Esta vista de una gran avenida de Boston perteneció a W. S. Cotton, residente en la cercana Chappaquoit (MA). Más tarde la obra permaneció cerca de Boston, en la colección de Mrs Charles Adams, de Brookline. De sus descendientes pasó a la Ira Spanierman Gallery, donde el barón la adquirió en 1989.

1990.5
Frederic Edwin Church
Paisaje tropical, hacia 1855
[cat. 63]

Paisaje tropical salió por primera vez a la venta en la subasta *American Paintings, Drawings and Sculpture*, organizada por Sotheby's Nueva York el 24 de mayo de 1990 (lote 44) y fue adquirida por los barones Thyssen.

1991.9
Paul Lacroix
La abundancia del verano, s. f.
[cat. 129]

Este bodegón entró en la colección Thyssen-Bornemisza en 1991 a través de las Adams Davidson Galleries de Washington D. C.

1993.10
Richard Estes
Nedick's, 1970
[cat. 146]

Nedick's fue custodiada por la Allan Stone Gallery hasta su subasta en Sotheby's Nueva York el 3 de noviembre de 1993 (lote 32), cuando Hans Heinrich y Carmen Thyssen la adquirieron para su colección.

1993.11
Richard Lindner
Thank you, 1971
[cat. 96]

Cuando en 1974 *Thank you* se expuso por primera vez en una retrospectiva que itineró por Europa [París-Düsseldorf-Zúrich-Róterdam 1974, n.º 35, lám.] figuró como propiedad de la Galerie Claude Bernard de París. Al menos entre aquella exposición y la que se celebró en 1979 [Saint-Paul de Vence-Lieja 1979, n.º 28, p. 78] la obra perteneció a la galería francesa. Tras pasar por una colección privada de Nueva York, fue subastada en Sotheby's Nueva York el 4 de mayo de 1987 (lote 17). La galería Theo de Madrid la tuvo en sus fondos antes de que saliera de nuevo a la venta en Sotheby's Nueva York el 3 de mayo de 1993 (lote 54), donde fue adquirida por los barones Thyssen.

1996.18
James McDougal Hart
Verano en los Catskills, hacia 1865
[cat. 25]

La pintura es adquirida por los barones Thyssen-Bornemisza en la subasta de Christie's Nueva York del 23 de mayo de 1996 (lote 10).

1996.19
Albert Bierstadt
Calle en Nasáu, hacia 1877-1880
[cat. 67]

Calle en Nasáu refleja la presencia de Albert Bierstadt en la isla de Bahamas desde 1876, adonde acudió buscando un clima propicio para la delicada salud de su mujer Rosalie. En 1885, por iniciativa del gobernador británico de la colonia sir Henry Arthur Blake (1840-1918), se organizó en Nasáu la primera Exposición Colonial de las Bahamas. En ella se exhibían obras de producción local de cerámica, plata, bordado y joyería, así como bocetos y pinturas de Albert Bierstadt prestados por Rosalie. En paradero desconocido durante un siglo, el cuadro se puso a la venta en 1996 en Sotheby's Nueva York, en donde fue adquirido por los barones Thyssen (lote 41).

1996.24

Thomas Hart Benton
Bodegón con florero, 1967
[cat. 131]

Bodegón con florero, una obra tardía de Thomas Hart Benton, se vendió en la casa de subastas Christie's de Nueva York el 23 de mayo de 1996 y fue adquirida por los barones Thyssen-Bornemisza.

1997.6

Martin Johnson Heade
Amanecer en Nicaragua, 1869
[cat. 65]

El artista presentó *Amanecer en Nicaragua* en la primera exposición anual de la Yale School of Art en el mismo año de su creación. Fue transmitido por herencia familiar a una colección particular de Kentucky y adquirido años después por un marchante de arte de Denver (CO) en la subasta de Sotheby's Nueva York del 5 de diciembre de 1985. Posteriormente entró en los fondos de la Ira Spanierman Gallery de Nueva York y fue vendido a un coleccionista particular de Canadá. En 1996 se expuso en una muestra de arte americano en la Ira Spanierman Gallery [Nueva York 1996] y en 1997 fue adquirido por los barones Thyssen en esta galería.

1998.67

Alfred Thompson Bricher
Día nublado, 1871
[cat. 55]

Día nublado formó parte de la colección de Curtis C. Deininger de Boston (MA) y en 1973 se incluyó en una exposición retrospectiva dedicada al artista [Indianápolis-Springfield 1973, n.º 23]. En ese mismo año un coleccionista anónimo compró la obra y la conservó hasta que la Masco Corporation la adquirió en 1981 a través de la Alexander Gallery de Nueva York. Se expuso en 1993 como parte de la colección de esta compañía de la familia Manoogian [Hickory 1993, n.º 5]. Finalmente, la adquirieron los barones Thyssen en la venta *American Paintings from the Masco Corporation*, organizada el 3 de diciembre de 1998 en Nueva York por Sotheby's (lote 118).

1998.68

Alfred Thompson Bricher
Vista costera, s. f.
[cat. 56]

El primer propietario fue el inglés asentado en Nueva York Adam Sulima (1869-1940/1948?). Tras su muerte, heredó la obra su asistente personal Andrea Thancke. *Vista costera* formó parte de una colección particular en las décadas de 1970 y 1980 hasta que, en 1998, fue adquirida por los barones Thyssen en la venta *American Paintings from the Masco Corporation* (lote 140).

1998.69

William Bradford
Pescadores en la costa de Labrador, s. f.
[cat. 10]

Pescadores en la costa de Labrador, obra sin fechar, entró en las Findlay Art Galleries de Kansas City (MO) en 1870, el año de su fundación (o quizá algo más tarde). Sobre 1925 esta galería le vendió la pintura a la Mrs C. J. Smack de la misma ciudad. Loretta (Gulian) Boxdorfer (1934-), adquiría la obra en 1965. La casa Sotheby's de Nueva York vendió el cuadro a una colección particular en la subasta *American Paintings, Drawings and Sculpture* celebrada el 2 de diciembre de 1993. También en una venta de Sotheby's Nueva York del 3 de diciembre de 1998 (lote 144) la adquirirían los barones Thyssen.

1998.71

Joseph Henry Sharp
Montando el campamento, Little Big Horn, Montana, s. f.
[cat. 59]

Ron Hall, de Fort Worth (TX) fue su primer dueño, y después la obra pasó a manos de Mrs Ted Melcher, de Cincinnati (OH). La Altermann Art Gallery, de Dallas (TX), se hizo con la pintura y se la vendió a John F. Eulich (1929-2016) en 1982, colección en la que permaneció hasta que en diciembre de 1998 fue subastada por Sotheby's de Nueva York, donde fue adquirida por los barones Thyssen-Bornemisza.

1999.111

Alfred Thompson Bricher
Contemplando el mar, hacia 1885
[cat. 57]

Un coleccionista privado adquirió esta pintura en 1964 a través de la galería neoyorquina de Robert Smullyan Sloan, artista convertido en marchante. Fue adquirida por los barones Thyssen en la subasta de Christie's Nueva York del 30 de noviembre de 1999 (lote 92). *Contemplando el mar* fue la tercera y última obra de Alfred Thompson Bricher que adquirieron los barones Thyssen.

1999.113

Anthony Thieme
Cabañas cerca de San Agustín, Florida, hacia 1947-1948
[cat. 58]

En 1948 se expuso en las Grand Central Art Galleries de Nueva York [n.º 14]. Los barones Thyssen compraron la obra en la subasta del 30 de noviembre de 1999 en Christie's Nueva York (lote 72).

1999.114

Worthington Whittredge
El arcoiris, otoño, Catskills, hacia 1880-1890
[cat. 6]

El primer propietario documentado de esta obra fue Milton Luria (1922-2015) de Verona (NJ). Fue adquirida por los barones Thyssen-Bornemisza en Christie's Nueva York, en la subasta de 30 de noviembre de 1999 (lote 19).

Bibliografía y exposiciones

AA. VV. 1946
AA. VV., «Eleven Europeans in America», en *The Bulletin of the Museum of Modern Art*, vol. 13, n.os 4/5, 1946, pp. 2-39.

Alarcó 2009
Paloma Alarcó, *Museo Thyssen-Bornemisza. Pintura Moderna*. Madrid, Museo Thyssen-Bornemisza, 2009.

Alarcó 2014
Paloma Alarcó, «Mitos del Pop», en *Mitos del Pop* [cat. exp.]. Paloma Alarcó (ed.). Madrid, Museo Thyssen-Bornemisza, 2014, pp. 15-49.

Allen 2004
Brian T. Allen, *Sugaring Off: The Maple Sugar Paintings of Eastman Johnson* [cat. exp.]. Williamstown, Sterling and Francine Clark Art Institute, 2004.

Arthur 1978
John Arthur, «A Conversation with Richard Estes», en Richard Estes, John Canaday y John Arthur (eds.), *Richard Estes: The Urban Landscape* [cat. exp.] Boston, Museum of Fine Arts, 1978, pp. 15-43.

Ashbery 1965
John Ashbery, «Andy Warhol Causes Fuss in Paris», en *International Herald Tribune*, París, 18 de mayo de 1965.

Asher 1999
Michael Asher, *Painting and Sculpture from the Museum of Modern Art: Catalog of Deaccessions, 1929 through 1998*. Nueva York, The Museum of Modern Art, 1999.

Augé 1992
Marc Augé, *Los «no lugares». Espacios del anonimato. Una antropología de la sobremodernidad*. Barcelona, Gedisa, 1992.

Barcelona 1988
Mestres americans del segle XIX de la Col·lecció Thyssen-Bornemisza [cat. exp.] Barcelona, Palau de la Virreina-Ajuntament de Barcelona, 1988.

Barrett 2019
Ross Barrett, «Harnett's Habit: Still Life Painting and Smoking Culture in the Gilded Age», en *American Art*, vol. 33, n.º 2, verano de 2019, pp. 62-83.

Barringer et al. 2018
Tim Barringer *et al.* (eds.), *Picturesque and Sublime: Thomas Cole's Trans-Atlantic Inheritance*. New Haven-Londres, Yale University Press-Thomas Cole National Historic Site, 2018.

Barter 2013
Judith A. Barter, «Drunkards and Teetotalers: Alcohol and Still-Life Painting», en Judith A. Barter (ed.), *Art and Appetite: American Painting, Culture, and Cuisine* [cat. exp.]. Chicago, The Art Institute of Chicago, 2013, pp. 107-139.

Barter y Madden 2013
Judith A. Barter y Annelise K. Madden, «The Symmetry of Nature: Horticulture and the Roots of American Still-Life Painting», en Judith A. Barter (ed.), *Art and Appetite: American Painting, Culture, and Cuisine* [cat. exp.]. Chicago, The Art Institute of Chicago, 2013, pp. 56-73.

Baskind 2004
Samantha Baskind, *Raphael Soyer and the Search for Modern Jewish Art*. Chapell Hill-Londres, The University of North Carolina Press, 2004.

Baur 1981
John I. H. Baur, «Introduction», en *John Marin's New York* [cat. exp.]. Nueva York, Kennedy Galleries, 1981, s. p.

Baur 1984
John I. H. Baur, «Two Hundred Years of American Painting from the Thyssen-Bornemisza Collection», en *American Masters: The Thyssen-Bornemisza Collection*. Washington, International Exhibitions Foundation-Lugano-Milán, Thyssen-Bornemisza Collection-Electa International, 1984, pp. 15-24.

Bearden 1969
Romare Bearden, «Rectangular Structure in My Montage Paintings», en *Leonardo*, vol. 2, n.º 1, enero de 1969, pp. 11-19.

Bedell 2002
Rebecca Bedell, «Thomas Moran and the Western Surveys», en Rebecca Bedell, *The Anatomy of Nature: Geology & American Landscape Painting, 1825-1875*. Princeton-Oxford, Princeton University Press, 2002, pp. 123-146.

Bell 2006
Adrienne Baxter Bell (ed.), *George Inness: Writings and Reflections on Art and Philosophy*. Nueva York, George Braziller, 2006.

Beneke y Zeilinger 2007
Sabine Beneke y Johannes Zeilinger (eds.), *Karl May. Imaginäre Reisen* [cat. exp.]. Berlín, Deutsches Historisches Museum-Kettler, 2007.

Bennett 2010
Jane Bennett, *Vibrant Matter: A Political Ecology of Things*. Durham, Duke University Press, 2010.

Berlín-Zúrich 1988-1989
Bilder aus der Neuen Welt: amerikanische Malerei des 18. und 19. Jahrhunderts: Meisterwerke aus der Sammlung Thyssen-Bornemisza und Museen der Vereinigten Staaten [cat. exp. Berlín, Staatliche Museen Preussischer Kulturbesitz, Nationalgaleri, Orangerie des Schlosses Charlotenburg; Kunsthaus Zürich]. Múnich, Prestel-Verlag, 1988.

Besaw 2013
Mindy N. Besaw, «The End of the Frontier and the Birth of Nostalgia. Art of the Old West after 1900», en *Art of the American Frontier: from the Buffalo Bill Center of the West* [cat. exp.]. Atlanta, High Museum of Art-New Haven, Yale University Press, 2013, pp. 27-36.

Bolger 1996
Doreen Bolger, «The Early Rack Paintings of John F. Peto: "Beneath the Nose of the Whole World"», en Anne W. Lowenthal (ed.), *The Object as Subject: Studies in the Interpretation of Still Life*. Princeton, Princeton University Press, 1996.

Boone 2019
M. Elizabeth Boone, *«The Spanish Element in Our Nationality». Spain and America at the World's Fairs and Centennial Celebrations, 1876-1915*. Pensilvania, The Pennsylvania State University Press, 2019.

Bornholdt 1944
Laura Bornholdt, «The Abbe de Pradt and the Monroe Doctrine», en *Hispanic American Historical Review*, vol. 24, n.º 2, 1944, pp. 201-221.

Boston 1938
John Singleton Copley, 1738-1815, Loan Exhibition of Paintings, Pastels, Miniatures and Drawings [cat. exp.] Boston, Museum of Fine Arts, 1938.

Bourguignon, Fowle y Brettell 2014
Katherine Bourguignon, Frances Fowle y Richard R. Brettell, *American Impressionism: A New Vision, 1880-1900* [cat. exp.]. New Haven, Yale University Press-París, Hazan, 2014.

Bowers 1950
Alfred W. Bowers, *Mandan Social and Ceremonial Organization*. University of Chicago Publications in Anthropology. Social Anthropological Series. Chicago, University of Chicago Press, 1950.

Boyajian y Rutkoski 2007
Ani Boyajian y Mark Rutkoski (eds.), *Stuart Davis: A Catalogue Raisonné*, 3 vols. New Haven, Yale University Art Gallery-Yale University Press, 2007.

Braddock 2006
Alan. C. Braddock, «Shooting the Beholder: Charles Schreyvogel and the Spectacle of Gun Vision», en *American Art*, vol. 20, n.º 1, primavera de 2006, pp. 36-59.

Braddock e Irmscher 2009
Alan C. Braddock y Christoph Irmscher (eds.), *A Keener Perception. Ecocritical Studies in American Art History*. Tuscaloosa, The University of Alabama Press, 2009.

Brandt 2009
Allan M. Brandt, «Pro Bono Publico», en *The Cigarette Century: The Rise, Fall, and Deadly Persistence of the Product that Defined America*. Nueva York, Basic Books, 2009, pp. 19-43.

Brindle y Secrist 1976
John V. Brindle y Sally W. Secrist, *American Cornucopia: 19th Century Still Lifes and Studies* [cat. exp.]. Pittsburgh, The Hunt Institute for Botanical Documentation, 1976.

Brownlee 2008
Peter John Brownlee, *Manifest Destiny / Manifest Responsibility: Environmentalism and the Art of the American Landscape* [cat. exp.]. Chicago, Terra Foundation for American Art-Loyola University Museum of Art, 2008.

Brunet 2013
François Brunet (ed.), *L'Amérique des images: Histoire et culture visuelle des États-Unis*. París, Hazan, 2013.

Buenos Aires 1910
Exposición Internacional de Arte del Centenario [cat. exp.]. Buenos Aires, 1910.

Burlingham 2009
Cynthia Burlingham, «A Natural Preference: Burchfield and Watercolor», en Cynthia Burlingham y Robert Gober (eds.), *Heat Waves in a Swamp: The Paintings of Charles Burchfield* [cat. exp.] Los Ángeles, Hammer Museum-Múnich-Nueva York, DelMonico Books/Prestel, 2009, pp. 10-19.

Burns 2004
Sarah Burns, *Painting the Dark Side: Art and the Gothic Imagination in Nineteenth-Century America*. Berkeley, University of California Press, 2004.

Burns 2012
Emily C. Burns, *Innocence Abroad: The Construction and Marketing of an American Artistic Identity in Paris, 1880-1910* [Tesis doctoral], San Luis, Washington University, 2012.

Butor 1962
Michel Butor, *Mobile: étude pour une représentation des Etats-Unis*. París, Gallimard, 1962.

Campbell 1981
Mary Schmidt Campbell, «Romare Bearden: Rites and Riffs», en *Art in America*, n.º 69, diciembre de 1981, pp. 134-141.

Campbell 2018
Mary Schmidt Campbell, *An American Odyssey: The Life and Work of Romare Bearden*. Nueva York, Oxford University Press, 2018.

Cao 2018
Maggie M. Cao, *The End of Landscape in Nineteenth-Century America*. Oakland, University of California Press, 2018.

Carbone 1999
Teresa A. Carbone, «The Genius of the Hour: Eastman Johnson in New York, 1860-1880», en Teresa A. Carbone y Patricia Hills (eds.), *Eastman Johnson. Painting America* [cat. exp.]. Nueva York, Brooklyn Museum-Rizzoli, 1999. pp. 49-119.

Carbone 2011
Teresa A. Carbone, «Silent Pictures: Encounters with a Remade World», en *Youth and Beauty: Art of the American Twenties* [cat. exp.]. Nueva York, Brooklyn Museum-Skira Rizzoli, 2011, pp. 113-183.

Cassidy 1997
Donna M. Cassidy, *Painting the Musical City. Jazz and Cultural Identity in American Art, 1910-1940*. Washington-Londres, Smithsonian Institution Press, 1997.

Chambers 1975
Bruce W Chambers, *American Paintings in the High Museum of Art: A Bicentennial Catalogue* [cat. exp.]. Atlanta, The High Museum of Art, 1975.

Chicago 1863
Chicago Exhibition of the Fine Arts of the Chicago Branch of the U.S. Sanitary Commission [cat. exp.]. Chicago, McVicker's Theatre Building, 1863.

Chicago 1929
Modern Paintings: Ralph Cudney, Mrs. Mary O. Jenkins and Paul Schulze Collections [cat. exp.]. Chicago, The Art Institute of Chicago, 1929.

Chicago 1961
The Maremont Collection at the Institute of Design [cat. exp.]. Chicago, Institute of Technology, 1961.

Christadler 1992
Martin Christadler, «Romantic Landscape Painting in America. History as Nature, Nature as History», en Thomas W. Gaehtgens y Heinz Ickstadt (eds.), *American Icons: Transatlantic Perspectives on Eighteenth- and Nineteenth-Century American Art*. Santa Mónica, Getty Center for the History of Art and Humanities, 1992, pp. 93-117.

Cikovsky 1979
Nicolai Cikovsky Jr., «The Ravages of the Axe: The Meaning of the Tree Stump in Nineteenth-Century American Art», en *The Art Bulletin*, vol. 61, n.º 4, diciembre de 1979, pp. 611-626.

Ciudad del Vaticano-Lugano 1983-1984
Maestri americani della Collezione Thyssen-Bornemisza [cat. exp. Ciudad del Vaticano, Musei Vaticani-Lugano, Villa Malpensata, 1983-1984]. Roma, Electa, 1983.

Clark 2012
Carol Clark, «Trappers and Cowboys: Long Jakes, the "Rocky Mountain Man"», en Thomas Brent Smith (ed.), *Elevating western American art: developing an institute in the cultural capital of the Rockies*. Denver, Petrie Institute of Western American Art-Norman, University of Oklahoma Press, 2012, pp. 186-191.

Cooper 2005
Harry Cooper, «Arthur Dove paints a record», en *Source: Notes in the History of Art*, invierno de 2005, vol. 24, n.º 2, pp. 70-77.

Cooper y Haskell 2016
Harry Cooper y Barbara Haskell, *Stuart Davis. In Full Swing* [cat. exp.]. Nueva York, Prestel, 2016, pp. 1-21.

Corn 1988
Wanda M. Corn, «Coming of Age: Historical Scholarship in American Art», en *The Art Bulletin*, vol. 70, n.º 2, 1988, pp. 188-207.

Corn 1999
Wanda M. Corn, *The Great American Thing. Modern Art and National Identity, 1915-1935*. Berkeley-Los Ángeles-Londres, University of California Press, 1999.

Costello 2011
Bonnie Costello, «Contesting Modernity at the Kitchen Table: American Still Life in the Twenties», en Teresa A. Carbone, *Youth and Beauty: Art of the American Twenties* [cat. exp.]. Nueva York, Skira Rizzoli-Brooklyn Museum, 2011, pp. 185-208.

Cowart 1978
Jack Cowart, «The Collections, Recent Acquisitions: Coal Elevators by Ralston Crawford», en *Bulletin (St. Louis Art Museum)*, vol. 14, n.º 1, enero-marzo de 1978, pp. 10-16.

Cross y Wilmerding 2019
William R. Cross y John Wilmerding, *Homer at the Beach. A Marine Painter's Journey, 1869-1880* [cat. exp.]. Gloucester, Cape Ann Museum, 2019.

Crow 1996
Thomas Crow, *The Rise of the Sixties: American and European Art in the Era of Dissent*. New Haven, Yale University Press, 1996.

Davis 2003
John Davis, «The State of Art History-the End of the American Century: Current Scholarship on the Art of the United States», en *The Art Bulletin*, vol. 85, n.º 3, 2003, pp. 544-580.

De Pury y Stadiem 2016
Simon de Pury y William Stadiem, *The Auctioneer: Adventures in the Art Trade*, Nueva York, St. Martin's Press, 2016 (libro electrónico).

DeLue 2004
Rachael Z. DeLue, *George Inness and the Science of Landscape*. Chicago, University of Chicago Press, 2004.

DeLue 2016
Rachael Z. DeLue, *Arthur Dove: Always Connect*. Chicago-Londres, Chicago University Press, 2016.

DeLue 2020
Rachael Z. DeLue, «Shoreline Landscapes and the Edges of Empire», en Richard Read y Kenneth Haltman (eds.), *Colonization, Wilderness, and Spaces between: Nineteenth-Century Landscape Painting in Australia and the United States*. Chicago, Terra Foundation for American Art, 2020, pp. 50-68.

Demuth 2000
«Carta de Charles Demuth a Alfred Stieglitz», 29 de septiembre de 1929, en Bruce Kellner (ed.), *Letters of Charles Demuth. American Artist, 1883-1935*. Filadelfia, Temple University Press, 2000, p. 125.

Doss 1991
Erika Lee Doss, *Benton, Pollock, and the Politics of Modernism: from regionalism to abstract expressionism*. Chicago, University of Chicago Press, 1991.

Dossin 2012
Catherine Dossin, «Mapping the Reception of American Art in Postwar Western Europe», en *Artl@s Bulletin*, vol. 1, n.º 1, 2012, art. 3, pp. 33-39.

Du Plessix y Gray 1967
Francine du Plessix y Cleve Gray, «Who Was Jackson Pollock?», en *Art in America*, vol. 55, n.º 3, mayo-junio de 1967, pp. 48-59.

Dunbar-Ortiz 2019
Roxanne Dunbar-Ortiz, *La historia indígena de Estados Unidos*. Nancy Viviana Piñeiro, trad. Madrid, Capitán Swing, 2019.

Durand 1855
Asher B. Durand, «Letters on Landscape Painting, Letter I», en *The Crayon*, 3 de enero de 1855, p. 2.

Feinstein 1990
Roni Feinstein, *Robert Rauschenberg: The Silkscreen Paintings*. Nueva York, Whitney Museum of American Art, 1990.

Feintuch 2003
Burt Feintuch (ed.), *Eight Words for the Study of Expressive Culture*. Urbana, University of Illinois Press, 2003.

Filadelfia 1901
Catalogue: Seventieth Annual Exhibition of the *Pennsylvania Academy of the Fine Arts* [cat. exp.]. Filadelfia, Pennsylvania Academy of the Fine Arts, 1901.

Filadelfia 1976
In This Academy: The Pennsylvania Academy of the Fine Arts, 1805-1976 [cat. exp]. Filadelfia, Pennsylvania Academy of the Fine Arts, 1976.

Finney 2014
Carolyn Finney, *Black Faces, White Spaces: Reimagining the Relationship of African Americans to the Great Outdoors*. Chapel Hill, University of North Carolina Press, 2014.

Foucault 1994
Michel Foucault, *The Order of Things: An Archaeology of the Human Sciences*. Nueva York, Vintage Books, 1994.

Francis 2011
Jacqueline Francis, «Bearden's Hands», en Ruth Fine y Jacqueline Francis (eds.), *Romare Bearden, American Modernist*, en *Studies in the History of Art; Symposium Papers, 71. 48*. Washington, National Gallery of Art, 2011, pp. 119-142.

Frank 2015
Robin Jaffee Frank (ed.), *Coney Island: Visions of an American Dreamland, 1861-2008* [cat. exp.]. Hartford, Wadsworth Atheneum Museum of Art-New Haven, Yale University Press, 2015.

Fraser 2013
Max Fraser, «Hands Off the Machine: Workers' Hands and Revolutionary Symbolism in the Visual Culture of 1930s America», en *American Art*, vol. 27, n.º 2, Verano de 2013, pp. 94-117.

Fried 1998
Michael Fried, «Art and Objecthood», en *Art and Objecthood: Essays and Reviews*. Chicago, University of Chicago Press, 1998, pp. 148-172.

Frost 2017
Robert Frost, *Poesía completa*. Andrés Catalán (trad. y notas). Orense, Ediciones Linteo, 2017 (edición bilingüe).

Gallagher y Tyler 2004
Marsha V. Gallagher y Ron Tyler (eds.), *Karl Bodmer's North American prints*. Lincoln, University of Nebraska Press-Chesham, Combined Academic, 2004.

García Lorca 2020
Federico García Lorca, *Un poeta en Nueva York* (conferencia-recital). Ediciones del 4 de Agosto, [Logroño, 2020].

Gerdts 1977
William H. Gerdts, «Winslow Homer in Cullercoats», en *Yale University Art Gallery Bulletin*, vol. 36, n.º 2, primavera de 1977, pp. 18-35.

Gibson 2012
Abraham H. Gibson, «American Gibraltar: Key West during World War II», en *The Florida Historical Quarterly*, vol. 90, n.º 4, 2012, pp. 393-425.

Giese 1979
Lucretia H. Giese, «James Goodwyn Clonney (1812-1867): American Genre Painter», en *American Art Journal*, vol. 11, n.º 4, octubre de 1979, pp. 4-31.

Gilman y Zhou 2004
Sander L. Gilman y Xun Zhou, *Smoke: A Global History of Smoking*. Londres, Reaktion Books, 2004.

Gjerde 2012
Jon Gjerde, *Catholicism and the Shaping of Nineteenth-Century America*, S. Deborah Kang (ed.). Nueva York, Cambridge University Press, 2012.

Glaser 1966
The Editors of ARTnews (Bruce Glaser et al.), «What You See Is What You See': Donald Judd and Frank Stella on the End of Painting, in 1966», en *ARTnews*, vol. 65, n.º 5, septiembre de 1966, disponible en https://www.artnews.com/art-news/retrospective/what-you-see-is-what-you-see-donald-judd-and-frank-stella-on-the-end-of-painting-in-1966-4497/2/, publicado el 10 de julio de 2015.

Goetzmann et al. 1984
William H. Goetzmann *et al.*, *Karl Bodmer's America*. Lincoln, Joslyn Art Museum-University of Nebraska Press, 1984.

Goley 2021
Mary Anne Goley, *Democracy's Medici: The Federal Reserve and the Art of Collecting*. Lanham, Rowman & Littlefield, 2021.

Goodrich 2005-2014
Lloyd Goodrich, *Record of Works by Winslow Homer*, 5 vols. Abigail Booth Gerdts (ed.). Nueva York, Ira Spanierman Gallery, 2005-2014.

Gorman 2021
Amanda Gorman, *La colina que ascendemos. Un poema inaugural*. Nuria Barrios (trad.). Barcelona, Penguin Random House, 2021 (edición bilingüe).

Grosvenor 1982
Edwin S. Grosvenor, «Inside the Thyssen Collection», en *Portfolio*, vol. 4, n.º 4, julio-agosto de 1982, pp. 58-65.

Guilbaut 1983
Serge Guilbaut, *How New York Stole the Idea of Modern Art: Abstract Expressionism, Freedom and the Cold War*. Chicago, University of Chicago Press, 1983.

Hammer y Lyndon 1987
Armand Hammer y Neil Lyndon. *Hammer*. Nueva York, Putnam, 1987.

Harjo 2019
Joy Harjo, «Weapons, or What I Have Taken in My Hand to Speak When I Have No Words», en *An American Sunrise: Poems*. Nueva York, W. W. Norton & Company, 2019, p. 27.

Harrison, Frascina y Perry 1993
Charles Harrison, Francis Frascina y Gillian Perry, *Primitivism, Cubism, Abstraction: The Early Twentieth Century* (*Modern Art*, vol. 2: *Practices and Debates*). New Haven, Yale University Press-Open University, 1993.

Harvey 2012
Eleanor Jones Harvey, *The Civil War and American Art*. Washington, Smithsonian American Art Museum, 2012.

Haskell 1999
Barbara Haskell, *The American Century. Art & Culture 1900-1950*. Nueva York-Whitney Museum of American Art-W. W. Norton, 1999.

Haskell 2016
Barbara Haskell, «Quotidian Truth: Stuart Davis's Idiosyncratic Modernism», en Harry Cooper y Barbara Haskell (eds.), *Stuart Davis: In Full Swing*. Washington, National Gallery of Art, 2016, pp. 1-22.

Heyd 1999
Milly Heyd, *Mutual Reflections: Jews and Blacks in American Art*. New Brunswick-Londres, Rutgers University Press, 1999.

Hickory 1993
Through Artists' Eyes: 19th Century America, Selections from the Masco Collection [cat. exp.]. Hickory, Hickory Museum of Art, 1993.

Higginbotham 2015
Carmenita Higginbotham, *The Urban Scene: Race, Reginald Marsh, and American Art*. Pensilvania, University Park, The Pennsylvania State University Press [2015].

Hobbs 1999
Robert Hobbs, «Lee Krasner», en Robert Hobbs (ed.), *Lee Krasner*. Nueva York, Independent Curators International-Harry N. Abrams, 1999, pp. 27-202.

Hofmann 1995
Hans Hofmann, «Hans Hofmann, fragmentos de sus enseñanzas», en Herschel B. Chipp, *Teorías del arte contemporáneo. Fuentes artísticas y opiniones críticas*. Julio Rodríguez Puértolas (trad.). Madrid, Ediciones Akal, 1995, pp. 571-573.

Honour 2010
Hugh Honour, «The Art of Observation», en David Bindman y Henry Louis Gates (eds.), *The Image of the Black in Western Art*, vol. IV: *From the American Revolution to World War I*, parte 2: *Black Models and White Myths*. Cambridge, Belknap Press-Harvard University Press, 2010, s. p.

Hopper 1913-1963
Edward y Josephine Hopper, *Artist's ledger - Book I. 1913-1963* (cuaderno manuscrito). Nueva York, Whitney Museum of American Art, 1913-1963, fotocopias en archivo del Museo.

Hopps y Davidson 1997
Walter Hopps y Susan Davidson, *Robert Rauschenberg: A Retrospective*. Nueva York, The Solomon R. Guggenheim Museum, 1997.

Houston 1982
David B. Warren (ed.), *Nineteenth-Century American Landscape Painting: Selections from the Thyssen-Bornemisza Collection* [cat. exp.]. Houston, Museum of Fine Arts, 1982.

Howat y Tracy 1975-1976
John K. Howat y Berry B. Tracy, «A Bicentennial Treasury: American Masterpieces from the Metropolitan», en *The Metropolitan Museum of Art Bulletin*, vol. 33, n.º 4, invierno de 1975-1976.

Humboldt 1855
Alexander von Humboldt, *Cosmos: A Sketch of a Physical Description of the Universe*, E. C. Otté (trad.), vol. 2. Nueva York, Harper & Brothers Publishers, 1855, versión on line consultable en: https://babel.hathitrust.org/cgi/pt?id=uiuo.ark:/13960/t2697325h&view=1up&seq=9&q1=Ficus

Humboldt 2001
Alexander von Humboldt, *Extractos de sus diarios*. Biblioteca Virtual del Banco de la República, 2001, versión on line consultable en: https://www.banrepcultural.org/humboldt/diario/9.htm

Hunt 1992
John Dixon Hunt (ed.), *The Pastoral Landscape* (Studies in the History of Art, n.º 36). Washington, National Gallery of Art, 1992.

Indianápolis-Springfield 1973
Jeffrey R. Brown, *Alfred Thompson Bricher, 1837-1908* [cat. exp. Indianápolis, Indianapolis Museum of Art; Springfield, George Walter Vincent Smith Art Museum]. Indianápolis, Indianapolis Museum of Art, 1973.

Jewell 1930
Edward Alden Jewell, *Modern Art: Americans*. Nueva York, Alfred A. Knopf, 1930.

Jewell 1939
Edward Alden Jewell: *Have We an American Art?*. Nueva York, Longmans, Green & Co, 1939.

Kagan 1996
Richard L. Kagan, «Prescott's Paradigm: American Historical Scholarship and the Decline of Spain», en *The American Historical Review*, vol. 101, n.º 2, abril de 1996, pp. 423-446.

Karmel 1999
Pepe Karmel (ed.), *Jackson Pollock: Interviews, Articles and Reviews*. Nueva York, The Museum of Modern Art-Harry N. Abrams, 1999.

Kay 1891
Charles de Kay, «Mr. Chase and Central Park», en *Harper's Weekly*, n.º 35, 2 de mayo de 1891, pp. 324, 327-328.

Kennedy 1961
Michael S. Kennedy (ed.), *The Assiniboines: From the Accounts of the Old Ones Told to First Boy (James Larpenteur Long)* (*The Civilization of the American Indian Series*, n.º 58). Norman, University of Oklahoma Press, 1961.

Kennedy 2002
Elizabeth Kennedy, «A Patriotic Muse: A History of the Daniel J. Terra Collection and the Terra Museum of American Art», en *An American Point of View: The Daniel J. Terra Collection*, Giverny, Musée d'Art Américain Giverny Publications-Nueva York, Hudson Hills, 2002, pp. 18-27.

Kimmelmann 1991
Michael Kimmelmann, «Review/Art; Down to the Sea Again with Ralston Crawford», en *The New York Times*, 22 de marzo de 1991, Section C, p. 19, versión on line consultable en: https://www.nytimes.com/1991/03/22/arts/review-art-down-to-the-sea-again-with-ralston-crawford.html?smid=url-share

Knox 2018
Page S. Knox, «Introducing the West to America: Thomas Moran's Illustrations of Yellowstone and the Grand Canyon in *Scribner's Monthly Magazine*», en *Journal of Illustration*, vol. 5, n.º 1, abril de 2018, pp. 23-139.

Kornhauser y Barringer 2018
Elizabeth Mankin Kornhauser y Tim Barringer, *Thomas Cole's Journey. Atlantic Crossings* [cat. exp. Nueva York, The Metropolitan Museum of Art; Londres, The National Gallery]. Nueva York, The Metropolitan Museum of Art-Yale University Press, 2018.

Kozloff 1973
Max Kozloff, «American Painting during the Cold War», en *Artforum*, n.º 11, mayo de 1973, pp. 43-54.

Krenn 2017
Michael L. Krenn, *The History of United States Cultural Diplomacy: 1770 to the Present Day*. Londres-Nueva York, Bloomsbury Publishing, 2017.

Kusserow 2018
Karl Kusserow, «The Trouble with Empire», en Karl Kusserow y Alan Braddock (eds.), *Nature's Nation: American Art and Environment* [cat. exp.]. Princeton, Princeton University Art Museum-Yale University Press, 2018, pp. 103-139.

Kusserow y Braddock 2018
Karl Kusserow y Alan Braddock (eds.), *Nature's Nation. American Art and Environment* [cat. exp.]. Princeton, Princeton University Art Museum-Yale University Press, 2018.

Levy 1966
Julien Levy, *Arshile Gorky*. Nueva York, Harry N. Abrams, 1966.

Lévy 2004
Sophie Lévy: «In American Eyes: Portraits in the Terra Foundation for the Arts Collection», en *Faces of America. Portraits of the Terra Foundation for the Arts Collection, 1770-1940* [cat. exp.]. Giverny, Musée d'Art Américain Giverny, 2004, pp. 8-19.

Lewison 1999
Jeremy Lewison, «Jackson Pollock and the Americanization of Europe», en Kirk Varnedoe y Pepe Karmel (eds.), *Jackson Pollock: New Approaches* [cat. exp.]. Nueva York, Museum of Modern Art, 1999, pp. 201-231.

Liebersohn 1998
Harry Liebersohn, *Aristocratic Encounters: European Travelers and North American Indians*. Nueva York, Cambridge University Press, 1998.

Litchfield 2006
David R. L. Litchfield, *The Thyssen Art Macabre*. Londres, Quartet Books, 2006.

Llorens 2000
Tomàs Llorens Serra (ed.), *Explorar el Edén: Paisaje americano del siglo XIX* [cat. exp.]. Madrid, Fundación Colección Thyssen-Bornemisza, 2000.

Lobel 2016
Michael Lobel, «Another Wesselmann», en *Tom Wesselmann*. Nueva York, Mitchell-Inness & Nash, 2016, pp. 100-121.

Londres 1904
The Exhibition of the Royal Academy of Arts, MDCCCCIV, The One Hundred and Thirty-Sixth [cat. exp.]. Londres, Royal Academy of Arts, 1904.

Londres 1961
Lawrence Alloway, *Jackson Pollock: Paintings, Drawings and Watercolors from the Collection of Lee Krasner* [cat. exp.]. Londres, Marlborough Fine Art, 1961.

Londres 1984
Modern Masters from the Thyssen-Bornemisza Collection [cat. exp.]. Londres, Royal Academy of Arts, 1984.

López-Manzanares y De Cos Martín 2020
Juan Ángel López-Manzanares y Leticia de Cos Martín, «Hans Heinrich Thyssen-Bornemisza y el expresionismo alemán. Nuevos datos sobre la génesis de una colección», en *Expresionismo alemán en la colección del barón Thyssen-Bornemisza* [cat. exp.]. Madrid, Museo Nacional Thyssen-Bornemisza, 2020, pp. 224-241.

Ludington 2009
Townsend Ludington, «"In Favor of Intuitive Abstraction": Marsden Hartley's Musical Theme Paintings», en Maria de Peverelli, Marco Grassi y Hans-Christoph von Imhof (eds.), *Emil Bosshard, Paintings Conservator (1945-2006). Essays by Friends and Colleagues*. Florencia, Centro Di, 2009, pp. 132-145.

Maddox 2004
Kenneth W. Maddox, «Setting up Camp, Little Big Horn, Montana», en Javier Arnaldo (ed.), *Colección Carmen Thyssen-Bornemisza*, 2 vols. Madrid, Fundación Colección Thyssen-Bornemisza, 2004, vol. 1, p. 246.

Madrid 1986
Maestros modernos de la Colección Thyssen-Bornemisza [cat. exp.]. Madrid, Ministerio de Cultura. Dirección General de Bellas Artes y Archivos, Centro Nacional de Exposiciones-Lugano, Colección Thyssen-Bornemisza-Milán, Electa, 1986.

Manthorne 1984
Katherine E. Manthorne, «The Quest for a Tropical Paradise: Palm Trees as Fact and Symbol in Latin American Landscape Imagery, 1850-1875», en *Art Journal*, vol. 44, n.º 4, invierno de 1984, pp. 374-382.

Manthorne 1986a
Katherine E. Manthorne, «William Louis Sonntag, Fishermen in the Adirondacks. Hudson River», en Barbara Novak (ed.), *Nineteenth-Century American Painting: The Thyssen-Bornemisza Collection*. Londres, Sotheby's Publications, 1986, p. 86.

Manthorne 1986b
Katherine E. Manthorne, «Eastman Johnson, Girl at the Window», en Barbara Novak (ed.), *Nineteenth-Century American Painting: The Thyssen-Bornemisza Collection*. Londres, Sotheby's Publications, 1986, p. 180.

Manthorne 1989
Katherine Manthorne, *Tropical Renaissance: North American Artists Exploring Latin America, 1839-1879. New Directions in American Art*. Washington, Smithsonian Institution Press, 1989.

McCarthy 1998
David McCarthy, *The Nude in American Painting, 1950-1980*. Cambridge, Cambridge University Press, 1998.

McCoubrey 1965
John W. McCoubrey, *American Art, 1700-1960* (Sources and Documents in the History of Art). Englewood Cliffs, Prentice-Hall, 1965.

McCoubrey 2005
John McCoubrey, *American Tradition in Painting*. Filadelfia, University of Pennsylvania, 2005.

McShine 1976
Kynaston McShine (ed.), *The Natural Paradise: Painting in America, 1800-1950* [cat. exp.]. Nueva York, The Museum of Modern Art, 1976.

Menand 2021
Louis Menand, *The Free World: Art and Thought in the Cold War*. Nueva York, Farrar, Straus and Giroux, 2021.

Merle du Bourg 2010
Alexis Merle du Bourg, «Hopper et les maîtres hollandais: Vermeer à Greenwich Village», en *Dossier de L'Art. Edward Hopper. Exposition à la Fondation de L'Hermitage de Lausanne*, Dijon, 2010, n.º 175, pp. 62-67.

Milán 1962
Lawrence Alloway, *Jackson Pollock* [cat. exp.]. Milán, Toninelli Arte Moderna, 1962.

Miller 1967
Perry Miller, *Nature's Nation*. Cambridge, Harvard University Press, 1967.

Mineápolis 1963
Forrest Selvig, *Four Centuries of American Art* [cat. exp.]. Mineápolis, The Minneapolis Institute of Arts, 1963.

Mineápolis 1976
The River: Images of the Mississippi [cat. exp.]. Mineápolis, Walker Art Center, 1976.

Moore en prensa
Susan Moore, *Portrait of a Collector. Baron Hans Heinrich Thyssen-Bornemisza*. Londres, Thames & Hudson, en prensa [2023]

Mora 1993
Pat Mora, «Legal Alien», en Tey Diana Rebolledo y Eliana S. Rivero (eds.), *Infinite Divisions: An Anthology of Chicana Literature*, Tucson, University of Arizona Press, 1993, p. 95.

Muñoz Molina 2004
Antonio Caño: «Entrevista: Antonio Muñoz Molina. Un escritor en Manhattan. "Nueva York te quita tontería y vanidades destructivas"», en El País, 27 de febrero de 2004, versión on line consultable en: https ://elpais.com/diario/2004/02/28/babelia/1077928750_850215.html

Neff 2000
Emily Ballew Neff, «The Parley», en Emily Ballew Neff y Wynne H. Phelan (eds.), *Frederic Remington: The Hogg Brothers Collection of the Museum of Fine Arts, Houston*. Princeton, Princeton University Press-Houston, Museum of Fine Arts, 2000, pp. 89-91.

Nemerov 1991
Alex Nemerov, «Doing the "Old America": The Image of the American West, 1880-1920», en William H. Truettner (ed.), *The West as America: Reinterpreting Images of the Frontier, 1820-1920*. Washington, National Museum of American Art-Smithsonian Institution Press, 1991, pp. 285-344.

Novak 1969
Barbara Novak, *American Painting of The Nineteenth Century; Realism, Idealism, and the American Experience*. Londres, Pall Mall Press, 1969.

Novak 1976a
Barbara Novak, «The Double-Edged Axe», en *Art in America*, vol. 64, n.º 1, enero-febrero de 1976, pp. 44-50.

Novak 1976b
Barbara Novak, «On Five Themes from Nature: A Selection of Texts», en Kynaston McShine (ed.), *The Natural Paradise: Painting in America, 1800-1950* [cat. exp. Nueva York, The Museum of Modern Art]. Nueva York, New York Graphic Society, 1976, pp. 59-106.

Novak 1980
Barbara Novak, *Nature and Culture. American Landscape and Painting, 1825-1875*. Nueva York-Oxford, Oxford University Press, 1980.

Novak 1982
Barbara Novak, «On Nineteenth-century American landscape painting: A Montage of Texts», en David B. Warren (ed.), *Nineteenth-Century American Landscape Painting: Selections from The Thyssen-Bornemisza Collection*, Houston, Museum of Fine Arts, 1982, pp. 3-14.

Novak 1986
Barbara Novak (ed.), *Nineteenth-Century American Painting: The Thyssen-Bornemisza Collection*. Londres, Sotheby's Publications, 1986.

Novak 2007
Barbara Novak, *Voyages of the Self: Pairs, Parallels, and Patterns in American Art and Literature*. Oxford-Nueva York, Oxford University Press, 2007.

Nueva York 1927
Arthur G. Dove Paintings [cat. exp.]. Nueva York, The Intimate Gallery, 1927.

Nueva York 1930
Sixth Loan Exhibition: Winslow Homer, Albert P. Ryder, Thomas Eakins [cat. exp.]. Nueva York, The Museum of Modern Art, 1930.

Nueva York 1936
Winslow Homer Centenary Exhibition [cat. exp.]. Nueva York, Whitney Museum of American Art, 1936.

Nueva York 1940
Arthur G. Dove: Exhibition of New Oils and Watercolors [cat. exp.]. Nueva York, An American Place, 1940.

Nueva York 1947
Ben Shahn [cat. exp.]. Nueva York, The Museum of Modern Art-Penguin, 1947.

Nueva York 1958
Spring 1958: Gallery Roster and Acquisitions [cat. exp.]. Nueva York, The Downtown Gallery, 1958.

Nueva York 1970
New Work by Tom Wesselmann [cat. exp.]. Nueva York, Sidney Janis Gallery, 1970.

Nueva York 1972
The Amherst sesquicentennial exhibition from the collections of Amherst College [cat. exp.]. Nueva York, Amherst College-Hirschl & Adler Galleries, 1972.

Nueva York 1973a
Highly Important 19th and 20th Century American Paintings, Drawings, Watercolors and Sculpture from the Estate of the Late Edith Gregor Halpert (The Downtown Gallery). Nueva York, Sotheby Parke Bernet, 1973.

Nueva York 1973b
Pioneers of American Abstraction [cat. exp.]. Nueva York, Andrew Crispo Gallery, 1973.

Nueva York 1973c
American Masters: 18th and 19th Centuries. [cat. exp.]. Nueva York, Kennedy Galleries, 1973.

Nueva York 1973d
Lee Krasner: Recent Paintings [cat. exp.]. Nueva York, Marlborough Gallery, 1973.

Nueva York 1974
Recently Acquired American Masterpieces of the 19th and 20th Centuries [cat. exp.]. Nueva York, Kennedy Galleries, 1974.

Nueva York 1975
European and American Masterpieces [cat. exp.]. Nueva York, Andrew Crispo Gallery, 1975.

Nueva York 1976
Irving Sandler, *Hans Hofmann: The Years 1947-1952* [cat. exp.]. Nueva York, André Emmerich Gallery, 1976.

Nueva York 1977
Twelve Americans: Masters of Collage [cat. exp.]. Nueva York, Andrew Crispo Gallery, 1977.

Nueva York 1979
Recent Acquisitions of American Art, 1769-1938 [cat. exp.]. Nueva York, Hirschl & Adler Galleries, 1979.

Nueva York 1980a
Artists of the American West [cat. exp.]. Nueva York, Kennedy Galleries, 1980.

Nueva York 1980b
People, Places and Things: American Paintings 1750-1980 [cat. exp.]. Nueva York, Kennedy Galleries, 1980.

Nueva York 1980c
Hans Hofmann: Centennial Celebration; Part I, Major Paintings [cat. exp.]. Nueva York, André Emmerich Gallery, 1980.

Nueva York 1981a
Art of America: Selected Painting and Sculpture from 1770 to 1981 [cat. exp.]. Nueva York, Kennedy Galleries, 1981.

Nueva York 1981b
Raphael Soyer: Recent Work [cat. exp.]. Nueva York, Forum Gallery, 1981.

Nueva York 1996
Masters of American Art: 1850-1950 [cat. exp.]. Nueva York, Spanierman Gallery, 1996.

Nueva York-Hartford 1997-1998
The Spirit of the Place. Masterworks from the Carmen Thyssen-Bornemisza Collection [cat. exp.]. Nueva York, Frick Collection-Hartford, Wadsworth Atheneum, 1997.

Oaklander 2008
Christine Isabelle Oaklander, «Jonathan Sturges, W. H. Osborn, and William Church Osborn: A Chapter in American Art Patronage», en *Metropolitan Museum Journal*, vol. 43, 2008, pp. 173-194.

Oaklander 2021
Christine Isabelle Oaklander, «Rago's Spanierman Gallery Auction», en *Maine Antique Digest*, enero de 2021, p. 95.

O'Brien 2010
Jean M. O'Brien, *Firsting and Lasting: Writing Indians out of Existence in New England (Indigenous Americas)*. Mineápolis, University of Minnesota Press, 2010.

O'Doherty 1973
Brian O'Doherty, «Jackson Pollock's Myth», en *American Masters: The Voice and the Myth*. Nueva York, A Ridge Press Book-Random House, 1973, pp. 83-111.

París-Düsseldorf-Zúrich-Róterdam 1974
Richard Lindner [cat. exp. París, Musée National d'Art Moderne; Düsseldorf, Kunstmuseum; Zúrich, Kunsthaus Zürich; Róterdam, Museum Boijmans Van Beuningen]. París, Édition des Musées Nationaux, 1974.

Pearson 2001
Richard Pearson, «Art Impresario Annemarie Pope Dies», en *The Washington Post*, 12 de noviembre de 2001, versión on line consultable en: https://www.washingtonpost.com/archive/local/2001/11/12/art-impresario-annemarie-pope-dies/b4e2f56d-5ffc-4157-9b31-125387efc7ad/

Pohl 1993
Frances K. Pohl, *Ben Shahn*. San Francisco, Pomegranate Artbooks, 1993.

Pollock 1980
Jackson Pollock, «My Painting [1956]», en Barbara Rose (ed.), *Pollock: Painting*. Nueva York, Agrinde Publications, 1980, p. 65.

Prescott 1973
Kenneth W. Prescott, *The Complete Graphic Works of Ben Shahn*. Nueva York, Quadrangle, 1973.

Príncipe Maximiliano 1839-1841
Maximiliano, príncipe de Wied-Neuwied, *Reise in das innere Nord-Amerika in den Jahren 1832 bis 1834*. Coblenza, Bei J. Hœlscher, 1839-1841.

Prown 1966
Jules David Prown, *John Singleton Copley*. Cambridge, Harvard University Press, 1966.

Pyne 2006
Kathleen A. Pyne, «Response: On Feminine Phantoms: Mother, Child, and Woman-Child», en *The Art Bulletin*, vol. 88, n.º 1, marzo de 2006, pp. 44-61.

Quick 2007
Michael Quick, *George Inness: A Catalogue Raisonné*. New Brunswick, Rutgers University Press, [2007].

Raab 2015
Jennifer Raab, *Frederic Church: The Art and Science of Detail*. New Haven, Yale University Press, 2015.

Rauschenberg 2010
Robert Rauschenberg [cat. exp.]. Nueva York, Gagosian Gallery, 2010.

Reich 1970
Sheldon Reich, *John Marin. A Stylistic Analysis and Catalogue Raisonné*. Tucson, University of Arizona, 1970.

Riley 2018
Caroline M. Riley, "American Painting, 1946", en Modern American Art at Tate 1945-1980, Tate Research Publication, 2018, versión on line consultable en: https://www.tate.org.uk/research/publications/modern-american-art-at-tate/essays/american-painting-london-1946.

Rivas 1998
Manuel Rivas, «Mujer en el baño», en *El cuadro del mes*. Madrid, Fundación Colección Thyssen-Bornemisza, 1998, pp. 33-53.

Robertson 1986
Bryan Robertson, «Krasner's Collages», en *Lee Krasner. Collages*. Nueva York, Robert Miller Gallery, 1986.

Rockefeller 2002
David Rockefeller, *Memoirs*. Nueva York, Random House, 2002.

Rose 1983
Barbara Rose, *Lee Krasner: A Retrospective* [cat. exp.]. Nueva York, The Museum of Modern Art, 1983.

Rosenblum 1961
Robert Rosenblum, «The Abstract Sublime», en *ARTnews*, vol. 59, n.º 10, febrero de 1961, pp. 38-41.

Rosenblum 1975
Robert Rosenblum, *Modern Painting and the Northern Romantic Tradition: Friedrich to Rothko*, Nueva York, Harper & Row, 1975.

Rosenblum 1976
Robert Rosenblum, «The Primal American Scene», en Kynaston McShine (ed.), *The Natural Paradise: Painting in America, 1800-1950* [cat. exp. Nueva York, The Museum of Modern Art]. Nueva York, New York Graphic Society, 1976, pp. 13-37.

Rugh 2009
William A. Rugh, «The Case for Soft Power», en Philip Seib (ed.), *Toward a New Public Diplomacy: Redirecting U. S. Foreign Policy*. Nueva York, Palgrave MacMillan, 2009, pp. 3-21.

Ruiz del Árbol 2016
Marta Ruiz del Árbol «Una excepción en el coleccionismo europeo. El barón Thyssen-Bornemisza y la pintura del siglo XIX», en *Ventanas*, n.º 7, Madrid, Museo Thyssen-Bornemisza, 2016, pp. 2-6, versión on line consultable en: https://www.museothyssen.org/sites/default/files/document/2017-03/V7_ESP_interactivo.pdf

Ruiz del Árbol 2021
Marta Ruiz del Árbol (ed.), *Georgia O'Keeffe* [cat. exp.]. Madrid, Museo Nacional Thyssen-Bornemisza, 2021.

Saint-Paul de Vence-Lieja 1979
Richard Lindner [cat. exp. Saint-Paul de Vence, Fondation Maeght; Lieja, Musée Saint-Georges]. Saint-Paul de Vence, Fondation Maeght, 1979.

Sandler 1970
Irving Sandler, *The Triumph of American Painting: A History of Abstract Expressionism*. Nueva York, Praeger, 1970.

Santa Bárbara-Berkeley-Washington-Utica 1971-1972
Charles Demuth. The Mechanical Encrusted on the Living [cat. exp. Santa Bárbara, Art Gallery, University of California at Santa Barbara; Berkeley, University Art Museum, University of California; Washington, The Phillips Collection; Utica, Munson-Williams-Proctor Institute] Santa Bárbara, University of California, 1971.

Saunders 2001
Frances Stonor Saunders, *La CIA y la guerra fría cultural*. Barcelona, Debate, 2001.

Schaffner y Zabar 2010
Cynthia V. A. Schaffner y Lori Zabar, «The Founding and Design of William Merritt Chase's Shinnecock Hills Summer School of Art and the Art Village», en *Winterthur Portfolio*, vol. 44, n.º 4 invierno de 2010, pp. 303-350.

Schwartz 1984
Barth David Schwartz, «Thyssen in All Candor. A Far-Ranging Conversation with the World's Most Powerful Collector», en *Connoisseur*, enero de 1984, pp. 62-69.

Seckler 1953
Dorothy Gees Seckler, «Stuart Davis Paints a Picture», en *Art News*, vol. 52, n.º 4, verano de 1953, p. 74.

Seiberling 1949
Dorothy Seiberling, «Jackson Pollock: Is He the Greatest Living Painter in the United States?», en *Life*, vol. 27, n.º 6, 8 de agosto 1949, pp. 42-45.

Seiler 2008
Cotten Seiler, *A Republic of Drivers: A Cultural History of Automobility in America*. Chicago, University of Chicago Press, 2008.

Shahn 1972
Bernarda Bryson Shahn, *Ben Shahn*. Nueva York, Harry N. Abrams, 1972.

Shanghái-Beijing 1996-1997
From Zurbarán to Picasso: Masterpieces from the Collection of Carmen Thyssen-Bornemisza [cat. exp. Shanghái, Shangai Museum; Beijing, China National Art Gallery]. Milán, Skira Editore, 1996.

Sharp 2012
Lewis I. Sharp, «Frederic Remington's The Cheyenne», en Thomas Brent Smith (ed.), *Elevating western American art: developing an institute in the cultural capital of the Rockies*. Denver, Petrie Institute of Western American Art-Norman, University of Oklahoma Press, 2012, pp. 248-255.

Shaykin 2019
Rebecca Shaykin, *Edith Halpert, The Downtown Gallery, and the Rise of American Art*. New Haven-Londres, Yale University Press, 2019.

Sidney 1979-1980
America & Europe. A Century of Modern Masters from the Thyssen-Bornemisza Collection [cat. exp.]. Sidney, Australian Gallery Directors Council, 1979-1980.

Simon 2001
Robin Simon. «Great American Art in the Heart of Europe, Madrid Houses the Collections.», en *Collections*, 2001, pp. 33-40.

Simmons 2015
Scott Simmons, «Consummate Collector: Paintings from Richard Manoogian's collection come to Lighthouse Art Center», en *Florida Weekly*, 12 de noviembre de 2015, versión on line consultable en: https://palmbeach.floridaweekly.com/articles/consummate-collector/

Soby 1963
James Thrall Soby, *Ben Shahn Paintings & Graphic Art*, 2 vols. Nueva York, George Braziller, 1963.

Soby 1964
James Thrall Soby, *Ben Shahn Malerei*. Frankfurt, Insel-Verlag, 1964.

Solana 2020
Guillermo Solana, «Los orígenes de una pasión,» en *Expresionismo alemán en la colección del barón Thyssen-Bornemisza* [cat. exp.]. Madrid, Museo Nacional Thyssen-Bornemisza, 2020, pp. 13-25.

Spicer 2018
Frank Spicer, «The New American Painting, 1959», en *Modern American Art at Tate 1945-1980*, Tate Research Publication, 2018, versión on line consultable en: https://www.tate.org.uk/research/publications/modern-american-art-at-tate/essays/new-american-painting.

Spies y Loyall 1999
Werner Spies (ed.) y Claudia Loyall (compilación), *Richard Lindner: Catalogue Raisonné of Paintings, Watercolours and Drawings*. Múnich-Londres-Nueva York, Prestel, 1999.

Stebbins y Troyen 1983
Theodore E. Stebbins, Jr. y Carol Troyen, *The Lane Collection: Twentieth-Century Paintings in the American Tradition* [cat. exp.]. Boston, Museum of Fine Arts, 1983.

Stein 1914
Gertrude Stein, «A Substance in a Cushion», en *Tender Buttons*, Nueva York, 1914, versión on line consultable en: https://www.gutenberg.org/files/15396/15396-h/15396-html

Steinberg 2004
David Steinberg, «Acquisition, Interrupted: Charles Willson Peale's Stewart Children and The Labor of Conscience», en *Commonplace: The journal of Early American Life* (publicado orginalmente en issue 4.3, abril de 2004), versión on line consultable en: http://commonplace.online/article/acquisition-interrupted/

Stepan 2001
Nancy Leys Stepan, *Picturing Tropical Nature*. Londres, Reaktion Books, 2001.

Stolle 2017
Nikolaus Stolle, «Uso de los recursos naturales entre los pueblos indígenas de Norteamérica», en *Al encuentro del Gran Espíritu: El Congreso Indio de 1898*. Madrid, Ministerio de Educación, Cultura y Deporte, 2017, pp. 14-19.

Sylvester 2001
David Sylvester, *Interviews with American Artists*. Londres, Chatto & Windus, 2001.

Tampa 1979
Richard B. K McLanathan, *Romantic America: The Middle Decades of the 19th Century* [cat. exp.]. Tampa, The Tampa Museum, 1979.

Tatham 1990
David Tatham, «Trapper, Hunter, and Woodsman: Winslow Homer's Adirondack Figures», en *The American Art Journal*, vol. 22, n.º 4, invierno de 1990, pp. 40-67.

Tatham 1994
David Tatham, «Recently Discovered Daybook Reveals Winslow Homer's Participation in Deer Hunting in the Adirondacks» en *The American Art Journal*, vol. 26, n.os 1-2, 1994, pp. 108-112.

Tatham 1996
David Tatham, *Winslow Homer in the Adirondacks*. Nueva York, Syracuse University Press, 1996.

Taylor 2017
Alex J. Taylor, «Transactions: Trade, Diplomacy, and the Circulation of American Art», en *American Art*, vol. 31, n.º 2, verano de 2017, pp. 89-95.

Tedeschi y Dahm 2010
Martha Tedeschi y Kristi Dahm (eds.), *John Marin's Watercolors: A Medium for Modernism*. Chicago-New Haven, The Art Institute of Chicago-Yale University Press, 2010.

Tempel 2004
Benno Tempel, «Symbol and Image: Smoking in Art since the Seventeenth Century», en Sander L. Gilman y Xun Zhou, *Smoke: A Global History of Smoking*. Londres, Reaktion Books, 2004, pp. 206-217.

Thielemans 2008
Veerle Thielemans, «Looking at American Art from the Outside In», en *American Art*, vol. 22, n.º 3, otoño de 2008, pp. 2-10.

Thyssen-Bornemisza 2014
Hans Heinrich Thyssen-Bornemisza, *Yo, el barón Thyssen. Memorias*, 2ª edición. Barcelona, Planeta, 2014.

Todd 1993
Ellen Wiley Todd, *The«New Woman» Revised: Painting and Gender Politics on Fourteenth Street*. Berkeley, University of California Press, 1993, pp. XXV-XXIV, versión on line consultable en: http://ark.cdlib.org/ark:/13030/ft9k4009m7/

Tokio 1991
Two Hundred Years of American Paintings from the Thyssen-Bornemisza Collection [cat. exp.]. Tokio, The Tokyo Shimbun, 1991.

Tokio-Kumamoto 1984
Modern Masters from the Thyssen-Bornemisza Collection [cat. exp. Tokio, National Museum of Modern Art-Kumamoto, Kumamoto Prefectural Museum of Art]. Tokio, The National Museum of Modern Art, 1984.

Tokio-Takaoka-Nagoya-Sendai 1998-1999
Masterworks from the Carmen Thyssen-Bornemisza Collection [cat. exp. Tokyo, Tokyo Metropolitan Art Museum; Takaoka, Takaoka Art Museum; Nagoya, Matsuzakaya Art Museum; Sendai, The Miyagi Museum of Art]. Tokio, Yomiuri Shimbun, 1998.

Tomkins 1981
Calvin Tomkins, *Off the Wall: Robert Rauschenberg and the Art World of Our Time*. Nueva York, Penguin Books, 1981.

Trovato 1970
Joseph S. Trovato, *Charles Burchfield. Catalogue of Paintings in Public and Private Collections*. Utica, Munson-Williams-Proctor Institute, 1970.

Troyen 1984
Carol Troyen, «Innocents Abroad: American Painters at the 1867 Exposition Universelle, Paris», en *The American Art Journal*, vol. 16, n.º 4, otoño de 1984, pp. 2-29.

Truettner 1979
William H. Truettner, *The Natural Man Observed: A Study of Catlin's Indian Gallery*. Washington, Smithsonian Institution Press, 1979.

Tyler 2004
Ron Tyler, «Karl Bodmer and the American West», en Marsha V. Gallagher y Ron Tyler (eds.), *Karl Bodmer's North American Prints*. Lincoln, University of Nebraska Press-Chesham, Combined Academic, 2004, pp. 1-45.

Waldman 1993
Diane Waldman, *Roy Lichtenstein* [cat. exp.]. Nueva York, Solomon R. Guggenheim Museum, 1993.

Washington 1947
Retrospective Exhibition of Paintings by Arthur G. Dove [cat. exp.]. Washington, The Phillips Memorial Gallery, 1947.

Washington 1960
A Loan Exhibition from The Edith Gregor Halpert Collection [cat. exp.]. Washington, Corcoran Gallery of Art, 1960.

Washington 1964
Treasures of 20th. Century Art from the Maremont Collection [cat. exp.]. Washington, Washington Gallery of Modern Art, 1964.

Washington 1982
William S. Lieberman (ed.), *20th Century Masters: The Thyssen-Bornemisza Collection* [cat. exp.]. Washington, International Exhibitions Foundation, 1982.

Washington 1984-1986
American Masters: The Thyssen-Bornemisza Collection [cat. exp.]. Washington, International Exhibitions Foundation, 1984-1986. Lugano, Thyssen-Bornemisza Collection-Milán, Electa International, 1984.

Washington-Albany-Nueva York 1966
Frederic Edwin Church [cat. exp. Washington, National Collection of Fine Arts; Albany, Albany Institute of History and Art; Nueva York, M. Knoedler & Co.]. Washington, Smithsonian Institution Press, 1966.

Washington-University Park-Waltham 1975
Lee Krasner: Collages and Works on Paper, 1933-1974 [cat. exp. Washington, Corcoran Gallery of Art; University Park, Pennsylvania State University; Waltham, Rose Art Museum, Brandeis University]. Washington, Corcoran Gallery of Art, 1975.

Washington-Utica 1962
The Edith Gregor Halpert Collection [cat. exp. Washington, Corcoran Gallery of Art; Utica, Munson-Williams Proctor Institute]. Washington, 1962.

Weiss 1977
Ila Weiss, *Sanford Robinson Gifford (1823-1880)*. Nueva York, Garland, 1977.

Whitaker 2002
Jan Whitaker, *Tea at the Blue Lantern Inn: A Social History of the Tea Room Craze in America*. Nueva York, St. Martin's Press, 2002.

Whiting 1997
Cécile Whiting, «Trompe l'oeil Painting and the Counterfeit Civil War», en *The Art Bulletin*, n.º 79, junio de 1997, pp. 251-268.

Whiting 2006
Cécile Whiting, *Pop L. A.: Art and the City in the 1960s*. Berkeley, University of California Press, 2006.

Whitman 1842
[Walt Whitman], «Playing in the Park», en *New York Aurora*, 12 de abril de 1842, p. 2. Consultado en Playing in the Park (Journalism)-The Walt Whitman Archive.

Whitman 2019
Walt Whitman, *Hojas de hierba*. Francisco Alexander (ed.). Madrid, Visor Libros, 2019 (7ª ed.).

Wigoder 2002
Meir Wigoder, «The "Solar Eye" of Vision: Emergence of the Skyscraper-Viewer in the Discourse on Heights in New York City, 1890-1920», en *Journal of the Society of Architectural Historians*, vol. 61, n.º 2, junio de 2002, pp. 152-169.

Wilmerding 1964
John Wilmerding, *Fitz Hugh Lane, 1804-1865: American Marine Painter*. Salem, Essex Institute, 1964.

Wilmerding 1971
John Wilmerding, *Robert Salmon: Painter of Ship & Shore*. Salem, Peabody Museum, 1971.

Wilmerding 1983
John Wilmerding, *Important Information Inside: The Art of John F. Peto and the Idea of Still-Life Painting in Nineteenth-Century America*. Washington, National Gallery of Art, 1983.

Wilmerding 2006
John Wilmerding, *Richard Estes*. Nueva York, Rizzoli, 2006.

Witte y Gallagher 2008-2012
Stephen S. Witte y Marsha V. Gallagher, *The North American Journals of Prince Maximilian of Wied*, 3 vols. Omaha, Joslyn Art Museum-Norman, University of Oklahoma Press, 2008, 2010 y 2012.

Yard 1991
Sally Yard, «The Angel and the Demoiselle: Willem de Kooning's "Black Friday"», en *Record of the Art Museum, Princeton University*, vol. 50, n.º 2, 1991, pp. 2-25.

Young 1983
Mahonri Sharp Young, «Scope and Catholicity. Nineteenth-and Twentieth-Century American Paintings», en *Apollo Magazine*, vol. 118, n.º 257, julio de 1983, pp. 82-91.

Zabel 1991
Barbara Zabel, «Stuart Davis's Appropriation of Advertising: The *Tobacco Series*, 1921-1924», en *American Art*, vol. 5, n.º 4, otoño de 1991), pp. 56-67.

Zontek 2007
Ken Zontek, *Buffalo Nation: American Indian Efforts to Restore the Bison*. Lincoln, University of Nebraska Press, 2007.

Zukas 2018
Alex Zukas, «Class, Imperial Space, and Allegorical Figures of the Continents on Early-Modern World Maps», en *Environment, Space, Place*, vol. 10, n.º 2, octubre de 2018, pp. 29-62.

Zurier 2006
Rebecca Zurier, *Picturing the City. Urban Vision and the Ashcan School*. Berkeley-Los Ángeles-Londres, University of California Press, 2006.

Créditos fotográficos

© de todas las imágenes: Archivo fotográfico del Museo Nacional Thyssen-Bornemisza (fotografías de Hélène Desplechin, Humberto Durán y José Loren)

Excepto las siguientes:

© 2021. Digital image Whitney Museum of American Art / Licensed by Scala: figs. 11, 51
© 2021. Digital image, The Museum of Modern Art, New York/Scala, Florence: figs. 3, 9, 42
© 2021. Image copyright The Metropolitan Museum of Art/Art Resource/Scala, Florence: figs. 31, 38
© 2021. Photo Scala, Florence: fig. 1
© 2021. Photo Smithsonian American Art Museum/Art Resource/Scala, Florence: fig. 28
© 2021. The Art Institute of Chicago / Art Resource, NY/ Scala, Florence: fig. 42
© iliana emilia garcía: fig. 35
© Miguel Luciano: fig. 47
Bridgeman Images: figs. 10, 40, 52
Cortesía Carmen Thyssen: figs. 17-18, 21-24
Cortesía María Magdalena Campos-Pons, Gallery Wendi Norris, San Francisco y Galerie Barbara Thumm, Berlín: fig. 37
Detroit Institute of Arts: figs. 25, 34
National Gallery of Art, Washington: figs. 2, 4, 32
New-York Historical Society: fig. 50
Smithsonian American Art Museum, Washington: figs. 33, 36, 53
The Metropolitan Museum of Art, Nueva York: fig. 29
The New York Public Library: fig. 46
Thyssen-Bornemisza Collections: cats. 4, 26, 32, 52, 53, 68, 69, 89, 91, 92, 99, 116, 134, 135, 156

Copyrights

Exposición

Comisarias
Paloma Alarcó
Alba Campo Rosillo

Registro
Marián Aparicio

Montaje, producción y difusión
Museo Nacional Thyssen-Bornemisza

Imagen gráfica
Sonia Sánchez

Catálogo

Edita
Museo Nacional Thyssen-Bornemisza

Ensayos
Paloma Alarcó
Alba Campo Rosillo

Secciones
Paloma Alarcó
Alba Campo Rosillo
Clara Marcellán y Marta Ruiz del Árbol

Comentarios obras
Wendy Bellion
Kirsten Pai Buick
David Peters Corbett
Catherine Craft
Karl Kusserow
Michael Lobel
Verónica Uribe Hanabergh

Edición y coordinación editorial
Departamento de Publicaciones del
Museo Nacional Thyssen-Bornemisza
Ana Cela
Catali Garrigues
Ángela Villaverde

Traducción
Juan Santana

Diseño y maquetación
Sonia Sánchez

Mapa
Artur Galocha

Preimpresión
Lucam

Impresión
Artes Gráficas Palermo

Encuadernación
Felipe Méndez

Tipografía
Sainte Colombe

Papeles
Symbol Matt Plus
Masterblank Lino

Esta exposición está cubierta mayoritariamente por la Garantía del Estado.

ISBN: 978-84-17173-60-9
Depósito legal: M-33358-2021

Imagen de cubierta:
Martin Johnson Heade
Playa de Singing, Manchester, 1862
[cat. 54]